读客®

全球顶级畅销小说文库

全球文化，尽收眼底；

顶级经典，尽入囊中！

JODI PICOULT

换心

CHANGE OF HEART

[美] 朱迪·皮考特 著
谢蕙心 译

北京联合出版公司
Beijing United Publishing Co.,Ltd.

怀着爱和满腹的钦佩来填满书页。

献给我的祖父，哈尔·弗瑞德，勇于质疑我们所相信的；

也献给我的祖母，贝丝·弗瑞德，对我的信心从未停止。

致　谢

写这本书本身就是一个奇迹。书写宗教责任的话题相当困难，我必须花时间寻找合适的人来回答相关问题。我要感谢这些人付出的时间和学识：罗莉·汤普森、琳娜·兹巴里尼拉比、彼得·达更席克神父、强·萨尔兹曼、凯蒂·戴斯蒙、克莱尔·德马雷、辛迪·鲍兹尔和泰德·布莱曼牧师。还有无论我何时提出宗教方面的疑问，都乐意将问题化为理论的玛裘莉·罗丝和乔安妮·科林森。艾莲娜·帕杰尔是一位杰出的作家，也是我对话过的最聪明的女人之一。我死缠烂打，恳请她成为我专属的灵知派福音家教，这是她的学术领域之一。每回讨论结束挂上电话之后，我的脑袋总是嗡嗡作响，涌出更多尚待探讨的问题，而这肯定是让灵知派信徒乐意为我背书的好现象。

无论发生什么，珍妮弗·史特尼克永远是我希望能为自己辩护的代理人；克里斯·基亭以很高的效率向我提供法律信息；还有专精死刑上诉程序的克里斯·强森，他的贡献无法估量。

感谢那支不介意我询问如何杀人，而不是如何救人的医疗团队：保罗·基思伯医生、伊丽莎白·马丁医生、戴维·阿塞罗德医生、维杰·塔达尼医生、杰弗瑞·帕尔索内医生、玛莉·凯·沃弗森医生、巴尔伯·丹森、詹姆斯·班蓝杰，等等。贾克琳·米查尔不是医生，而是一位杰出的作家，她给我讲述了伤残相关知识的具体细节。特别感谢珍娜·赫许医生，她慷慨地授予我心脏外科的知识。

前往行刑室是一项意味深长的挑战。我的新罕布什尔州法律执行顾问，包括尼克·奇亚康尼警长、法兰克·莫伦队长、金·拉卡斯、单位经理人提姆·莫肯、克里斯·萧中尉和新罕布什尔州州立监狱公共关系警官杰夫·莱恩。感谢珍尼斯·马拉伯中士、史提夫·盖尔代理典狱长、监管人员杜恩·盖能和前任典狱长莱迪·弗里哥，巧妙地促成了我的亚利桑那州立监狱之行。同样地，要感谢蕾秋·葛罗斯和戴尔·贝奇。然而，如果没有那些亲身或通过信件来向我敞开心扉的受刑人，这本书肯定不会达到这样的成果：罗伯·波泰尔，一位曾经的死刑犯；沙缪尔·伦道夫，现为宾夕法尼亚州的死刑犯；以及罗伯·陶利，现为亚利桑那州的死刑犯。

感谢我在阿垂亚出版社的梦幻团队：卡罗琳·兰迪、莱帝特·克尔、戴维·布朗、丹尼尔·霖、莎拉·布莱汉、劳拉·史登、盖利·厄达、莉萨·坎姆、克里斯廷·达普勒希斯，以及所有其他为我卖力工作的人。感谢卡蜜儿·麦克达菲，她决心让人们停止提出“朱迪·皮考特是谁”之类的问题，并在我的狂野梦想背后做出远超我期望的努力。感谢钟爱我的第一位读者，珍·皮考特，我有幸拥有的母亲。感谢罗拉·葛罗，没有她的存在，我将完全随波逐流且毫无方向。感谢埃米莉·贝斯勒，永远那么厉害地使我看起来极具才华。

当然，感谢凯尔、杰克、山米，让我不断提出也许能让世界变得更好的问题；还有提姆，让我所做的一切都成为可能。如果没有你们，一切都不可能变得更好。

序　曲

1996年

琼

起初，我仍相信人生中会有第二次机会。就在车祸过后这么多年的今天，我仍能如此平静地叙述当时的情景。当烟雾消散，车子停止翻转，静止在壕沟上方后，我依然活着，甚至还能听见女儿伊丽莎白在号啕大哭。那位警察将我拉出车外，送我到医院，让我断掉的腿得以固定。他也帮助了伊丽莎白，她能毫发无伤，简直堪称奇迹。接下来的时间里，她几乎一直坐在他的大腿上。当我被带去指认丈夫杰克的遗体时，他紧紧握着我的手。他出席了葬礼，之后还亲自登门通知我，那位将我们撞出车道外的酒醉驾驶者已经被逮捕。

这位警察名叫寇克·尼尔森。即使审判结果都已下达很久，他依然不时来访，确定伊丽莎白和我过得好不好。他会在伊丽莎白的生日和圣诞节时带来玩具，并修好楼上浴室阻塞的排水口。下班后他也会过来，将那片算是我家草坪的大草原清除干净。

我嫁给杰克，是因为他是我人生中的挚爱，我本计划和他度过一辈子。不过，“一辈子”的定义，却被一位血液酒精浓度高达0.22的人永远篡改。我讶异地发现，寇克似乎明白一个人永远不可能再像首次坠入爱河时那样深刻地爱上他人。然而，我自己却意外地发现，这其实可以做到。

五年后，当寇克和我得知我们即将有一个孩子时，我几乎后悔起来。就好像某个灿烂的夏日，我站在蓝天下告诉自己，接下来的岁月都将无法预测。杰克过世时，伊丽莎白才两岁，如今寇克是她唯一的父亲。他们之间存在着一种特别的联系，有时甚至让我觉得，自己像个强行介入其中的人，应该转身离开。假如伊丽莎白是公主，寇克就是她的骑士。

之后，小女婴迫切地到来，让寇克和伊丽莎白兴奋至极。伊丽莎白精心绘制草图，描绘未来婴儿房该有的模样。寇克则雇用了一位承包商，负责加盖屋内的部分工程。但是，那位承包商的母亲突然中风，他必须立刻搬回佛罗里达，其余的承建商也无法在婴儿出生前将我们的工程排入预定时间表。我们的墙壁开了个大洞，雨水顺着天花板从阁楼渗入室内，鞋底开始发霉长虫。

当我怀胎七个月时，某天下楼，我发现伊丽莎白正在一堆被强风扫过、穿过塑料布吹进客厅的树叶之间玩耍。当我在哭泣和清扫地毯之间犹豫时，门铃突然响了。

那个男人拿着一捆包着工具的帆布卷，那东西看来似乎并不属于他。他的模样看起来就像有人拿走了他的钱包似的。他打结的头发轻触肩头，尽管季节未到，他肮脏的衣服闻起来却有雪的味道。毫无预警地，薛·布尔能来了，仿佛一列穿过夏日嘉年华的快车，呼啸着闯入冬季之风，让你不禁揣测，这些日子以来，他都藏身于何处？

他有表达障碍，口中的字与词纠结成团，在能够清楚表达想说的话之前，他得停顿一下，试图解开它们才行。“我想要……”他开口，又重新说，“你是否，这里，因为……”前额的青筋因为费力的言语而稍稍鼓起，“有我帮得上忙的地方吗？”他总算成功地说出了口。这时，伊丽莎白跑向前门。

你可以离开，我心想，并开始关门，本能地想保护我的女儿。

“我不认为……”我说。

伊丽莎白环抱着我的腿，向他眨眨眼睛。

“有很多东西需要修理。”她说。

他蹲下来，轻松自如地和我女儿说话。一分钟前，他还结结巴巴词不达意，现在的话语却如清泉流泻一般。

“我可以帮忙。”他回答。

寇克总是说，人们永远不会是你想象的那样，因此在许下任何承诺前，有必要对一个人做完整的身家调查。我告诉他，他疑心病太重，要不就是拘泥于警务作风。毕竟，我让寇克进入我的生活，纯粹只是因为他那亲切的双眸和善良的心肠。就算是他，也无法对如今的美满作任何的争辩。

“你叫什么名字？”我问。

“薛。薛·布尔能。”

“你被雇用了，布尔能先生。”我说。

而这正是结束的开端。

七个月后

迈可

薛·布尔能完全出乎我的预料。

我本预想自己会面对一位生性残暴，有着一对火腿般的拳头、粗短的脖子和眯眯眼的莽夫。毕竟这是桩世纪罪行，一件引来纳舒厄至迪克斯维尔山口所有居民关注的双尸案。由于受害人的身份，这桩罪行更显得万恶不赦——一位小女孩和身为她继父的警察。这会让人怀疑待在家中是否安全，平常信任的人会不会哪天反咬自己一口。而且新罕布什尔州的检察官或许会因为这桩案件，于五十八年后的今天再度请求判处罪犯死刑。

媒体将此案炒得沸沸扬扬，并热烈讨论迄今尚未组成的十二人陪审团是否能顺利出庭。这十二个人最终成功找齐了。他们来到新罕布什尔州大学的单人阅览座找上我，当时我正奋笔疾书着毕业论文。一个月来，我没吃一顿像样的饭，更别提看报纸，因此我正是薛·布尔能谋杀案陪审团的最佳人选之一。

第一次被鱼贯式地带入陪审席——高等法院内的一间小房间——后没多久，我便产生一种身处自家公寓的熟悉感，怀疑是不是法警带错法庭了。被告体型虽小，比例却很均衡，这种人通常是在被视作全校笑柄的环境中长大的。他穿着一件大到几乎将整个人吞没的尼龙夹克，打得挺括的领带结从侧面突出，仿佛是受到了磁场的牵引。他戴着手铐的双手犹如小动物般蜷曲在大腿上，头发剃得几近光秃。他盯着大腿，法官提及他的名字时，那声音仿佛取暖器上的蒸汽，嘶嘶地飘过房内。

当苍蝇飞进来时，法官和律师们正在商讨家事管理的细节。我之所以会注意到这只苍蝇，起因有二：通常，新罕布什尔州的三月不会有多少苍蝇；而且我很好奇，当一个人双手被铐住、腰部被铁链捆绑时，该如何驱赶它。当昆虫停在身前的笔记本上时，薛·布尔能死命盯着它，捆绑着的双手高高举起。随着一阵刺耳的金属声，他双手用力往桌上一压，想拍死那只苍蝇。

正如我所预料，当他将拳心向上，手指一只只如同花瓣似的扳开时，苍蝇嗡嗡离去，再度去打扰其他人。

就在这一瞬间，他瞥见了我，而我明白了两件事。

第一，他吓坏了；第二，他跟我差不多年纪。

制造双尸案的这个畜生，看起来就像上学期经济课时坐在我旁边的那位水球队队长，也很像那家卖我爱吃的薄脆底比萨的比萨店外送员，甚至让我想起自己前往法院时看见的在雪中行走的男孩，我当时差点摇下车窗，问他需不需要我载他一程。换言之，假如我曾经与一位凶手擦身而过，他看起来也许并不像我认为的凶手该有的模样，而是和其他二十来岁的年轻人没什么两样，甚至很可能就是我。

他现在就在十步之外，手脚都被铐上铁链。而我的工作，是决定他到底值不值得活下去。

可以告诉你，身为陪审团的一员，我跟你一个月后在电视里看到的完全不是同一回事。在往返于法庭和陪审团室的过程中，的确有不少可以向人夸耀的事。中午叫的外卖难以下咽；只喜欢听自己高谈阔论的律师们；还有，相信我，地方法院的检察官绝对不可能像电视剧《法网游龙》里的女孩一样性感。即使已经过了四个星期，来到这间法庭的我仍仿佛身处国外，身上又没有任何一本可以导览的书。而我却不能因为自己只是“观光客”，便宣称无知或装傻。人们期待我对这个世界了如指掌。

审判的第一部分已经结束，我们已经证实布尔能有罪。原告琼·尼尔森呈交了一叠如山高的证据，证明案发当时，寇克·尼尔森发现伊丽莎白和薛·布尔能在一起，看到她的内衣就在被告口袋里后，试图逮捕被告而遭枪杀。定期产检结束后返回家中的琼·尼尔森，则发现自己的丈夫和女儿都倒在了血泊之中。被告方声称，寇克因为薛的表达障碍而产生误解，最终导致两人死于枪支意外走火。相较于原告呈交的压倒性证据，这番抗辩显得无足轻重。更糟的是，薛从没为自身的权益而出庭作证。这很有可能是因为他贫乏的表达能力……或者，因为他犯下了滔天大罪，再加上那变幻莫测的人格，让他的辩护律师都不信任他。

现在，我们即将结束审判的第二部分——判决。这部分主要是将新罕布什尔州过去半个世纪以来所有谋杀案与本案加以区分。我们知道布尔能确实犯下了罪行，那他是否应当被判处死刑呢？

这个部分有点像《读者文摘》的浓缩版。原告方再次重点申诉罪行审判时提交的证据，之后，被告会有一个机会去搏取人们的同情。我们得知，布尔能在被多个寄养家庭遣返的过程中成长。十六岁时，他在当时的寄养家庭里放了把火，在少年教养所待了两年。他的躁郁症从未接受过治疗，还伴有中枢听觉系统失调，没有能力处理过多的感官知觉，而且阅读、书写和语言表达都有障碍。

当然，我们是从证人的口中得知这些的，薛·布尔能本人并未出庭恳求我们的怜悯。

如今到了结辩阶段，我看向原告，他稍稍整理下自己的条纹领带后才往前走。普通的审判和重大罪行的审判，两者过程最大的不同，在于谁能够在最后关头陈词。这是莫琳告诉我的。这位年长陪审员的魅力，会让我希望她成为自己的祖母。她从不错过任何一集《法网游龙》，并因此轻松获得法学文凭。大部分审判的结辩都由原告最后发言，因此陪审员回到陪审团室进行商议时，原告口中的字字句句依然会在脑海中嗡嗡作响。然而，在重大罪行的审判过程中，首先发言的是原告，随后被告会得到最后一次机会来改变陪审员的主意。

毕竟，这是一件攸关生死的大事。

原告在陪审团前方停下脚步："在新罕布什尔州历史上，上一次由我的一位同僚请求陪审团做出这个严肃的决定，已经是五十八年前的事了。如今你们十二位也即将做出这个决定。这不是任何一个人能够轻易做出的决定，却是本案应得的、毋庸置疑的决定，为了伸张正义，纪念寇克·尼尔森和伊丽莎白·尼尔森的生命以如此悲剧而可鄙的手段被生生剥夺。"

他拿出一张十一乘十四英寸大小的伊丽莎白·尼尔森的照片，举到我的正前方。小女孩看上去比实际体重更轻盈，拥有孩童健康的双腿和一头月光色泽的头发。如果没有穿沉重的胶底运动鞋，她看上去甚至可以飘浮在游乐园的攀爬架之间。可这张照片是在她被枪杀之后拍摄的，她的脸庞鲜血飞溅，头发纠结成一团，双眼瞪得大大的。她的洋装在倒下时往上翻飞起来，下半身很明显地赤裸着。"伊丽莎白·尼尔森永远都不可能学会长式除法、骑马和翻筋斗，也永远无法参加夏令营、初中毕业舞会或高中毕业典礼，更无法试穿第一双高跟鞋或去体验她的初吻。她永远都不可能带男孩回家，介绍给自己的母亲认识，也不可能在继父的带领下走过婚礼的长廊，更无法认识她的妹妹克莱尔。她将错失这些机会，且并非因为车祸或是白血病等意外悲剧，而只是因为薛·布尔能。他直接决定了这个女孩无法获得以上的人生经历。”

他从伊丽莎白的照片后抽出另一张照片，高高举起。寇克·尼尔森胃部中弹，蓝衬衫制服被他自己和伊丽莎白的血染成了紫色。审判时曾听闻，当护理人员靠近他时，已严重失血的他怎么也不肯放开伊丽莎白。“薛·布尔能终结伊丽莎白的性命后，并未就此罢手，又杀死了寇克·尼尔森。他不仅夺走了克莱尔的父亲的生命，更夺走了莱林警局的寇克·尼尔森警员的生命。他还夺走了葛莱弗登郡锦标赛小联盟队的教练，夺走了莱林小学自行车安全日的创立人。薛·布尔能夺走了一位公仆。在临死前，寇克·尼尔森不仅保护了他的女儿，更保护了一位市民和一个小区，一个属于在场每一位的小区。”

原告把照片正面朝下摆在桌上：“各位先生女士们，新罕布什尔州五十八年来未曾判决死刑，的确有其原因。在众多进出这道门的案件中，我们尚未听闻任何一桩真正值得如此判决。不过基于同样的理由，不同于其他数州早已废除这条极刑法令，本州的好人们选择保留死刑。个中原因，今天就活生生地存在于法庭内。”

我的目光随着原告的眼神，落在薛·布尔能的身上。“假如过去这五十八年来，有一件案子会被大声疾呼处以极刑，”辩护律师说，“那就是本案。”

大学生活宛如泡沫。在这四年内，除了浑然忘我地投入于报告提交期限、期中考、啤酒和乒乓锦标赛以外，还有另一个真实世界存在。即使不看报纸只读教科书，不关心新闻只看体育节目，真实世界的某些片段依旧渗入我的生活。一位母亲将孩子锁在车内，让车子坠落湖中淹死他们；一个夫妻分居的家庭，父亲当着孩子的面射杀妻子；一位连环强奸犯将一名未成年人监禁在地下室，一个月后再将其割喉。寇克和伊丽莎白·尼尔森的谋杀案的确触目惊心，可相比之下，其他案件就不够恐怖吗？

薛·布尔能的辩护律师站起来："你们判决我的委托人犯下了两桩谋杀案，而他也不会提出辩驳。我们接受你们的判决，尊重你们的判决。然而此时此刻，你们在要求以取走第三人的性命——那位涉入两人死亡案的人——来掩饰本案。"

我感到一粒汗珠流过肩胛骨之间的凹槽。

"你们无法借助处死薛·布尔能来让任何人变得更安全。就算你们不处死他，他也无处可逃，他将毫无怨言地接受自己夺走两条生命带来的惩处。"他把手放在薛的肩头，"你们已经听闻薛·布尔能的童年。当你们有幸从家庭中学习时，他该去哪里学习？谁能教他从错误中学习正确，隐恶扬善？他该从哪儿学习色彩和数字，谁又会像伊丽莎白·尼尔森的父母一样念床边故事给他听？"

辩护律师走向我们。"你们知道，薛·布尔能患有躁郁症，没能接受治疗。你们知道他深受学习障碍之苦，对我们来说轻而易举的动作，在他身上却会变成难以置信的挫败。你们也知道，对他而言，表达自己的想法是一件十分困难的事。凡此种种，促成薛做出了错误的决定——这一猜测合情合理。"他轮流看向我们每一个人，"薛·布尔能做出了错误的决定，"辩护律师说，"但是，不要试图用你们自己的错误决定来调解这个局面。"

琼

一切都掌握在陪审团手中，就是这么一回事。

就这样把正义交在十二位陌生人的手里，真是一件诡异的事。判决过程的大部分时间里，我都在观察他们的脸孔。席间有几位母亲，有机会时，我会试着去捕捉她们的眼神，并投以微笑；几个男人看起来像在军队里待过；至于那个男孩，看起来似乎还不到刮胡子的年纪，恐怕难以做出正确的决定。

我想和他们每一位坐下来好好谈谈，把寇克在我们第一次正式约会后写给我的纸条拿给他们看。我想让他们摸摸伊丽莎白出生后出院回家时，头上戴的那顶软棉帽。我想播放存有两人声音，还舍不得删除的电话录音，尽管每次听它，我都会痛苦得仿佛全身都被撕成了碎片。我想带他们参观伊丽莎白的房间，里面有彼得·潘小精灵夜灯和她的盛装。我希望他们能埋首于寇克的枕头间，呼吸他的气息。但愿他们能体验一下我的生活，那是让他们知道我失去了什么的唯一途径。

结辩那天晚上夜半时分，我为克莱尔哺乳，然后就这样抱着她睡着了。我梦见她在楼上哭泣，离我好远。我上楼来到育婴室，房内依旧充斥着新柴和干掉的油漆的味道。我打开门。“我来了。”我边说边跨越门槛，这才意识到，这间房从未完工，没有孩子的我正从空中往下坠落，坠下无尽深渊。

迈可

只有特定人群才会成为这种案件的陪审团一员。有孩子要照料的母亲、工作有时间限制的出纳会计、主要以会诊形式看病的医生，他们全都有无法出庭的理由。剩下的就是退休人员、家庭主妇、残障人士和像我这样的学生，因为我们无需在特定的时间待在特定的场所。

我们的主席泰德是一位老先生。他会让我想起自己的祖父，并非因为长相或类似的说话方式，而是那种让每个人都适任某项特定工作的天赋。我的祖父也是这样，你会想在他身边表现出最好的一面，并不是应他的要求，而是因为你感动他时，他脸上会出现一抹无可比拟的微笑。

我的祖父是我被陪审团挑中的原因。即使我个人从未有过任何关于谋杀案的经验，也知道失去挚爱之人的滋味。你永远不可能让这样一件事成为过往，你只是试图忽视它。就因为这再单纯不过的缘由，我比琼·尼尔森所想象的更能明白她的感受。今年冬天，就在我祖父过世四年后，有人闯进我的宿舍，偷走我的计算机、自行车和唯一一张我和祖父的合影。小偷留下了纯银相框，然而，向警方报案时我提到，那张相片才是我最大的损失。

泰德等莫琳补上口红，等杰克上完洗手间，等每个人都有了些许喘息时刻之后，再就位坐定，准备开始完成陪审团的职责。“那么，”他说，双手于会议桌上摊平，“我想，我们开始干正事吧。”

陈述某人该为自己的所作所为赔上性命，要比让这件事成真来得容易太多了。

“那么，我就先说了。”薇叹口气，“虽然法官已告诉我们该怎么做，可我一点也没搞懂。”

法官曾于最初宣誓时，给了我们将近一小时的口头指导。我以为还会有一份讲义，但我错了。“我可以解释。”我说，“那有点类似中国餐馆的菜单，是一份检视罪刑是否该处以死刑的核对清单。我们先确认栏目A，再从栏目B中找出一条或以上——对谋杀罪而言，栏目B每一条都等同于死刑。如果我们从栏目A中找出一条，却没有从栏目B中找出任何一条，那法庭将自动判决为无期徒刑。”

“我不知道栏目A和B的内容。”莫琳说。

“我从没喜欢过中国菜。”马克接着说。

我站在白板前，拿起一支干性马克笔，写下“栏目A”和“议题”。

“我们应该厘清的第一件事是，布尔能是否蓄意杀害这两位被害人。”我转向大家，“我猜，我们比较有把握回答的是，他确实犯下了谋杀罪。”

我又写下“栏目B”。

“接下来是比较狡猾的部分。这一栏包含一连串的因素。”

我开始阅读之前听取法官指导时记下的笔记：

被告曾经犯过一次谋杀罪。

被告曾犯下两项或以上的罪行，并于监狱服刑一年以上。所谓“三振出局法”。

被告曾犯下两项或以上的罪行，其中包括贩卖毒品。

杀人的过程中，除去被害人以外，还威胁了第三者的生命。

被告为预谋犯案。

被害人因年老、年幼和虚弱而无法抵抗。

被告以极端残酷或卑鄙的行为犯罪，其中包括对被害人的肉体作出虐待或伤害行为。

谋杀是在逃避法律制裁的前提下犯案的。

就在我写下所有还记得的重点时，泰德目不转睛地盯着白板：“所以，如果我们确认栏目A符合事实，然后再于栏目B找到一条符合事实的项目，我们就得判他死刑？”

“不，”我说，“因为还有栏目C。”

我写下“减刑因素”。“这些是被告可以辩护的理由。”

被告对于自身所作所为是错误的判断能力相当微弱。

被告处于异常状态，并遭受到实际的强迫。

罪行是由他人犯下的，被告以共犯身份被起诉。

被告为十八岁以下的未成年人。

被告没有重大的前科记录。

被告在严重的心理情绪波动下犯罪。

另一位同等罪行的被告并未被判处死刑。

被害人主动接受被告的罪行，并导致死亡。

被告有特殊的成长背景及其他因素，可以于死刑判决时获得减刑。

我在这三个栏目下方以红色大字写下“判决”二字。

玛莉琳摊开双手：“我从我儿子六年级起，就不再跟他一起做数学作业了。”

“不，这很简单。”我说，“首先，我们要确认，当布尔能拾起枪时，他确实意图杀害被害人，这就是栏目A。然后我们再来看，本案是否有任何存在于栏目B的因素使情况恶化，例如被害人的年龄——这不正符合伊丽莎白的情况吗？”

桌旁的每个人点点头。

“如果我们得到A和B，接下来就可以考虑寄养背景、心理疾病等因素。如果A加B大于所有被告陈述的事实，我们便判他死刑；如果A加B小于所有被告陈述的事实，我们就不判死刑。”说完，我便把方程式圈起来，“我们只需要看如何加减。”

这样想来，事情可以说和我们没有多大牵连。只要套上变量，看看我们能得到什么答案即可。如此一来，这项任务便轻而易举。

下午13:12

“布尔能肯定事先预谋过，”杰克说，“他假意替他们工作，借机亲近小女孩。故意选上这个家庭，得以随意进出房子。”

“那天他应该要回家。”吉姆说，“假如他不需要出现在那里，那他又是为了什么理由折返呢？”

“工具。”莫琳回答，“他把工具留在了那里，那对他很重要。记得心理医生说过的吗？布尔能从别人家的车库里偷走这些工具。他需要这些工具，所以并不觉得自己做了错事，而且它们留在车库也只会堆积灰尘。”

“也许他是故意忘记带走的。”泰德提出，“如果工具真的那么重要，怎么可能忘记？”

大家一致同意。“大家是否同意，事先计划的可能性的确存在？”泰德问，“我们举手投票。”

房间内半数人都举起了手，包括我。其他几个人也慢慢举起手。莫琳是最后一位，在她举起手的那一刻，我在白板上将这个因素圈了起来。

“栏目B有两项符合的因素。”泰德说。

“说到这里……午餐呢？”杰克问，“午餐早该送来了吧？”

他真的想吃饭吗？当你正在决定是否该结束一个人的生命时，还会管午餐订了什么吗？

玛莉琳叹气道：“我认为，我们应该来谈谈这可怜的小女孩没穿内裤的事实。”

“我不认为我们可以。”莫琳说，“记得我们商议判决时曾经问过法官，伊丽莎白是否遭到侵犯。他说这不属于控诉罪名，我们不能以此判他有罪。既然当时就不能提起这件事，现在又怎么可以？”

“这不同，”薇说，“他已经算有罪了。”

“这男人打算强暴那位小女孩。”玛莉琳说，“以我来看，这也属于残忍和可恨的行为。”

“你知道，没有任何证据可以证实他打算那么做。”马克说。

玛莉琳扬眉：“哼！小女孩没穿内裤。七岁大的女孩不会不穿内裤到处乱跑，而且内裤就在布尔能的口袋里，他还能做什么？”

“这真的那么重要吗？我们已经同意，伊丽莎白在被杀害时是个年幼且无防卫能力的人。我们不需要再从栏目B找出其他条件。”莫琳蹙眉，“我很困惑。”

艾莉森是一位医生的妻子，首轮商议中并未发表任何意见。她双眼瞥向莫琳：“当我困惑时，我就想到那位作证的警察，说他跑上楼时听见小女孩尖叫‘别开枪’。她恳求过，求罪犯饶她一命。”艾莉森叹气，“这多少让情况变得简单点，不是吗？”

等大家都安静下来时，泰德要求赞成处决薛·布尔能的人举手。

“不对。”我说，“我们还有剩余的因素得厘清。”我指着栏目C，“我们必须考虑被告的陈述。”

“现在我唯一要考虑的是，午餐到底在哪里。”杰克说。

投票结果是八票对四票，而我属于少数的一边。

下午15:06

我环顾房间，这次有九个人举手。莫琳、薇和我，是仅剩的没有投票赞成死刑的人。

“你们为何无法下决定？”泰德问。

“他的年纪。”薇开口道，“我儿子二十四岁。”她说，“我想到的是，他不一定能一直做出正确的决定，他还没有完全长大成熟。”

杰克转向我：“你和布尔能同年。你为你的人生做过些什么？”

我感觉自己两颊发烫：“我，呃，可能会进研究所。我还不确定。”

“你没杀过人，不是吗？”

杰克站起身。“我们休息一下。”他提议道。大家都欣然接受这个得以彼此分开片刻的机会。我把马克笔扔在桌上，走向窗户。法庭员工正坐在户外的长凳上吃午餐，盘旋扭曲的树枝仿佛勾住了云朵。外头还有车顶装着天线的电视台转播车，等着聆听我们将要说的话。

吉姆坐在我旁边阅读《圣经》。那本书看起来仿佛临时添加的附属物。“你信教吗？”

“很久以前我上过教区学校。”我正视他，“里面不是有一段提到‘把另一边脸也凑过去’的经句吗？”

吉姆撅起嘴唇，大声念道：“若是你的右眼叫你跌倒，就剜出来丢掉。宁可失去百体中的一体，也不让全身坠入地狱。若是右手叫你跌倒，就砍下来丢掉。宁可失去百体中的一体，也不让全身坠入地狱。当一个苹果腐烂时，你不能让它坏了整棵树。”他把《圣经》递给我，“你自己看。”

我阅读引用的经句，然后阖上书本。我不像吉姆那样对宗教那么熟悉，但我觉得，无论耶稣在这段章节说了什么，在自己被判死刑后，他很可能会收回这些话。事实上我认为，假设耶稣今天身在这间陪审团室，他也会和我一样，对该做什么决定困惑无比。

下午16:02

泰德要我在白板上计票，让大家一个个轮流投票，由我把名字分别写在“同意”或“反对”的下方。

吉姆？

同意。

艾莉森？

同意。

玛莉琳？

同意。

薇?

反对。

我迟疑了一下，把自己的名字写在薇下方。

“你们已经同意在必要的时候，投下同意死刑的一票。”马克说，“就在我们被选为陪审团前，他们问过我们每一个人，是否觉得自己办得到。”

“我知道。”我的确已经同意，倘若案件理应判处死刑，我将投赞成票。只是我没有意识到，这竟会如此难以抉择。

薇将脸颊埋于双掌之间：“当我的儿子打他弟弟时，我从未打他一顿，斥责他‘不可以’。那时的我觉得这很虚伪，现在的我也认为这样做很假惺惺。”

“薇。”玛莉琳安静地说，“如果今天是你七岁的女儿被杀了呢？”她走向我们用来堆复印件和证据的桌子旁，拿了原告在结辩时使用的那张伊丽莎白・尼尔森的照片，放在薇的面前，轻轻抚摸光滑的表面。

一分钟后，薇沉重地起身，拿走我手上的马克笔。她把自己位于反对栏的名字拭去，再将它写在玛莉琳的下方，与其他十位投赞成票的陪审团员并列。

“迈可。”泰德说。

我吞了吞口水。

“你还想看什么，听什么？我们可以帮你找到答案。”他走近装着从弹道方向取得的子弹、沾血的衣裳和验尸报告的盒子。他让犯罪现场的照片如彩带般从手中撒落，其中某些照片鲜血泛滥，甚至难以辨识躺在鲜红光泽之下的被害人。“迈可，”泰德说，“好好算算你的数学题。”

我面向白板，无法忍受众人灼热的目光全部集中在我身上。我的名字孤零零地处在一长串名字旁边，更旁边的是我们第一次来到陪审团室时，我所写下的初始方程式：

(A+B)−C=判决

我喜欢数学正是因为它的安全性。无论怎样，永远都有一个正确答案，就算是想象出来的也行。

然而即便是数学，也无法阻止这则方程式的演算。A加B——造成寇克和伊丽莎白·尼尔森死亡的因素——永远都大于C。我们无法让他们复活，而这个世界不存在其他更叫人心生怜悯的故事，足以抹去这项事实。

介于赞成和反对之间的，是一条生命。那正是你当下行经的道路和已被遗留在身后的道路的差异；那是你自以为是的自我和真正的自我之间的差距；那是你用来欺骗自己并收纳谎言的余地。

我拿起笔，删掉自己的名字，然后重新写上，成为第十二位，也是最后一位判决薛·布尔能死刑的陪审团成员。

第一章

十一年后

路希尔斯

对薛·布尔能被带到我们这里之前究竟关在哪里，我一点儿头绪也没有。我知道他曾是康科德州立监狱的囚犯。记得判决下达那天，我正通过电视观看逐渐于内心褪去的外在世界：监狱外部粗糙不整的石碑，州立议会的金黄圆顶，以及那扇金属电线制成的普通大门。他的判决，直到数年前还都是大众热议的话题。本州已经很久没有死囚了，如今又要把这样的死囚关在哪里？

根据传闻，这所监狱确实有两间死囚房，就在我位于安全隔离设施I层的简陋居所附近。盖许·维泰勒——他总是抱怨一切，尽管没人注意聆听——告诉我们，死刑犯囚房曾经堆满了如今用作床垫的塑料薄板。我想了一下，薛来到这里后，那些额外的床垫会被拿去做些什么，反正肯定不会给我们用。

换牢房是家常便饭，目的是不让囚犯对某样事物过于依赖和习惯。在这里的十五年，我搬过八次家。当然，牢房看起来都差不多，不同的是邻居，那正是薛的到来会引起我们莫大兴趣的原因。

这非常稀罕。I层的六位囚犯各有特色，而一个人就能引起我们全体的好奇心，实在堪称奇迹。一号囚房住着恋童癖乔伊·克斯，是本集团地位最低的人；二号囚房住着卡洛威·李斯，是白人监狱帮会的正式成员；三号囚房是我，路希尔斯·杜弗里斯；四号和五号是空房，新来的肯定会被安置在其中一间。唯一的问题是，他会被排在我旁边，还是最后三间牢房旁边——那里分别住着泰瑟斯·凌岱尔、波基·西蒙和自称层老大的盖许。

尽管薛·布尔能是在六位穿戴头盔、面罩和防弹夹克的监管人员护卫下抵达的，大家依然走到了自己牢房的最前方。监管人员穿过淋浴间，被乔伊和卡洛威推来推去，随后在我前方停下脚步，这让我得以看得一清二楚。布尔能体型弱小，拥有一头刚修剪过的褐发，以及宛如加勒比海的双眼。我知道加勒比海，是因为我和亚当在那里一起度过了最后一次假期。我很庆幸自己没有这样的双眼，毕竟，我不想每天照镜子时，都回忆起一个再也无法亲眼看见的地方。

然后，薛·布尔能转向我。

也许现在正是个告诉你们我长相如何的好时机。我的脸是监管人员不会正眼瞧我的原因，也是我时常宁可躲在这间牢房的原因。深红与深紫色的鳞状疮疤，从我的前额一直蔓延到下巴。

大多数人都对我望而却步。即使再有礼貌的人都一样，就像那位每个月来一次，带小册子给我们的八十岁传教士。他的反应总是慢半拍，好像我比他印象中还要糟糕许多。然而，薛却正面迎向我的目光，对我点点头，仿佛我和其他人没什么两样。

我听见隔壁牢房的门滑开又关闭，当薛把双手穿过活门，让手铐解开时，铁链叮当作响。监管人员一离开本区，盖许便立刻开始示威。“嘿，死刑犯。”他叫嚣。

薛·布尔能的牢房并未传出任何回答。

“嘿，当盖许跟你说话时，你就回答。”

“别闹他了，盖许。”我叹了口气，“给这位可怜人一点时间，让他明白你是个不折不扣的混蛋。”

“喔喔，死刑犯，你瞧瞧。”卡洛威说，“路希尔斯在跟你示好，还有他那命丧黄泉的前任男友。”

电视机打开的声音传来，薛一定插上了耳机，那是我们大家共同要求的必备品，这样就不用和其他人来一场音量大战。当我发现死刑犯和我们一样有权利在福利社买一台电视时，内心稍感吃惊。那肯定是一台真力时专门为州立监狱特制的十三英寸电视机，其内部装置和显像管以清晰的塑料外壳包装，这样监管人员一眼就能看出，你是否试图取出部件用来制造武器。

正当卡洛威和盖许联合起来羞辱我时，我拉出自己的耳机，打开电视。现在是下午五点，我不想错过奥普拉的节目。当我试图转台时，电视机却没有任何动静。屏幕闪烁不止，似乎正重新设定第二十二台，看起来却像第三台和第五台，CNN和美食频道。

“嘿。”盖许开始猛敲房门，“喂，警官，频道挂了。这是我们的权利，你知道的……”

有时候耳机也不灵光。

我把音量转强，收看本地新闻台，那里播放着一则关于达特茅斯学院儿童医院募款的报道。画面上有小丑和气球，还有两位红袜队的球员在替人们签名。这时，镜头瞄准了一位小女孩，她拥有一头仿佛童话人物般的金发，还有一双半月形的蓝眼睛。人们喜欢拍摄这种让你情不自禁打开钱包的小孩。“克莱尔·尼尔森，”记者的旁白传来，“正在等待一颗心脏。”

真倒霉，我心想。大家都有各自的问题。我摘下耳机。如果不能听奥普拉，我宁可什么都不听。

这碰巧让我听到了薛·布尔能抵达牢房后说出的第一句话。“就是这个。”他说。然后频道恢复了正常。

现在你也许注意到，我比I层内绝大多数的白痴高等一些，因为我并不真正属于这里。那是一桩激情犯罪，我的重点在激情，而法庭则看重犯罪。我问你，假设你生命中的挚爱找到他的新欢，某位比你年轻、清瘦，甚至更好看的人，你会怎么做？

讽刺的是，法院的杀人判决，怎么也比不上我在狱中所遭受到的蹂躏。上次的CD4免疫细胞检查是在六个月前，当时数值降低至每立方毫米血液中仅有二十五个。未感染艾滋病的正常人，该数值可高达一千甚至以上。病毒成了白细胞的一部分，当白细胞再生以抵抗感染时，病毒也会跟着再生。免疫系统的弱化使我更有可能生病，并发肺囊虫肺炎、住血原虫病以及巨细胞病毒感染的几率也跟着提高。医生都说我不会死于艾滋病，而是将死于肺炎、肺结核或脑部细菌感染。在我看来，这些病名只不过是语义上的差别。死亡就是死亡。

艺术是我的志向，现在则成为了消遣，毕竟在这种地方想获取所需材料，是一项莫大的挑战。以前的我偏好温莎牛顿的油彩、红貂毛刷和亚麻画布，而现在的我则使用任何能到手的东西。我让外甥们寄来他们画在厚纸板上的铅笔画，这样我可以擦掉图案重复使用纸张。我还会囤积能够制造颜料的食物。今晚，我埋首于亚当的肖像画，当然是凭着我仅存的回忆画的。我把苦心从彩虹水果糖上收集来的红颜料和少许牙膏在一只果汁饮料瓶盖内混合，并在第二只瓶盖内混合咖啡和一点水，最后将两者结合，化成最能匹配他肤色的色彩——一种发亮暗稠的糖蜜色。

我先用黑色描绘他的轮廓，宽阔的额头、强韧的下巴、鹰钩鼻。再用小棍子从《国家地理杂志》内一张煤矿场照片上刮下乌木色，加上少量洗发精制造一种白垩色颜料，再用一根尖端断裂的铅笔，将色彩转移到画布的替代品上。

我的天，他是如此的俊俏。

指针早已指过凌晨三点，但是老实说，我的睡眠并不长。当我好不容易睡着时，就又得起床上厕所。最近我吃得很少，以至于食物有如光速流窜过身体。我胃不舒服，头痛，口腔和喉咙的霉菌性炎症让吞咽变得更加困难。相对地，我利用失眠来刺激艺术创作。

今晚，我盗汗得很厉害，醒来时全身都湿透了。我换掉床单和衣服，不想再躺回床垫。我拿出我的画，开始重新创造亚当，却被其他挂在牢房墙壁上已完成的亚当肖像分心。亚当摆着以前来我教书的学院当艺术课模特儿时相同的动作；亚当早晨睁开眼睛时的脸庞；而回头看的那个姿势，和我枪杀他时一模一样。

“我必须这么做，”薛·布尔能说，“那是唯一的办法。”

今天下午他抵达I层后，就一直保持安静。我心想，现在这个时间，他能跟谁说话。然而，这层区域空荡荡的。他也许做了噩梦。“布尔能，”我小声地叫，“你还好吗？”

“是谁？”吐出字句对他而言异常困难，并非口吃，而是每个音节都像一块他必须费力往前拉的石头。

“我是路希尔斯。路希尔斯·杜弗里斯。”我说，“你在跟谁说话？”

他迟疑了一下：“我想，我是在跟你说话。”

“睡不着？”

“我睡得着，”薛说，“只是不想睡。”

“那你比我幸运。”我回答。

这只是句玩笑，但他似乎不这么认为。“你并不比我幸运，而我也未必比你不幸。”他说。

没错，从某方面来看，他确实说得有理。我没有被判处和薛·布尔能相同的刑罚，但我和他一样，都将死于这所监狱的四堵墙之内，只是早晚的问题。

“路希尔斯，”他说，“你在做什么？”

“我在画画。”

一瞬间的死寂：“你的牢房？”

“不，是一张肖像画。”

“为什么？”

“因为我是艺术家。”

“以前在学校，一位艺术老师说我嘴唇很古典。”薛说，“我还不知道那是什么意思。”

“那是关于古代希腊罗马的典故。”我解释道，“而我们所看见的艺术是表现在……”

“路希尔斯？今天在电视上，你有没有看见……红袜队……”

包括我在内，I层的每个人都有死忠的一队。每个人都小心谨记各方联盟的比分，然后讨论裁判公平与否，仿佛他们代表法律，而我们则是高等法院的法官。有时我们支持的队伍希望破灭，就像我们自己一样；有时他们能冲入决赛，我们便和他们分享胜利。不过，下一赛季尚未开始，今天的电视并未转播任何比赛。

“席林坐在桌子旁边，”薛奋力找出正确的字眼补充道，“还有那位小女孩……”

“你是说募款基金？医院的那一位？”

“那个小女孩，”薛说，“我要把我的心脏给她。”

在我回答前，传来一声沉重的撞击，还有肉身骤然跌落地板的声音。“薛？”我呼唤，“薛！”

我把脸贴在房门的树脂玻璃内侧。我完全看不见薛，却听见某样东西正规律地敲撞他的房门。“嘿！”我尽量大喊，“嘿，我们这里需要帮忙！”

其他人渐渐清醒，咒骂我打扰了他们的睡眠，接着坠入一片诡异的寂静中。两位身穿防弹衣的警察冲进I层，其中一位叫卡巴雷堤。他之所以干这份差事，是因为一直能教训人。另一位是史密特，他永远都用公事公办的态度面对我。卡巴雷堤停在我的牢房前方：“杜弗里斯，如果你再乱嗥……”

史密特已经跪在薛的牢房门前。“我想，布尔能发病了。”他拿起无线电，电动门往两侧滑动，使其他警察可以入内。

“他还有呼吸吗？”其中一人说。

“从一数到三，就把他翻过来……”

紧急护理人员抵达，将躺在轮床上的薛从我房门前推走。轮床是一种绑住肩膀、胃部和双腿的担架，通常用来接送像盖许那样即便腰和脚踝都被牢牢铐住还不能安分的囚犯，或是身体过于虚弱，无法自行走到医护室的囚犯。我想，某天我会躺在这种担架上离开I层，而薛极有可能在某天被人用皮带绑在担架上，送去打致命的那一针。

紧急护理人员把氧气面罩套在薛的嘴巴上方，他的每一口气都会在上面结霜。他翻着白眼，眼眶苍白。“尽一切力量把他救回来。”史密特下指示。而我因此学到，政府会拯救一个垂死之人的性命，为的只是稍晚来亲手了结他。

迈可

我喜爱教堂的原因不胜枚举。

比如在星期天的弥撒中，两百人同时开口的祈祷声上达椽木屋顶时内心涌起的感受；又比如用颤抖的手喂圣饼给教民时的感觉。我向一位烦恼的年轻人瞎扯我在一九六九年的摩托车锦标赛光荣夺冠的历史，之后对方才发现我竟是一位神父。我最爱他们慢半拍再恍然大悟的神情，况且身为天主教徒和耍帅并不冲突。

我只是圣凯瑟琳教堂新来不久的神父，隶属新罕布什尔州整个康科德城四教区之一。每天的时间总是不够用。华尔特神父和我轮流主持主祭或聆听忏悔，偶尔会应邀拜访各小镇的教区学校，为他们上一堂课。随时都有生病、烦恼或孤单的教民要探访，时刻都要念珠祈祷。不过我衷心期盼这一切，就算只是最谦逊的服务，比如打扫前厅，以及在圣餐礼过后清洗圣井容器，不让任何一滴宝血落入城市的下水道。

圣凯瑟琳教堂内没有我个人的办公室。华尔特神父有，不过他已于本教区服务多年，他看起来就像已融为花梨木座椅和圣坛棉制天鹅绒窗帘的一部分。尽管他一直告诉我，他会找时间看看，替我腾出一间老旧的小仓房。但他通常会于午餐后小憩，我哪敢叫醒这位七旬老人，催他动作快一点？一阵子后，我放弃了这样的请求，搬了张小桌子放在打扫间。今天，我本该草拟一份枯燥的道德演讲稿。如果我能把内容控制在七分钟内，会众之中的老年人就不至于打瞌睡。然而此时，我却不断想到一位年轻信友。汉纳·史密特是我在圣凯瑟琳教堂施洗的第一个婴儿。如今才过去一年，这名婴儿却频繁进出医院。她的咽喉经常会毫无预警地闭合，担心得几近发狂的父母只好连忙将她送急诊插管治疗，如此恶性循环，复发的可能很大。我简短地向上帝祷告，但愿医生能治愈汉纳。在胸前画完十字结束祷告后，一位娇小的银发女士靠近我的书桌："迈可神父？"

"玛丽璐，"我说，"您好吗？"

"我可以跟您谈上几分钟吗？"

玛丽璐·哈根斯可不会谈上"几分钟"，她很可能会讲一小时。华尔特神父和我之间有一条不成文的规定，在弥撒后某个必要的时候，将对方从她叨絮的称赞中拯救出来。

"我可以为您做什么？"

"其实我明白，这种要求很傻，"她坦承，"我只想知道您是否能为我的胸部赐福。"

我向她微笑。教民常常请求我们为他们的某样敬拜物品赐福或祷告。

"当然。你有没有把它带来。"

她向我投以古怪的脸色："嗯，当然有。"

"那好，我们瞧瞧。"

她双手交叉抱于胸前："我不认为这有必要。"

当我总算反应过来她希望我赐福的是什么时，我感到双颊发烫。

"我，我很抱歉……"我支吾着，"我不是……"

她的双眼充满泪水："明天我要做乳房肿瘤切除手术。神父，我很害怕。"

我站起来，用手臂环绕她的肩头，一起走了几码路，来到最近的座位，递给她纸巾。

“我很抱歉。”她说，“我不知道该向谁倾诉。如果我告诉丈夫我很害怕，他也会跟着害怕。”

“你知道你能告诉谁。”我友善地说，“而且你知道，他永远都会听我们诉说。”我用手按着她的头顶，“无所不在的永恒真神，对信者而言的永恒救赎者，聆听我们为你的仆人玛丽璐祈祷，我们要为她向你恳求怜悯和帮助。请让她的身体恢复健康，她将向你的教堂献上感恩。奉主耶稣基督的名祷告，阿门。”

“阿门。”玛丽璐低声说。

这是我喜欢教堂的另一个原因：你永远不知道未来将会如何。

路希尔斯

薛·布尔能在医院护理室待了三天。当他再度回到I层时，俨然成了一位身怀使命的人。每天早上，警官前来询问大家谁想洗澡、谁想去后院走走时，薛总是要求和科因典狱长见面。“填一份申请书。”一遍遍的反复告知都被他当成了耳边风。每次轮到他待在我们用来活动身体的小狗笼里时，他就会站在最远的角落，看着位于监狱另一头的行政办公室，扯开嗓门，大喊自己的会面要求。每当晚餐送来时，他就会探听典狱长是否同意和他见面。

“你们知道他为什么被送来这里吗？”某天，当薛一边洗澡一边呼喊想和典狱长见面时，卡洛威说道，“因为他害得之前和他待在一起的人都耳聋了。”

“他是智障。”盖许回应，“我不懂他的行为，就像我们这儿那个恋童癖。对不对，乔伊？”

“他不是智障。”我说，“盖许，他的智商恐怕比你高两倍。”

“你他妈给我闭嘴，艺术家。”卡洛威说，“你们全都闭嘴！”他急切的语气让我们立刻安静下来。卡洛威跪在房门前，将一条从毯子里抽出来的细线一端绑在一捆卷起的杂志上，好像在钓什么东西。他试图让这卷杂志滚到走道中央。这很冒险，毕竟监管人员随时都会回来。刚开始，对于他想做什么，我们完全摸不着头绪。一般我们这么做时，都会将线缠在一起，并借助一本平装书或一片好时巧克力传送物品。之后我们注意到，地板上有一粒细小发亮的卵状物。只有上帝才知道为什么小鸟要在这么不舒服的场所筑巢。数月前，有一只鸟飞过了体育场。这枚蛋掉出来破裂开，一只知更雏鸟侧躺着，身形尚未发育完全，瘦弱的胸口如活塞般起伏不已。

卡洛威一寸寸地推动那颗蛋。

“它活不久。”盖许说，“它妈妈不会再要它了。”

“那么我要。”卡洛威说。

“把它放在温暖的地方，”我提议，“用毛巾或其他什么东西把它包起来。”

“用你的T恤。”乔伊补充。

“我不接受同性恋的意见。”卡洛威说，但片刻后又补充道，“你觉得T恤可以吗？”

正当薛狂吼要见典狱长时，我们全体都在聆听卡洛威的实况转播。知更鸟已经用T恤包好，藏在他网球鞋的左脚里。小鸟的身体呈粉红色，刚刚睁开过左眼半秒钟。

我们都已经忘记那种在乎某件事到无法忍受哪天可能会失去它的感觉。我在这里的第一年，习惯假装满月是我的宠物，一个月只能来我身边一次。去年夏天，盖许在天窗的排气孔涂满果酱，幻想饲养一群蜜蜂。他并不是为了得到蜂蜜，他只是以为自己能训练蜜蜂在半夜搬动乔伊。

“牛仔要把自己关起来啰。”盖许说，这是监管人员准备再度进入本区的警告。过了一会儿，门嗡嗡打开，他们站在淋浴间前方，等待薛把双手放在活动门上，再度铐上手铐，而这只是为了走二十步的距离带他回牢房。

“他们不知道问题出在哪儿。”史密特警察说，“已经排除肺部问题和哮喘的可能性。他们猜也许是过敏。可是瑞克，她房间已经什么都不剩了，空得跟牢房一样。”

监管人员偶尔会在我们面前和另一位同事说话。他们从来不会直接向犯人叙述他们的生活，而这再好不过了。我们可不想知道那个命令我们脱衣服搜身的人，他儿子在星期四的足球赛上射出决定性的一分，使自己的队伍大获全胜。这里不需要人情味。

“他们说，”史密特继续，“她的心脏无法再承受这种压力，我也快撑不下去了。你想想，看着那么多奇奇怪怪的导管穿过你宝贝的身体，那是种什么滋味？”

第二位监管人员怀泰克曾是一位天主教徒，喜欢在我的晚餐托盘里夹带一份攻击同性恋的手写诗歌经文。

“星期天，华尔特神父会为汉纳祈祷。他说他很高兴前往医院去探望你们。”

“神父要说的话，我一概不想听。”史密特咕哝，“什么样的上帝会如此对待一个婴儿？”

薛已经被铐住的双手从淋浴间的活门上滑落，门接着开启。

“典狱长有没有说他要见我？”

“有喔。”史密特一边说，一边带薛回牢房，“他希望你过去喝杯去你妈的茶。”

“我只要五分钟就好……”

“天底下又不是只有你有问题。”史密特厉声说，“填一张申请表。”

“我办不到。”薛回答。

我清了清嗓子：“警官，我可不可以也要一张申请表？拜托。”

他总算把薛关进牢房，然后从口袋里拿出一张表格，塞进我牢房的活门。

警官离开本区后，小鸟随即传出轻微无力的唧唧声。

“薛，”我喊，“为什么你不填申请表？”

“我没办法把想说的话正确地写下来。”

“我相信典狱长不在乎语法。”

“不是这样的。我是说，只要我一写字，字母就会全部缠在一起。”

“那你告诉我，我帮你写。”

沉寂片刻。

“你愿意帮我？”

“可不可以别再演戏了？”盖许说，“你们让我想吐。”

“告诉典狱长，”薛口述，“等他杀了我之后，我想捐赠我的心脏，给一个比我更需要它的小女孩。”

我把纸张按在牢房的墙壁上，用铅笔写下内容，签上薛的名字。我将申请表扎在钓鱼线上挥动，让它恰好在薛的房门下方的狭窄缝隙旁摇摆。

“把它交给明天早上巡房的警官。”

“布尔能，”盖许沉思，“我不知道该怎么看待你。你是个谋杀小孩的人渣。你对那小女孩的所作所为，让你简直像长在乔伊身上的霉菌。不过你干掉了一个警察，我倒要诚挚地感谢你，你让世界上少了一头猪。我到底应该怎么说才好，是憎恨你，还是尊敬你？”

“两者都不是，”薛说，“两者又都是。”

“你知道我怎么想吗？只要杀过小孩，任何你可能做过的好事都没用了。”盖许起身站在牢房前方，用金属咖啡杯用力砸向树脂玻璃，“把他丢出去。把他丢出去。把他丢出去！”

乔伊是第一位加入附和的人。他向来是我们这个团体地位最低劣的男人，如今他突然提升了一个地位。泰瑟斯和波基随后跟进，因为无论盖许要他们做什么，他们永远服从。

把他丢出去。把他丢出去。

喇叭流泻出怀泰克的声音：“维泰勒，你有问题吗？”

“我没问题。有问题的是那个谋杀小孩的狗屁混账。我告诉你，警官，你放我出来五分钟，我可以拯救新罕布什尔州所有善良的纳税人，完全摆脱他……”

“盖许，”薛温和地说，“冷静一点。”

房间的小水槽发出的阵阵嘘声让我分心。我站在水槽前检查时，水龙头的水柱突然朝外狂喷。这桩意外有两点不寻常，要知道这里淋浴的水压都只能用细细涓流来形容，而且眼前溅湿金属盆的水还呈现出一种浓稠的红色。

“妈的！”盖许狂吼，“我全身都湿了！”

“各位，这看起来像血。”波基吓坏了，“我才不要在那里面洗东西。”

“厕所也是。”泰瑟斯补充道。

我们都知道这里的水管相通。坏消息是，你恐怕无法逃脱别人的粪便冲到你家的厄运；好消息是，你可以让账单顺着水管冲走，它只会在隔壁牢房的水槽出现一瞬间，然后直接前往污水处理系统。我转身看着马桶，水色深得有如红酒。

“老天，要命。”盖许说，“这不是血，是酒。”他开始像疯子一样大声欢呼，“兄弟们，尝尝看。店家免费供我们畅饮。”

我等着。我不喝这里的水。那就像每次放在钻孔卡片上送来的艾滋病药丸，我总觉得政府在利用可以被牺牲的犯人进行实验，所以并不打算饮用出自同一行政系统下的水。然而，我听见乔伊开始大笑，卡洛威的水龙头传出啜饮的吮吸声，泰瑟斯和波基唱起饮酒歌。这一区的气氛瞬间就彻底改变，对讲机传来怀泰克警察的支吾声，面对屏幕画面的他已然困惑得不知所措。

“发生什么事了？”他问，“水管大漏水？”

“差不多。”盖许回答，“或者可以说，我们突然超级口渴。”

“警官，来这里，”波基补充道，“下一轮我们付钱。”

每个人都觉得这实在过于奇妙，无论这不知名的液体究竟是什么玩意，他们都几乎喝掉了半加仑。我把手指浸在汩汩涌出的暗色液体中。这很可能是铁或锰，然而，没错——眼前的液体有甜味和干黏质感。我低头凑向水龙头，尝试性地啜饮几口。

以前，亚当和我都热衷品酒，经常前往加州的酒庄度假。在一起的最后一年，为了庆祝我的生日，亚当送了我一瓶多明纳斯酒庄2001年份的赤霞珠红酒。本来我们要在新年前夕喝掉它，可几周后，我回家时发现两个男人如葡萄藤般纠缠在一起，酒瓶就在一旁，夜桌和卧室地毯被红酒玷污，宛如飞溅的鲜血。

如果你曾在监狱待得和我一样久，那肯定创造过许多个人发明的纪录。我曾用果汁、面包和水果软糖酿造私酒，吸食除臭喷雾剂，还用《圣经》的纸包裹干香蕉皮当香烟试抽。不过那些玩意儿根本比不上今天这个。上帝！货真价实的酒！

我放声大笑，不久后便开始啜泣，泪水滑过脸庞。我为自己失去的一切哭泣，为当下流过我指尖的液体痛哭流涕。曾经拥有的事物才会叫人怀念，自从一些使生活稍微舒适些的物品出现，我已很久不曾怀念过往。我用塑料杯装满红酒一饮而尽，再一遍遍重复这个动作，直到忘却“美好的事物都有终结之时”的事实。关于这个课题，我能用亲身经历来发表一场演说。

监管人员总算明白水管出了问题。其中两位怒气冲冲地闯了进来，站在我的牢房前方。

“你。”怀泰克下令，“手铐。”

为了让我的手腕穿过活门上铐，他们对我说了一段冗长的废话。当怀泰克打开我的门入内检查时，史密特在一旁严密监督我。我转头，看见怀泰克的手碰了碰淡红色的酒，举起来放进嘴里。

“路希尔斯，”他说，“这是什么？”

“起初我以为这是卡本内葡萄酒，警官。”我说，“不过现在，我认为这是廉价的梅洛酒。”

“水来自城里的蓄水池。”史密特说，“犯人不可能搞鬼。”

“这也许是奇迹。”盖许高唱，“《圣经》传道者警官，你不是很了解奇迹吗？”

他们关上我的房门，我的双手重获自由。怀泰克站在大家牢房外的小通道里。

“谁干的？”根本没人听他说话，“谁来负责？”

“谁在乎！”盖许回答。

“那帮我个忙。假如你们没人肯承认，那么下周我得让这里停水。”怀泰克威胁说。

盖许大笑：“美国民权自由联盟需要一位贴海报的孩子，怀。”

监管人员一离开，我们就都开始大笑。原本不幽默的事情变得好玩起来，我甚至不介意听盖许高谈阔论。流淌的酒总会干涸，然而此时此刻，波基已经喝到昏厥，泰瑟斯和乔伊合唱着《丹尼男孩》，而我也快要醉倒了。我不省人事前最后的印象，是薛问卡洛威，他要替小鸟取什么名字，而卡洛威的答案是“知更蝙蝠侠”。卡洛威向薛挑战比谁喝得快，被薛拒绝了。事实上，薛滴酒未沾。

I层的水变成酒之后的两天，不断有水管工、科学家和监狱高层来参观我们的牢房。全监狱只有我们这里发生了这一现象，在位者甚至相信我们必须承担事发的责任。我们全体被扣押，监管人员没收了我们趁红酒干涸之前所有用于囤积的物品，例如洗发水和牛奶盒，甚至塑料袋。清洗水管的拖把也沾有类似物质，尽管没人愿意告诉我们检验结果，但传言基本确认，这些液体绝非自来水。

我们的活动和洗澡的权利被撤销一星期，仿佛这一切都是我们的错。四十三小时后，我获准得到监狱护士艾尔玛的探访。她闻起来有股柠檬和亚麻的味道，后脑用发辫盘绕了一大圈发髻。我常常在想，如果她想睡觉，可能会需要建筑专家帮忙。通常她一天来两次，把我那些状似蜻蜓、又大又亮的药丸放在一张卡片上。她也会为犯人发炎的双脚涂药膏，检查被腐蚀的牙齿，更会做一些护士巡房所不需要执行的服务。我承认自己好几次是假装生病，这样艾尔玛就会替我量体温或血压。她往往是好几个星期内唯一碰触过我的人。

“所以，”她在史密特警官允许她进入我牢房之后说，“我听说I层发生了令人兴奋的事。告诉我好吗？”

“可以的话，”我边说边看陪伴她的警官，“也许我不行。”

“我只知道曾经有个人把水变成了酒，”她说，“而牧师会告诉你，那并不是星期一发生在州立监狱的事。”

“牧师可以预测，耶稣正在尝试一种浓郁的希哈葡萄酒。”

艾尔玛笑了出来，把一根温度计塞进我嘴里。我越过她的背，瞪着史密特警察。他双眼充血，却没盯着我，看我有没有干蠢事的意图，比如挟持艾尔玛当人质。他瞪着我脑袋后方的墙壁，迷失在自己的思绪中。

温度计哔哔叫。

“你仍然一直在发烧。”

“讲一件我不知情的事吧。”我回答。我感觉舌下有一摊血泊，那正是这种恐怖疾病的殷勤问候。

“你有吃药吗？”

我耸耸肩：“你一直看着我把它们放进嘴里。”

艾尔玛明白，这里有多少犯人，就有多少种自杀手法。

“别试探我。”她边说边用一种黏稠的物质摩擦我前额的红斑，“谁能告诉我，我是否错过了《综合医院》的哪一段？”

“你用来逗留在这儿的借口实在太牵强了。”

“我听过更糟的。”艾尔玛转向史密特警察，“好了。”

她离开后，控制门的按钮再度运转，传来铰链的金属声。

“薛，”我喊，“你醒着吗？”

“现在醒了。”

“也许你应该捂住耳朵。”我向他提议。

薛来不及问我原因，卡洛威便爆发出一连串的咒骂。只要艾尔玛试图接近他五步之内，他就会发作。

“滚开，黑鬼，”他大吼，“我跟上帝发誓，如果你敢把手放在我身上，我就把你干死……”

史密特警察把他按在角落。“看在上帝的份上，先生，”他说，“只为了一片该死的创可贴，我们每天都要来上这样一回吗？”

“如果是那位黑婊子替我贴创可贴的话，没错。”

七年前，卡洛威把一间犹太教堂烧得片瓦不留，因而被判刑。他身上一直留着伤疤，手臂需要大范围植皮，但他坚信任务成功，那位恐怖的犹太祭司已经消失无踪。植皮需要定期检查，光是去年，他就动了三次手术。

“你知道吗，”艾尔玛说，“我不在乎他的手臂会不会腐烂。”

她不在乎，这是实话，但她在乎被称作黑鬼。每次卡洛威朝她吼，她就立刻变得强硬起来。处理完卡洛威之后，她离开这里的脚步总会变得沉重迟缓。

我完全明白她的感受。当你跟别人不同时，时常会看不见数百万接受你原本模样的人，反而只注意到唯一不接受你的人。

“都是你害我得了C型肝炎，”卡洛威说，虽然他的病可能像其他染病的犯人一样感染自刮胡刀的刀刃，“你和你污秽的黑手。”

对卡洛威而言，今天的他确实特别吓人。起初，我以为他的不稳定就像我们其他人一样，是手边仅有的特权都被剥夺的后遗症。但突然我想到，卡洛威之所以不让艾尔玛进他的牢房，是因为她很可能会发现小鸟。假如她发现了小鸟，史密特警察就会将之没收。

“怎么办？”史密特问艾尔玛。

她叹气道：“我不想跟他斗。”

“这就对了，”卡洛威洋洋得意，“现在你知道谁是老大了。种族圣战！”

所有关在安全管理区域的犯人开始跟着应和。新罕布什尔州是一个以白人占大多数人口的州，白人监狱帮会的势力也会凌驾监狱。他们管控毒品交易，彼此纹上酢浆草、闪电和纳粹的卍字党徽。如果想投入帮派，你必须杀一名帮会核准的人选，黑人、犹太人、同性恋，或是那些被认为“存在即是侮辱”的人。

喧闹声震耳欲聋。艾尔玛经过我的牢房，史密特跟随其后。当他们经过薛的前方时，薛叫住警官。

“看看里面。”

“我知道那里面有什么，”史密特说，“二百二十磅的粪便。”

艾尔玛和监管人员离开后，卡洛威仍旧大声嚷个不停。

“看在老天的份上，”我悄悄向薛说，“假如他们发现卡洛威的笨鸟，就会搜查并扣押我们的牢房！难不成你想两星期不洗澡？”

“那不是我的本意。”薛说。

我没有回答，躺回床上，用更多的卫生纸来塞耳朵，却依旧能听见卡洛威大声颂扬他的白人骄傲，也能听见薛再次告诉我，他方才想说的并不是小鸟。

当晚，就在我全身冒着大汗醒来，心脏几乎钻过喉咙下方的柔软部位往上冒时，薛又在自言自语。

“他们拉掉了床单。”他说。

“薛？”

我拿起自己在牢房橱柜边缘锯下的一小片金属——我花了好几个月，用一条内衣的松紧带沾上牙膏和小苏打慢慢切开，这是我独创的“钻石”切割组。这块三角形金属片身兼镜子和手柄的双重功能。我的手滑至门缝，调整这片镜子的角度，好看见薛的牢房内部。

他双眼紧闭躺在床上，双手交叉胸前。他的呼吸很浅，以至于胸部几乎没有上下起伏的迹象。我闻到刚被昆虫爬行过翻过的土壤味道，听见人们敲打一位盗墓者的铲子、石头砰砰响的声音。

薛正在练习。

我自己也练习过，也许方式不尽相同，但我想象过自己的葬礼。谁会来。谁会穿着得体，谁会衣着邋遢。谁会哭，谁不会哭。

愿上帝赐福给监管人员，让他们把薛·布尔能安排在同样在服死刑的人隔壁。

薛抵达I层后的两个星期，某天一大早，六位警官来到他的牢房前，命令他脱衣。

“弯腰。”我听见怀泰克说，“张开。举起来。咳嗽。”

“我们要去哪儿？”

“护理室，例行检查。”

我知道这套把戏。他们会甩甩他的衣服，确定里面没有偷藏任何违禁品，然后让他穿上衣服。他们会把他带离I层，前往距离安全管理区域很远的区域。

一小时后，听见薛的牢房门再次开启的声音，我清醒过来，他已经回来了。

“我将为你的灵魂祷告。”怀泰克警察离开前冷静地说。

“怎么样？”我说，这种轻松和虚假的口气，连自己都骗不了，“健康状况如何？”

“他们没带我去护理室。我们去了典狱长的办公室。”

我坐在床上，抬头看向传来薛的声音的气窗。

“他总算愿意见……”

“你知道他们为什么一直说谎吗？”薛打断我，“因为他们害怕说出事实后，会给自己一枪。”

“什么事实？”

“这是心理控制。我们除了顺从之外别无选择，就算这是唯一一次真的……”

“薛，”我说，“你到底有没有和典狱长说到话？”

“他跟我说了话。他告诉我，我的最后一次上诉被最高法院驳回，”薛说，“我的行刑日是五月二十三日。”

薛来这里之前，我就知道他已经做了整整十一年的死刑犯。这并不表示他从未意识到这天总会来临。如今，距离这个日期只有两个月了。

“我猜，他们只是不想大剌剌地走过来说：‘嘿，我们要带你去聆听你的死期宣告。’假装带我去护理室会比较简单，这样我才不会失去冷静。我打赌，他们一定开会讨论过要怎么来接我。”

我思索着，如果换作自己，倘若我的死期就像即将开出月台的火车，被堂而皇之地公之于世，我会希望从警察口中得到事实吗？即使只多花了四分钟，我会将他们使用的方式视作体贴和谅解吗？

我清楚地知道答案。

我认识薛·布尔能不过两星期，可为何我一想到他的行刑，喉咙就好像卡了东西似的无法吞咽。

“我真的很遗憾。”

“是，”他说，“是啊。”

“警——察。”乔伊喊着，过了一会儿，史密特警察入内，后面跟着怀泰克警察。史密特帮怀泰克把盖许送进淋浴间。关于酒神自来水的调查无疾而终，除了水管有些发霉，什么线索也没有，如今我们再次被允许拥有私人盥洗时间。不过，史密特并未立即离开I层，反而折回小通道，站在薛的牢房前方。

“听着，”史密特说，“上星期，你对我说了一句话。”

“有吗？”

“你叫我看看里面。”他有些许的迟疑，“之前我女儿生病，病得很重。昨天，医生请我和我太太跟她道别，这让我整个人几乎爆炸。我气急败坏，从她的小床上一把抓起玩具小熊，撕扯开来。那是我们特地从家里带来医院哄她开心的，结果发现里面竟然装满了花生壳。之前我们从未想过要检查它。”史密特摇摇头，“我的宝贝不会死了，她根本没生病，只是过敏。”他说，“你怎么知道的？”

“我并没……”

“不要紧。”史密特从口袋里挖出一块锡箔纸包裹的方形物，里面装着一块浓厚的巧克力蛋糕，“我从家里带来的。我太太亲手做的，希望你收下。”

“约翰，你不能给他违禁品。”怀泰克说着，朝后方瞄了一眼控制室。

“这不是违禁品。我只是……分享一点自己的午餐。”

我开始流口水。监狱福利社没有巧克力蛋糕。食品柜内的巧克力蛋糕是圣诞礼物，还包括一只装满糖果和两颗柳橙的长袜，但一年才发放一次。

史密特把巧克力蛋糕塞进牢房的活门。他和薛目光交会，点点头，然后和怀泰克警察一同离开。

“嘿，死囚。”卡洛威说，“三根香烟跟你换一半的蛋糕。”

“我用一整包咖啡跟你交易。”乔伊加码。

“他才不会把蛋糕浪费在你身上。”卡洛威说，“我给你咖啡和四根香烟。”

泰瑟斯和波基也加入喊价阵容。他们想用一台音箱和薛交易。或是一本《花花公子》。一卷卡带。

“一颗摇头丸，”卡洛威开口，“最后开价。”

靠着交易冰毒，兄弟会在新罕布什尔州州立监狱赚了一大笔钱。卡洛威会动用私人存货来喊价，可见他真的很想得到那块蛋糕。

据我所知，薛来到I层后，连咖啡杯都没有。我也不知道他是否抽烟或吸毒。

“不，”薛说，“我不和你们交换。”

过了几分钟。

“老天，我到现在还闻得到。”卡洛威说。

如果我说大家都硬逼自己吸入那浓郁的巧克力味，可一点也不夸张。那股浓厚的香味飘荡了足足数小时。凌晨三点，当我照惯例失眠时，巧克力的味道仍然很强烈，让我以为那块蛋糕在我的牢房里，而不是在薛的牢房。

“为什么不吃掉？”我喃喃自语。

“因为，”和我一样清醒的薛回答，“那样就再也没有任何值得期待的事物了。”

玛吉

我爱奥利佛有很多原因，最主要的是我妈受不了它。“它简直一团糟。”每回她来我家做客都会这么说，“它破坏力惊人。玛吉，”她说，“假如你摆脱它，肯定可以遇到好对象。”

所谓的好对象有很多，比如医生。他们曾介绍我认识一位出自达特茅斯–希区考克医学中心的麻醉医师，他问我，是否认为禁止下载儿童色情照的法律属于侵犯民权。还有一个圣乐合唱指挥家的儿子，他五年来一直维持着一段夫妻模式的同性恋关系，只是迄今尚未在父母面前出柜。好对象也包括那个专门替我父亲报税的会计师事务所的年轻同僚，他在我们初次也是唯一一次约会时问我是否是处女。

奥利佛对于我需要什么，以及需要的时机都了如指掌。当我早上站上磅秤时，它会从床下跳出来，放弃先前咬断闹钟锤绳的工作，断然地蹲在我脚尖，这样一来，我就看不见数字了。

“干得好。”我边说边走下磅秤，尝试在数字消失前不去注意红灯闪烁。上面之所以有数字七，肯定是因为奥利佛也蹲在磅秤上。而且我还要抱怨几句，首先，十四号尺寸并不算大，而且这里的十四号是伦敦的十六号，如果我是英国人，那肯定比现在瘦很多。还有，只要身体健康，体重并不那么重要。

好啦，也许我确实运动不足。不过有一天，我告诉我那位塑身皇后妈妈，只要那些让我不屈不挠代表他们利益的人能够获得拯救，我就可以开始多做运动。我告诉她，美国民权自由联盟的存在理由是帮助人们采取某种立场、主张自身权利。遗憾的是，我妈妈唯一认得的事物，是鸽子式、英雄式和其他的瑜伽动作。

我套上牛仔裤，我承认我很少清洗它，因为每次洗完烘干后它都会缩水。我得忍耐大半天，等待紧缩的棉布恢复舒适的状态。我拿出一件看不到胸罩肩带的运动衫，转向奥利佛："你觉得怎样？"

它压低左耳，这个动作可以解读为：为什么你还在乎这个，反正等一下你还是会脱光衣服，套上浴袍。

的确有理。一丝不挂的时候想要隐藏缺陷，还真有点困难。

它跟我来到厨房，我替我们俩各倒一碗"兔食"（对它而言是字面意思，对我则是个比喻）。随后，它回到位于笼子后方的小盒子里，在那里睡上一天。

我是用小奥利佛·温德尔·霍姆斯——以《伟大的异议者》闻名的最高法院大法官的名字来为它取名的。这位大法官曾经说过："连狗都知道，被踢和被绊倒是不同的。"兔子也是。就这件事而言，我的委托人也是。

"别做任何我不会做的事，"我警告奥利佛，"比如咬坏厨房凳子的椅脚。"

我抓起钥匙，朝我的丰田普瑞斯走去。去年，我把几乎全部的存款都花在了这台油电复合动力车上。老实说，作为一名社会意识薄弱的买主，我不懂汽车制造商为何要大力宣传它的环保性。这辆车不能全轮驱动，这在新罕布什尔州的冬天太不方便了。不过我想，拯救臭氧层要比防止偶尔滑出车道来得重要。

七年前，我父母搬到了莱林——康城东边二十六英里外的小镇。

在这里，我父亲以犹太祭司的身份接收了这里的教堂。可这座教堂早就在一场大火中烧得精光，聚会每周五晚于中学餐厅举行。于是父亲的目标变成了募款重建教堂，但他高估了新罕布什尔州乡下会众的荷包。即使他向我保证，他们很快能购买一处新土地，我也从未见到计划有所进展。如今，他的会众已经习惯在朗诵犹太律法时，用楼下体育场篮球比赛观众的欢呼声来断句。

我父亲的教堂基金，最重要的捐款者是“尤松邦”，它位于莱林市中心，是由我妈经营的一处心灵与身体的幸福避难所。尽管顾客群与宗教无关，却在自纽约、康涅狄格和马里兰远道而来放松和重拾青春的客人之间，逐渐累积口耳相传的好名声。我妈使用死海盐去角质，SPA菜单也符合卫生要求。《波士顿》杂志、《纽约时报》和《探寻SPA奢华》杂志都接连报道过她。

每月的第一个星期六，我都会驱车前去享受一次免费的按摩、脸部保养或美甲。代价是在那之后，我必须承受和我妈一起吃午餐的折磨。每次都像例行公事，当服务生端来热带水果冰茶时，我们正谈到“为什么你不打电话给我”；吃色拉时的桥段则是“在你让我当外婆之前，只怕我早就归天了”；主菜往往和我的体重挂钩；甜点阶段就更不用说了。

尤松邦一片洁白。不光是洁白，还让人提心吊胆，生怕自己的呼吸都会变白。白地毯、白瓷砖、白浴袍、白拖鞋。我不知道我妈如何让这个地方保持一尘不染，毕竟我从小到大，家里总是杂乱无章，让人舒服自在。

我父亲说世上有上帝，而我认为这有待商榷。这并不代表我不像他人一般感谢奇迹的降临——我前往柜台时，接待小姐告诉我，我妈临时要和一位兰花大批发商开会，所以无法和我一起吃午饭。“她交待，你还是该按原定计划接受疗程。”接待小姐说，“迪迪是你的美容师，你的置物柜号码是220。”

我接过她递来的浴袍和拖鞋。在220号置物柜和其他五十个柜子所在的更衣室，几位中年妇女正脱去她们的瑜伽服。我轻快地前往另一处置物柜，那里显然要清静得多。我迅速换上浴袍。倘若有人抱怨我擅自使用664号柜，我妈还不至于因此不认我这个女儿。我输入密码2358，代表美国民权自由联盟。我清爽地深呼吸，试着在经过镜子时不看上一眼。

我不太喜欢自己的外表。我当然有曲线，但对我而言，突出和翘起的部位都不太正确。我有一头深色爆炸卷发，我下了很多工夫让它们看起来自然卷曲，可也许不这么做才会显得性感。我听说电视节目的造型师会把爆炸头的来宾的头发拉直，因为在镜头下，卷发看起来要重上十磅。因此，连我的头发都如此显胖。我的眼睛还过得去，平常看起来是土黄色，只有在我觉得自己特别美的时候才变成绿色。然而重要的是，眼睛能展现出我自傲的一面——智慧。也许我永远不会成为封面女郎，但我的聪明能掩盖那一切。

可人们并不会这样夸你：“哇，瞧那聪明的脑袋！”

我父亲一直让我觉得自己很特别，但是当我看着我妈时，却不禁思索，为什么自己没有遗传到她的纤细腰肢与光滑秀发。小时候的我一直希望长大后能像她。长大之后，我便停止了幻想。

我叹着气走到白色的漩涡池边，那里被白色柳条长凳包围，上面坐着清一色的白种女人，等候白袍美容师呼唤她们的名字。

一身白袍面带笑容的迪迪走了过来。“你一定是玛吉，”她说，“跟你妈描述得一模一样。”

我才不上这个当呢。“很高兴认识你。”我不明白这种礼仪有什么意义。打完招呼就立即脱下衣服，让陌生人的双手在身上游移……你还得为此付钱。难道只有我会这么想？还是SPA疗程和某些特种行业非常类似？

“你想来个‘所罗门之歌’裹敷吗？”

“我宁可来个根管治疗。”

迪迪咧嘴一笑：“你妈也告诉我，你大概会这么说。”

身体裹敷是一种独特的体验。你全身赤裸，躺在一张铺着一大片食物包装纸的极其舒适的桌上。美容师在替你去角质时，会用一条纱布大小的方巾盖住你的私处，同时面无表情，让你不会怀疑她正用手心测量你的体脂指数。当一个人用双手触摸感受你的体型时，你会痛苦地意识到自己糟糕的身材。

我强迫自己闭上双眼，想象整个水疗的过程。我理应觉得自己像个皇后，而不是一位住院的病患。

“所以，迪迪，”我问，“你做这行多久了？”

她摊开一条毛巾，在我翻身更换姿势时，仿佛拿着一条帘幕似的拿着它。

“我做这行已经六年了，但我刚被这里录用。”

“你技术一定不错。”我说，“我妈不会剥削业余的人。”

她耸耸肩：“我喜欢和人打交道。”

我也喜欢和人打交道，不过是在衣装端正的时候。

“你是做什么的？”迪迪问。

“我妈没跟你说？”

“不……她只说……”她突然闭上了嘴。

“她说了什么？”

“她，呃，要我替你做一套额外的海藻去角质。”

“你是说，她告诉你，我需要你花上双倍的工夫。”

“她没有……”

“她有没有用‘丰满’这个词？”我问。迪迪很识相地没有回答。我眨眼看着天花板朦胧的光线，聆听雅尼的钢琴录音，然后叹了口气：“我是美国民权自由联盟的律师。”

“真的吗？”迪迪的双手在我腿上停下来，“你有接过免费的案子吗？”

“我做的就是这个。”

“那你一定知道那位死刑犯，薛·布尔能。我从初中二年级开始写信给他，从准备一堂社会研究课的作业开始，到现在已经十年了。他最后一次上诉刚刚被最高法院驳回。”

“我知道，”我说，“我曾经提出过对他有利的简报。”

迪迪的双眼瞪得大大的：“你是他的律师？”

“嗯……不是。”当布尔能被判刑时，我还没有搬来新罕布什尔州。不过，提出有利于死刑犯的善意简报，正是美国民权自由联盟的工作。当你在某件特殊案件中有立场，却没有直接涉入其中，若能拥有一份对判决过程有益的简报，法院会给予你宣读它的权利。我的简报指出，死刑是令人憎恨的行为，是残忍、不寻常且违宪的惩罚方式。法官瞄了一眼我辛苦准备的简报后，便将它搁置一旁。

“你不能再为他做些其他事吗？”迪迪问。

假如布尔能的最后一次上诉已被最高法院驳回，那么现在没有任何律师能救他。

“跟你说，”我保证，“我会研究一下。”

迪迪微笑着，用热毛毯包裹我，直到我被绑得像一块玉米卷饼。她坐在我身后，手指在我发际之间迂回。当她开始按摩我的头皮时，我阖上了双眼。

“他们说那一点都不痛苦，”迪迪喃喃自语，“注射毒药。”

她口中的“他们”，指的是制定法律的人，他们喜欢用漂亮话来缓和自身行为带来的罪恶感。

“那是因为，不可能有人站出来否定这一点。”我说。我想象着被通知即将到来的死期的薛·布尔能。那就像躺在一张这样的桌子上，让别人使自己沉沉睡去。

突然，我无法呼吸了。毛毯太热，皮肤上的乳霜也涂得太厚了。我想摆脱这一层层关卡，为自由之路奋斗。

“喔！”迪迪说，“坚持一会儿，我来帮你。”她拉开毛巾，再递给我一条浴巾，“你妈妈没告诉我，你有幽闭恐惧症。”

我坐起来，大口大口地深呼吸。我妈当然没有，我心想。让我窒息的，正是她。

路希尔斯

黄昏时分，快到换床单的时间了，I层因此显得格外安静。我在发高烧，一整天都病怏怏地半睡半醒。平常习惯和我下西洋棋的卡洛威只能和薛对弈。“主教前进至A6。”卡洛威宣布。卡洛威虽是一位种族主义信徒，却也是我遇到过的最强对手。

白天，“知更蝙蝠侠”栖息于他胸前的口袋，变成一块比一包瑞士糖还要小的凸出物。有时候，它会爬向卡洛威的肩膀，轻啄他头皮上的疮疤。其他时间，卡洛威则把它放在《末日逼近》的平装本里，那里头有个特别设计的藏身之处——自第六章起，用剃刀在厚厚的书页间挖出一块正方形空洞，再铺上布料做成小床。他让知更鸟吃马铃薯泥，还用珍贵的胶带、麻线甚至手铐钥匙来交换需要的装备。

“嘿，”卡洛威说，“我们还没替这盘下赌注。”

盖许大笑：“他都快输了。即使是布尔能，也不会笨到现在才跟你打赌。”

“我想要什么呢……”卡洛威沉思。

“智慧？”我提议，“基本常识？”

“不关你的事，同性恋。”卡洛威想了一会儿，“巧克力蛋糕。我要那块该死的巧克力蛋糕。”

现在，那块巧克力蛋糕已经放了两天，我怀疑卡洛威是不是还吃得下去。他所享受的，是从薛那边抢走它的乐趣。

“同意，”薛说，“骑士前进至G6。”

我从床上坐起来：“同意？薛，他都把你打得落花流水了。”

“杜弗里斯，既然每段对话都要插上两句，你怎么可能虚弱得不能下棋？”卡洛威说，“这是我和布尔能之间的事。”

“如果我赢了呢？”薛问，“我能得到什么？”

卡洛威大笑：“这根本不可能。”

“小鸟。”

“我才不会把蝙蝠侠给你……”

“那我就不给你巧克力蛋糕。”

两人间沉默片刻。

“好，”卡洛威说，“如果你赢了，你可以得到那只鸟。但是你不可能赢，当我的主教前进至D3时，你肯定会被干掉。”

要把巧克力蛋糕从薛的牢房移至卡洛威的牢房，需要靠我来转交。如果我偷剥一两块小碎片，他们应该都不会发现。

“皇后前进至H7，”薛回答，“将军。”

“什么？”卡洛威大叫。我详细检视画在内心的棋盘，薛的皇后在骑士的掩护下，不知从哪儿冒了出来。卡洛威已经无路可走。

这时，I层的门打开了，两位头戴钢盔、身穿防弹衣的警察入内。他们走到卡洛威的牢房，把他带到小通道，将他铐在墙壁边缘的金属栏杆上。

没什么比搜查牢房来得更糟了。牢房内是每人的全部家当，光是任凭他人注视，就堪比重大的隐私侵犯行为。更别提抽检时，我们会有很大的几率失去最好的备用品、毒品、私酒、巧克力、艺术材料或是从回形针上折下来搅拌速溶咖啡的小针。

他们携带手电筒和长柄镜，训练有素地作业。他们检查墙壁的裂缝、气窗和水管，并将除臭剂罐子拆开，确定没有任何东西藏在最下方，然后摇晃粉盒，听听看里面有没有东西。他们会闻洗发精，打开信封拿出里面的信件，还会扯开床单，用手触摸床垫，寻找撕裂的缝隙或缺口。

同时，你会被迫观看全过程。

我无法看见卡洛威牢房内的情形，但我很清楚他可能会有的反应。他的眼珠随着正被检验的断线毛毯一起骨碌转动，当信封上的邮票被撕去，露出下方的黑色吗啡片时，他的嘴巴随之紧绷。当书架被检查时，卡洛威面带恐惧。他胸前微微鼓胀的口袋可能是小鸟的藏身之所，但此时我立刻明白，“知更蝙蝠侠”应该在牢房某处。

一位警察拿起那本《末日逼近》。书页被洗劫，书脊被折断，书本被抛向地板。“这是什么？”那警察询问，丝毫未注意到正在振翅拍打牢房地板的小鸟。他指的是飘落在他脚下的蓝布。

“没什么。”卡洛威说。不过警察并不买账。他捡起布料，却什么都没发现。他最终没收了那本被切开一个大洞的书。

怀泰克高谈阔论了一番，但卡洛威根本没在听。我不曾见他如此颓丧。被放回牢房后，他立刻冲向小鸟被投向的后方角落。

卡洛威·李斯发出的声音相当原始。一个没心肝的大男人哭泣的声音，想必都是如此。

一声怦然巨响，伴随着令人作呕的辗碎声。卡洛威有如一阵旋风，打烂所有无法固定的物品。最后，发泄完毕的卡洛威沮丧地坐在牢房地板上，抚摸着死去的鸟儿：“去你妈的。去你妈的！”

“李斯，”薛打断他，“我要我的奖品。”

我的脑袋嗡嗡作响。薛不可能笨到和卡洛威作对。

“什么？”卡洛威喘着气说，“你说什么？”

“我的奖品。我赢了。”

“现在说这个可不是时候。”我压低声音说。

“我必须说。”薛说，“交易就是交易。”

这里的规矩是言出必行。而卡洛威作为白人监狱帮会的成员，比任何人都更明白这一点。“你最好确定自己安全地待在门闩后方，”卡洛威宣布，“下次只要找到机会，我会把你揍到不成人形，连你妈都认不出来。”不过，就算出言威胁，他却依然轻柔地抓起死去的鸟儿，用布包好，再将这轻巧的小包裹捆在钓鱼线的一端。

当知更鸟抵达我的位置时，我从房门下方三英寸宽的缺口将它拔出来。它看起来还没长大，紧闭的眼珠呈半透明的蓝色，一只翅膀明显朝相反方向弯曲，脖子无力地弯向一边。

薛抛出自己的细线，一端绑着一把普通的梳子作为配重，接收了这个小包裹。我看见他的手温柔地滑进布料，把知更鸟带入牢房。小通道的灯光闪烁不止。

我常常在想那之后究竟发生了什么。以艺术家的眼光来看，我想象着薛坐在床沿，手心拱成杯状罩住小鸟。想象着某位深爱你的人，无法忍受眼睁睁看着你沉沉睡去，所以，你就这样在他手心内苏醒。薛是怎么办到的并不重要，重要的是结果。大家都听见了知更鸟的婉转高音。薛把振翅的知更鸟从门缝推向小通道，它蹒跚着，朝卡洛威伸出的掌心跳跃而去。

琼

作为一位母亲，我可以透过长大的孩子的脸孔，看到那个从婴儿毛毯折痕间偷偷看我的脸。我看到十一岁大的女儿为指甲涂上鲜艳的指甲油时，便会回忆起从前她过马路时依偎在我身旁的模样。当医生说，真正的危险从青春期开始，因为心脏不知如何响应突发的生长期，我仍然假装那是很久以后才会发生的事。

“三局两胜。”克莱尔从医院的短罩衫里伸出手，举起拳头。

我也举起手。剪刀，石头，布。

“布。”克莱尔咧嘴笑道，“我赢了。”

“你才没有。”我说，“哈啰？剪刀？”

“我忘了告诉你，现在下雨，剪刀生了锈，你要把布放在下面，把它包起来带走。”

我笑了起来。克莱尔轻轻移动身子，小心翼翼地不碰到任何管线。“谁喂唐德力？”她问。

唐德力是我们的狗。它是一只十三岁大的猎鹬犬，也是除了我之外，唯一连接着克莱尔和她姐姐的生命。克莱尔从未见过伊丽莎白，但在她们成长的过程中，都曾把假珍珠项链套在唐德力的脖子上，将它打扮成自己从未拥有过的姐妹的模样。“不用担心唐德力。”我说，“必要的话，我会打电话给莫莉西太太。”

克莱尔点点头，看了一下时钟："他们应该回来了才对。"

"宝贝，我知道。"

"为什么耽搁了这么久？"

这个问题可以有一百种答案，但是漂浮于我心头的却是两郡之外的某家医院，另一位母亲必须和她的孩子道别的场面。这样，我就有机会救我的孩子了。

克莱尔的疾病学名为"扩张性心肌病"。一年有一千两百万的孩子得这种病。她的心室会扩张伸展，心脏无法有效地吸抽血液。这种病变无法修复，如果足够幸运，患者可以与之共存，反之便会死于充血性心衰竭。百分之七十九的儿童病例病因不明，某些人试图将其因归为心肌炎或其他幼年时期的滤过性病毒感染，另一些人则主张患儿遗传了双亲之一的缺陷基因。我认为克莱尔属于后者。毕竟，一位从悲伤中诞生的孩子，她的心脏天生承载着过多的负担。

起初，我不知道她患有这种疾病，只知道她比其他孩子更容易疲惫。当时的我尚未从事件中完全恢复，所以并未多加留意。等到她五岁时因为一场无法痊愈的流行性感冒住院，才被医生诊断出这种疾病。吴医生说，克莱尔有轻微的心律失常，状况有可能好转，也有可能不会。他让她服用卡普托利、呋塞米和地高辛。他说，我们只能静观其变。

克莱尔在小学五年级的第一天告诉我，她觉得自己好像吞了一只蜂鸟。我将其归为开学的紧张感，但几小时之后，当站在黑板前演算数学题时，她昏厥了过去。渐进的心律失常让心脏功能有如虫行一般缓慢，甚至放不出任何血液。就像某些看起来健康无比却猝死于球场的篮球员，他们患的是心室纤维颤动，克莱尔身上就是类似这种疾病。她动了手术，装上植入性心律去颤器，就像在心脏上方盖一间迷你急诊室，当再度发生心律失常时，将自动施行电击。她被列入了等候心脏移植的病患名单。

器官移植是一种狡猾的游戏。收到一颗心脏后，时钟开始运转，却并非总能导向快乐结局。若不想等待移植，就只能等待身体机能全部停止。然而，移植也不一定代表奇迹降临。大多数的接受者只能延用新心脏十到十五年，随时会有复杂的情况发生，或者产生排异反应。正如吴医生所说，十五年后，也许心脏可以在超市货架上买到，还可以装在家用电器上……重点在于，延续克莱尔生命的医学技术，能跟得上她逝去的脚步。

今天早上，我们随身携带的呼叫器响起。当我回电时，吴医生告诉我，我们得到了一颗心脏。“我在医院等你们。”

过去六小时，克莱尔任人摆弄，插管、消毒，只要那颗捐赠器官抵达这个小小的圆顶冷却器，她便能立刻进手术室。这是我期待已久的时刻，也是她这辈子最恐惧的时刻。

万一……我甚至没办法说出那些字句。

我触摸克莱尔的手，和她十指紧扣。布还是剪刀，我想。此刻的我们进退两难。我看着枕头上她那披成扇形的头发和微呈暗蓝色的皮肤，瘦削的骨骼显然无法承受逐渐生长的身体。有时候，我看着她，会觉得看到的人并不是她。我假装她是……

“你认为她长什么样？”

我内心惊愕，并漠视这个问题。“谁？”

“那位女孩。死去并将捐赠心脏的那位。”

“克莱尔，”我说，“不要谈这个。”

“为什么？假如她即将成为我的一部分，你不认为我们应该对她了如指掌吗？”她的双颊红光焕发。每当克莱尔一激动，它们就会变成这样。激动也会让她呼吸短促。

“放轻松。”我一边安慰她，一边把手放在她头上，“我们还不知道是不是女孩。”

“当然是女孩。”克莱尔说，“拥有一颗男孩的心脏，也未免太突兀了。”

“我并不认为性别是必要条件。”

她微微发抖。“应该要这样才对。”克莱尔挣扎地挺直身子，如此才能在医院病床上坐稳，“你认为我会变得不一样吗？”

我俯身亲吻她的前额。“你，”我逐字地说，“醒来的时候，依然会是那位不能在打扫房间、带唐德力散步或下楼梯关灯时被打扰的孩子。”

总之，这便是我对克莱尔说的话。但我自己只听得见前几个字：你醒来的时候。

一位护士走进房间。“我们刚收到消息，移植心脏的程序已经开始了。”她说，“很快就会有其他消息，吴医生正在联系现场的医护人员。”

她说完便离开了。克莱尔和我安静地坐着。突然间，这一切变得如此真实。外科医生将打开克莱尔的胸腔，使她的心脏停跳，再缝一颗新的进去。我们听过很多医生解释手术的风险和收益，知道儿童捐赠者的比例少之又少。克莱尔缩在床上，被子悄悄盖过鼻尖。

“如果我死了，”克莱尔说，“你认为我会变成圣人吗？”

我坐在她身旁，把她抱在怀里：“你不会死的。”

“会，我会。你也会。只是，我会早点走。”

我再也忍不住了，泪水夺眶而出。我用医院的床单边缘轻轻擦拭眼睛。克莱尔紧握我的头发，她还小的时候常常这么做。

“我一定会喜欢，”克莱尔说，“当一位圣人。”

克莱尔常常看书，从最初喜欢圣女贞德，到如今热衷于各式各样的殉道故事。

“你不会成为圣人。”

“你又不能确定。”克莱尔说。

“首先，你不是天主教徒。再说，他们全都死得很惨。”

“不一定都是这样。你好好的，却突然被杀，这样也算。圣玛利亚·葛莱蒂在我这个年纪时，为了抵抗一个强暴她的男人而被杀，她肯定也是圣人之一。”

“那太残忍。”我说。

“圣芭芭拉可是被挖掉了眼球。你是否知道有一位圣人是心脏病患的守护者？圣若望。”

“为什么你会知道有一位圣人是心脏病患的守护者？”

“还用说？”克莱尔说，“当然是我读到的。你只让我读书。”她重新躺倒枕头上，“我打赌，圣人也会玩垒球。”

“一位接受心脏移植的女孩也可以。”

克莱尔没在听我说话。她知道，希望只是烟幕弹，她看着我就能学习到这一点。她抬头看看时钟。“我会成为圣人，”她说，仿佛那完全由她决定，“那么就算你走了，也没人会忘记你。”

警察的葬礼可谓惊心动魄。全州每个城镇都会派警察、消防员和公务员来参加，有些甚至从更远的地方专程前来。灵车前方有一长列警察巡逻车，像白雪一般覆盖掉整条高速公路。

我花了很久才回忆起寇克的葬礼，因为当时，我卖力地假装什么事情都没有发生过。警长艾瑞福载我去葬仪服务处。莱林的居民站在街道边，拿着写有“保护和服务，最后的牺牲”的自制标语。当时是夏天，在我站立之处，鞋跟下方的柏油逐渐下陷。我被曾经和寇克一起工作的同僚，以及数百位不曾和他一起共事的警察包围。那是一片蓝色制服的海洋。我背痛，双脚肿胀，发现自己专注于一棵随风摇摆的丁香树，花瓣如雨一般从树上落下。

警长安排了二十一声枪响致敬礼，随后，五架战斗机于蓝紫色山脉前方喷出粉红色烟雾，将天空分为数条平行线。当它们飞过众人头顶时，远方又有一架飞机突然现身，如一片翱翔的碎屑，飞往东方。

神父的致辞我一个字都没听进去。他还能说出什么我不知道的关于寇克的事吗？致辞后，罗比和维克站在前方，像其余的莱林警力一样，用一条黑布覆盖他们的警徽。他们是寇克在警察局里最好的朋友。他们走向寇克的棺木，将棺木上方的旗帜折叠收拢。他们戴手套的双手移动迅速，让我想到米老鼠、唐老鸭和它们特大号的白色拳头。罗比将旗帜交到我的手上。那是一样我可以紧握、取代寇克地位的东西。

其他警察的无线电传来声音：

所有单位准备这则播送。

最后一次呼叫一百四十四号，寇克·尼尔森警员。

一百四十四号，于三百六十号西干道回传最后一次任务。

接着提到墓园的地址。

你将获得最完善的照顾。大家将深深地怀念你。

一百四十四号，十之七。

最后结束轮值的无线电密码。

之后，他们让我走向寇克的棺木。擦得闪亮的木头让我得以看见自己投射其中的倒影，一脸憔悴的陌生容颜。这是一具特制的棺木，比正常尺寸要宽大，这样就能合葬伊丽莎白。

她直到七岁都还怕黑。寇克就像一头栖息于粉红枕头和绸缎毛毯之间的大象躺在她身边，直到她睡着为止，随后蹑手蹑脚地离开房间，关上灯。有时候，她会在半夜时尖叫醒来，在我的肩头啜泣，就像是我伤了她的心似的。

葬礼负责人让我看看他们。寇克的手臂紧紧环绕着我的女儿，伊丽莎白的头靠在他的胸口，看起来就像那些夜晚，寇克等候伊丽莎白睡觉时不小心睡着的模样。他们看起来就像我希望成为的模样，安详、明晰而平静，宛如一片没有石头打碎平静的池塘。他们能够在一起，我应该感到安慰。这应当能补偿我无法和他们一同离去的遗憾。

“好好照顾她。”我悄悄对寇克说，呼出的气息带着亲吻的印记，印在闪光的木头上，“好好照顾我的宝贝。”

这时，克莱尔在我体内动了一下，好像我在召唤她似的。她像蝴蝶翻腾般伸展四肢，提醒我将这一刻牢记在心。

曾有一段时间，我会向圣人祈祷。我喜欢他们的原因，是他们平凡的出身。因为曾是人类，所以他们成为圣人的过程和耶稣不同。他们了解希望破灭、承诺消逝或感情受伤的滋味。圣女小德兰是我的最爱，她相信一个完全平凡的人也能获得伟大的爱。不过，那都是很久以前的事了。生命会给出彻底的证据，证明你正在追寻错误的事物，不是吗？于是我开始承认，自己宁可死去，也胜过给予一个必须奋斗才能活下去的孩子生命。

过去一个月来，克莱尔的心律失常有恶化的倾向。她的植入性心律去颤器一天要启动六次。有人告诉我，这玩意启动时，会有一道电流窜过全身。它能重新启动心脏，也能让人痛得哭天喊地。一个月一次已极具破坏性，一天一次则会让人精神崩溃。

据说，有一些和植入性心律去颤器共存的成年人组成团体，以求互相扶持，而有些人宁可冒着死于心律失常的风险，也不愿意过着提心吊胆等待被电击的日子。上星期，我发现克莱尔在房间里阅读《吉尼斯世界纪录》。“罗伊·苏列文于三十六年之内被闪电击中七次，”她说，“最后自杀了。”她翻起上衣，瞪着胸口的疤痕。“妈，”她哀求，“请他们把这玩意儿关掉。”

如果这玩意儿不可或缺，我不知道自己还能说服克莱尔留在我身边多久。

房门一打开，我和克莱尔立刻转头。我们以为是护士，结果却是吴医生。他坐在床沿，直接和克莱尔对话，好像她是我这个年纪的大人，而不是十一岁的孩子。

“原本要捐给你的心脏出了问题。医护人员直到进行摘除时才发现……右心室已经扩张。心脏移植后，恶化的风险会更大。”

“所以……它不能用？”克莱尔问。

“不行。当我给你一颗新的心脏时，我希望它绝对健康。”医生解释道。

我全身僵硬：“我不……我不懂。”

吴医生转身：“琼，我很抱歉。今天不是那个幸运日。”

“可是，要找到另一位捐赠人，可能又要花好几年。”我没有说下去，因为我知道吴医生一定听得见：克莱尔撑不了那么久。

“我们只能希望最好的情况发生。”他说。

他离开了。我们坐在令人晕眩的沉寂之中好一阵子。是我干的吗？我试图捣碎的恐惧——克莱尔熬不过手术——竟然在成为现实。

克莱尔把心脏监视器推离胸口。“好吧。”她说。我可以听见她嗓音中的纠结，她正努力不让自己哭出来。“好好一个星期六都给浪费了。”

“你知道吗？”我强迫自己安稳地说出字句，“我是以圣人之名来为你命名的。”

“真的吗？”

我点头：“她创立了一个以自己名字命名的苦修女团。”

她看着我：“为什么你挑了她的名字？”

因为你出生的那天，那位把你抱来给我的护士摇头说：“又是一双叫人心折的眸子。”而这位克莱尔，正是这双眸的圣人守护者。而我希望，从我呼唤你名字的第一刻起，你会受到彻底的保护。

“我喜欢这个名字听起来的感觉。”我说谎，然后拉起克莱尔的上衣，好让她能钻出来。

我们要离开医院，大概会去买点巧克力豆，然后租一部大团圆结局的电影。我们会带唐德力去散步，喂它吃饭，假装这是如往常般的一天。她去睡觉后，我会把脸埋进枕头，让自己感受此刻的我不愿感受的事实。我很惭愧地想到，我和克莱尔相处的时间比和伊丽莎白的多了五年。因此，移植没有顺利进行，我反而松了一口气，这使我感到罪恶。杀掉克莱尔，可比救她一命容易多了。

克莱尔把脚塞进粉红色的匡威鞋：“或许我会加入那位克莱尔的苦修女团。”

“你还不能成为圣人。”我说，并在心中默默加上一句：因为我不会让你死。

路希尔斯

就在薛让“知更蝙蝠侠”复活后没多久，盖许·维泰勒惹火上身了。

他以我们平日惯用的手法制造了一根火柴的替代品。他把荧光灯灯泡拉出底托，让金属尖端离开插座，在中间形成电弧。他用纸片接触电弧引燃，变成一把火炬，再撕下杂志的每一页纸，揉皱之后围在身边。泰瑟斯尖叫大喊救命时，小通道早已烟雾弥漫。警察打开盖许的房门，握着水量开到最大的水管。我们都能听到盖许被强力水柱喷到墙壁上的声音。他全身湿透，头发纠结成一团，双眸散发凶光，被皮绳捆绑在轮床上推走。

“嘿，绿色奇迹！”他一边呼喊，一边被推出I层，“你怎么不救我？”

“因为我喜欢鸟。”薛喃喃低语。

我是第一个笑出来的，泰瑟斯跟着窃笑。乔伊也是，但那是因为盖许不在，没人叫他闭嘴。

“布尔能，”自小鸟飞回卡洛威的牢房后，这是大家听到卡洛威吐出的第一个词，“谢谢。”

一片寂静笼罩现场。

“它值得一次重生的机会。”薛说。

小通道的门嗡嗡打开，这一次，史密特警察和执行晚间巡房的护士一起走了进来。艾尔玛首先走进我的牢房，手上拿着我的药丸卡。“这里闻起来怎么像有人在烤肉，却没有邀请我。”她说着，等我把药丸放进嘴巴，吞下一口水，“路希尔斯，好好睡。”

她走之后，我走到牢房前端。水流沿着水泥通道往下流。艾尔玛没有离开这一层，而是停在卡洛威的牢房前：“李斯，让我看看你那只手臂吧？”

卡洛威弯下身子往前走，保护握在手中的小鸟。大家都知道他握着蝙蝠侠。我们每个人都握着自己生命的共同体。如果艾尔玛看见那只鸟该怎么办？她会不会告密？

我早该料到卡洛威不会让这种事发生。他会在她太靠近之前，变得极度令人讨厌，直到吓走她。不过在他开口前，我们听见银笛般的叽叽声，不是从卡洛威房里，而是从薛的牢房里传来的。接着传来了回应的叫声，知更鸟试图寻找同伴。

“这他妈的怎么回事？”史密特警察一边问，一边看看四周，“这声音从哪里来的？”

突然，乔伊房里传出叽喳鸟叫，波基房里也传出更尖锐的吱吱声。惊讶之余，我甚至能听见我床铺附近也有鸟叫声。我绕着床追踪声音，直到气窗风口。难不成有一群知更鸟移居至此？难道薛是个魔术师加上腹语术高手，可以用他的声音玩这种把戏？

史密特走下信道，双手捂住耳朵，凝望天窗，接着走入淋浴间，尝试找出噪音的来源。“史密特，”一位警官在控制站的对讲机里喊，“发生什么事了？”

处在这种场所，一切都能克服，宽容也不例外。共存在这里会被误解为原谅。不用去尝试喜欢你痛恨的事物，最后你总能与之共存。

那正是为什么有人命令我们脱衣，我们便乖乖顺从；这正是为什么我们能贬低自己，和一个侵犯儿童的人下棋；这正是为什么我们哭着哭着就睡着了。你努力活下去，也被允许活下去，这就够了。

这也许能解释之后的现象。卡洛威强壮的手臂悄悄穿过门上的活门，移植的皮肤遮蔽了他的二头肌。艾尔玛惊讶地瞥见他的手。

“我不会伤害你。”她低语，端详移植部位长出的粉色新皮，看起来仍然处于需要观察发展的时期。她从口袋里拿出一双手套戴上，让自己的手看来和卡洛威的一样纯白。

你不会知道，当艾尔玛摸卡洛威的一瞬间，所有莫名的噪音都转为死寂。

迈可

神父天天都得主持弥撒，就算没有半个人出席也一样，尽管这种情形少之又少。一个像康城一样大的城市，在我穿着法服出现之时，通常会有一堆教友早已念完一遍《玫瑰经》。

我正在主持弥撒中关于奇迹的部分。“这是我的身体，将为你们献上。”我大声说，屈膝举起圣饼。

唯一真神为何同时又是三位一体？身为神父，非天主教徒最常向我提出这个关于“化质说”的问题。本质上，祝圣时的面包和酒即是耶稣基督的身体和血，吃下去便会化为信徒身体的一部分。我看得出来为何人们感到疑惑。如果这是真的，这里岂不成为了吃人肉的教堂？而且，为什么没人看得见这番变化？

我想起小时候上教堂的经历，那是我重回信仰之前很久的事了。和其他人差不多，去一次教堂，我并不在乎会拿到什么。在我看来，圣餐不过是一小块硬饼干和一小杯红酒，无论在神父祝圣前和后都一样。如今我可以告诉你，它们看起来依然是硬饼干和红酒。

奇迹的部分出自哲理，而并非物品本身的改变，这是最根本的部分。就算我们没了手脚、牙齿或头发，我们依旧是人类，但假设我们突然不再是哺乳动物，那就是另一回事了。当我在弥撒上为圣饼和酒祝圣时，事物的基本本质已经改变，成为了另外一样物品，尽管外观、味道和大小一模一样。这就像施洗约翰见到一名男子，立刻知晓自己正看着上帝；就像东方三博士看着那婴孩，便明白他是我们的救世主……我每天手里握着的，看似硬饼干和红酒的物品，事实上就是耶稣。

每当弥撒进行到此，我的手指会紧紧夹住圣饼，直到聚会结束洗完手之后。已被祝圣的圣饼，一丁点也不能遗失。聚会结束后，我们会费尽工夫，确认剩余的物品已经安置妥当。然而，正当我这么想时，一块薄饼从我手中滑落。

此时的我，感觉就像小学三年级时，在小联盟的最后决赛上听见“砰”的一击，一枚飞得太快太高的球落向左翼角落。我内心纠结着是否要拦截它，却厌恶地明白，按照常理，自己肯定办不到。我当场愣住了，看着圣饼安全地掉进装着红酒的圣杯。

“五秒规则。”我一边低喃，一边把手指伸进圣杯，拿起它。

这块薄饼吸收了红酒。我吃惊地凝视，它看起来就像一张嘴、一只耳朵、一粒眼珠。

华尔特神父见过异象。他说自己会成为神父的首要原因是，当他还是一名祭坛侍童时，一尊耶稣像来到他身边使劲拉他，告诉他要继续学习。最近，当他在教区长厨房炸鱼时，平底锅里的鳟鱼突然跳个不停，圣母玛利亚在他面前现身。“别让任何一条鱼掉在地板上。”她警告完后，便消失了。

在这个世界上，有许许多多神父的工作表现可圈可点，却从未接受过类似的神圣启示。我并不想和他们一样。我工作时面对的人们也深切地渴望奇迹，而不是令人麻木的现实。所以我瞪着这块薄饼，希望红酒会在上面描绘出一张耶稣画像。可惜相反地，我发现自己正看着一样截然不同的物品。蓬松的深色头发，让我看上去比起神父更像个摇滚乐团的鼓手，初中时代因打架摔断的鼻子，剃得短短的胡须——刻印在圣饼表面的影像是我的脸孔，真实度就像复印出来的一样。

我的脸孔在基督的身体里做什么？

我边想边把呈现深紫色、些微破裂的圣饼放在圣碟中。我举起圣杯。“这是我的血。”我说。

琼

薛·布尔能在我们家做木工期间，送给伊丽莎白一样生日礼物。那是他在我们家工作之余，不知在哪里用木头碎片手工制作的。那是一个带铰链的小巧木箱，雕刻工艺复杂，每一面都刻着一位代表不同季节的仙女。夏天的仙女拥有明亮的牡丹花翅膀和一顶太阳制成的皇冠；春天的仙女覆盖着攀缘而上的葡萄藤，一列婚礼花车从她脚下穿过；秋天那位穿着以枫树和白杨树为珠宝点缀的服装，头上晃着一顶橡树无边软帽；冬天那位滑冰越过一片结冻的琥珀，留下一抹银霜的痕迹。箱盖上刻着一轮明月在一片繁星中升起，张开双臂伸向永远无法触及的太阳。

伊丽莎白特别喜欢这个箱子。薛送给她的那天晚上，她把毛毯铺在里面，整个人睡在其中。寇克和我告诉她不能这样做，如果睡到一半盖子盖上了怎么办？于是她把它变成洋娃娃的摇篮，之后又当成玩具箱。她将箱子取名为精灵，我时常听见她和箱子说话。

伊丽莎白死后，我把箱子拖到庭院，打算销毁它。怀孕八个月又极度忧伤的我，使劲拿起寇克的斧头，最后却下不了手。那是伊丽莎白珍爱的宝贝，我不能失去它。我把箱子收在顶楼，放了好多年。

我会告诉你，我早就忘记了那个箱子，可这是在说谎。我一直知道它在那里，藏在皮箱、旧婴儿服和画框早已破损的图画背后。克莱尔大约十岁时，有一天，我发现她试着把箱子拖回自己房间。“这个好漂亮。”她边说边吃力地曲折前行。“没人可以用这个箱子。”我斥责她，命令她回房躺下休息。

然而，克莱尔一直吵嚷着想要箱子。最后我把箱子搬到她房间，放在床尾，正如当初放在伊丽莎白的床尾。我从来没有告诉她这口箱子是谁雕刻的。然而有时候，当克莱尔身在学校时，我也会偷偷观看箱子内部。我心想，潘多拉是否也希望能看到箱子里到底装了些什么——那是乔装成礼物的心痛。

路希尔斯

我说过，我是I层公认的垂钓高手。我的设备是以积攒多年的纱线制成的刚韧细线，再绑上重物，比如一把梳子或一副扑克牌，重量视要垂钓的物品而定。我的钓线可以从自己的牢房一直延伸到这层另一端盖许的牢房，我便因此闻名。当薛抛出他的钓线时，我充满好奇心地观察他，希望了解他技术如何。

时间是在《只活一次》结束之后，《奥普拉》开始之前的空当，此时绝大多数人都在打瞌睡。我身体不舒服。口腔内的疮让我说话困难，还时不时跑厕所。眼睛周围的皮肤因卡波西氏肉瘤而溃烂肿胀，让我几乎看不见。突然，薛的钓线“嗖”地钻进我房门下方的细缝。“来一点？”他问。

通常，我们垂钓是为了获得某样东西，比如交换杂志，以食物换食物，或者为了获得毒品而出价。可薛什么都不想要，他只会给予馈赠。他的钓线尽头绑着一块泡泡糖。

这是违禁品。泡泡糖可以作为油灰使用，制造出各种物品，还能破坏门锁。只有上帝知道，薛是从哪里弄来这件礼物的，而且他竟然不把泡泡糖藏起来。

我咽咽口水，喉咙差点裂开。“不用了，谢谢。”我不爽地说。

我从床上坐起，掀开床单。塑料床垫上有一道缝隙，是本人精心设计的杰作，上面有类似橄榄球的缝线，宽松得足以塞进食指，在泡沫填料中挖出备用物品。

拉米夫定片、依非韦伦胶囊、齐多夫定胶囊，还有对抗腹泻的复方地芬诺酯片。数周来，艾尔玛看着我把它们放进嘴巴，却不知道这些应该已经吞下去的药丸其实都塞在脸颊，最终都保存在了这里。

我还没决定，究竟是直接用这些药自杀，还是仅仅藏着它们拒绝服用，作为一种慢性的，却是百分之百的自杀行为。

说来好笑，我明明已经步入鬼门关，却依然奋力对抗，想要选择一个日期，假装一切仍在自己的掌控之下。

“乔伊，”薛说，“想不想来点？”他再次投出钓线，划出弧形轨迹，越过小通道。

“真的吗？”乔伊问。我们常常假装乔伊并不存在，这对他反而安全。没人会主动跟他打招呼，更别提送他一块像泡泡糖这么珍贵的东西。

“我想要一点，”卡洛威要求。他的牢房介于薛和乔伊之间，肯定看得见薛的礼物经过门前。

“我也是。”盖许说。

薛等乔伊拿完泡泡糖之后，轻轻把钓线拉近一点，抵达卡洛威拿得到的范围：“还剩很多。”

“你有几块？”盖许问。

“只有一块。”

一块泡泡糖还可以和一位朋友一同分享。但是你怎能想象将一块泡泡糖分配给七个饥渴的男人的场景？

薛的钓线挥向左边，经过我的牢房，朝盖许的方向而去。“拿一点之后再传回来。”薛说。

“我可能会全部拿走。”

“也许你会。”

“干，”盖许说，“我要全部拿走。”

“如果你需要的话。”薛如此回答。

我不安地站起来，当薛的钓线抵达波基的牢房时，我蹲在门口。

“拿一点吧。”薛提议。

“可是盖许已经拿走整块……”

“拿一点。”

我听见纸张拆开，波基口含逐渐融化的礼物，边咀嚼边说话的声音：“自2001年起，我就再也没有吃过泡泡糖。”

我闻得到气味。色素、糖分。我开始流口水。

“喔，我的老天。”泰瑟斯大口呼气，每个人，除了我之外，都静静地咀嚼着口中的圣品。

薛的钓线在我脚边摇摆。“试试看。”他怂恿。

我的手伸向吊线末端的小包裹。既然已经有六个男人做了相同的动作，我预期只会看见很小一块残余的泡泡糖，甚至一点不剩。可我讶异地发现，整块泡泡糖完好无缺。我扯下半块放进嘴里，把剩下的包好，拉拉薛的钓线。我看着它呼啸而去，回到薛的牢房。

一开始，我简直受不了这块糖。糖分刺激着口腔内的疮，在泡泡糖变软之前，它的尖锐边缘不断刮擦我的口腔。它带来的痛苦让我双眼充满泪水。我举起手，准备把泡泡糖吐出来，这时，不可思议的事情发生了。泡泡糖里就像含有麻醉成分一般，我的嘴巴和喉咙不再疼痛，好像我再也不是一位艾滋病患，而是一位准备远行的普通男人，为车加完油之后在柜台付账时，随手拿一点零食放进嘴里。我的口腔有节奏地运动。我坐在牢房地上，边嚼边哭，不是因为疼痛，而是因为不再疼痛。

大家是那么安静，以至于怀泰克警察进来查看我们在搞什么花样。他并未看见自己预期的状况。七个男人正幻想着心中憧憬的童年。七个男人嘴里都吐出明月般的泡泡。

将近六个月以来，这是我第一次一觉睡到天亮。醒来后，我感觉身体得到了充分的休息，状态极度放松，每天清晨前两个小时折磨我的胃部难受的症状完全没有出现。我走到脸盆旁，把牙膏挤在监狱分配的粗糙刷子上方，眼睛瞥向当作镜子的波状金属薄片。

某样东西变得不一样了。

近一年来让我脸颊生斑、眼皮感染的卡波西氏肉瘤消失无踪。我的皮肤干净得有如清泉。我弯身想看得更仔细一点。我张开嘴巴，拉扯下唇，完全找不到之前让自己无法吞咽的水泡和溃烂。

“路希尔斯，”一个声音从头顶的气窗流泻下来，“早安。”

我往上看。“是的，薛。上帝，是的，的确是。”

我根本不需要请医生来检查。怀泰克警察一看见我好转的脸孔，惊吓得直接打电话给艾尔玛。我被带入专门为辩护律师准备的小房间，让她为我抽血。一个小时过后，她回到牢房，告诉我内心早已料到的结果。

“你的CD4细胞数值是1250，”艾尔玛说，“也测不出你体内的艾滋病毒。”

“这很好，不是吗？”

“很好。如果我们替一位没得艾滋病的人抽血，就会是这种结果。”她摇摇头，“看样子，你的药丸帮了大忙……”

“艾尔玛。”我瞄一眼她身后的怀泰克警察，接着扯下床垫的床单，撕开藏药的秘密空间。我拿着药来到她身边，将几十片药丸倒在她手心，“我已经好几个月没服药了。”

她双颊泛红：“这不可能。”

“这并非不可能，”我纠正，“一切都可能。”

她把药丸塞进口袋：“我肯定，医学能够解释……”

“是薛。”

“布尔能？”

“他做的。”我清楚这听起来有多疯狂，却依然希望她能明白，“我看见他让死鸟复活，让一块口香糖满足所有人。他待在这里的最初几天晚上，甚至让水龙头流出红酒……”

“好，好。怀泰克警官，我看看能不能安排一位心理医生……”

“艾尔玛，我没发疯。我只是……很好，我痊愈了。”我碰碰她的手，“你从未亲眼见证一件你认为不可能的事发生在你面前吗？”

她瞥一眼卡洛威·李斯，他顺从地接受艾尔玛的治疗已经七天了。“那也是他干的。”我悄悄地说，“我知道。”

艾尔玛走出牢房，站在薛的牢房前。他正戴着耳机收看电视。“布尔能，”怀泰克吼道，“手铐。”

他的手腕铐上之后，牢房门打开了。艾尔玛双手交叉在胸前，站在门缝处。“你对杜弗里斯的状况了解多少？”

薛没有回答。

“布尔能？”

“他睡得不多，”薛安静地说，“嘴巴痛得不能吃东西。”

“他有艾滋病。可今天早上一切突然改变了。”艾尔玛说，“基于某些理由，杜弗里斯认为你和这件事有关。”

“我什么都没做。”

艾尔玛转向警官："你有亲眼看到什么吗？"

"I层的水管确实验出酒精成分。"怀泰克承认，"而且，相信我，搜查结果都倾向于普通的漏水。另外，我的确看见他们每个人大嚼泡泡糖。布尔能的牢房被彻底搜查，却从没有找出任何违禁品。"

"我什么都没做。"薛重申，"就是这样。"突然，他精神抖擞地走向艾尔玛，"你是为我的心脏而来的吗？"

"什么？"

"我的心脏。我想在死去以后把它捐出去。"我听见他在私人物品收纳盒里翻东西，"在这里，"他一边说，一边递给艾尔玛一张纸，"这个小女孩需要它。路希尔斯帮我把她的名字写下来了。"

"我完全不知情……"

"但你可以把她找出来，对不对？你知道该跟哪些人讲。"

艾尔玛迟疑了一会儿。她的声音变得柔和起来，仿佛包了一层法兰绒。那正是每当我痛苦难耐，觉得自己快撑不下去时所听见的声音。"我可以试试看。"她说。

我们很清楚，电视上播放的事件其实就发生在自家门外，这种感觉实在古怪。大批民众淹没了监狱的停车场。坐轮椅的人、使用助行器的年长妇女和怀中紧抱生病婴孩的母亲们，他们就在通行处办公室入口的阶梯露营。那里还有好几对同性恋，大多是一个男人搀扶着自己虚弱生病的伴侣。还有一些疯子高举标语，上面都是一些关于世界末日的经句。新闻转播车停在绕过坟墓通往市中心的街道两侧，除了本地电视台，甚至还有一队来自波士顿福克斯电视台的采访团。

现在，一位二十二台的记者正在访问一位年轻妈妈，她的儿子患有严重的先天性神经损害。她就站在儿子的电动轮椅旁，一手放在儿子的额头。“想要什么？”她重复记者的问题，“我想知道自己的儿子是不是认得我。”她虚弱地微笑，“这并不贪心，不是吗？”

记者面对摄影机。“鲍伯，一直到现在，官方并未针对发生在康城州立监狱的奇迹事件发表任何确认或否定的说法。然而，某位匿名的相关人士告诉我们，这些现象发生的原因，是新罕布什尔州唯一的死刑犯薛·布尔能希望捐赠自己的器官。”

我从脖子上扯下耳机。“薛，”我呼唤，“你听到了没？”

“我们这里出名人啦。”盖许说。

一片喧哗让薛感到泄气。“我就是原本的样子，”他说着，声调逐渐提高，“以后也会是这个样子。”

这时，两位警官抵达，护卫着一个我们极少见到的人：科因典狱长。他是个结实的男人，留着平头，平到几乎能用来摆晚餐。当怀泰克警官命令薛脱衣时，他就站在牢房一旁。薛身上的小物件全被甩在地上，然后他才能穿上衣服，被铐在我们牢房旁的墙壁上。

警官开始搜查薛的房间，打翻他还没吃完的餐点，扯下连接电视的耳机，倒翻用来放置私人物品的小盒子。他们扯裂他的床垫，把床单弄得乱七八糟。他们的手沿着水槽、厕所和床铺边缘仔细搜查。

“布尔能，你知不知道外面发生什么了？”典狱长说。薛就像卡洛威的知更鸟睡觉时的模样，脑袋缩在肩膀里站着。

“请告诉我，你打算证明什么？”

在薛的沉默中，典狱长开始在我们这层来回走动。“你们呢？”他朝我们其他人喊，“话说在前头，跟我合作就不会被惩罚。我不能保证之后不会出什么事。”

没人说话。

科因典狱长转向薛：“泡泡糖从哪里来的？”

“只有一块。”乔伊·克斯脱口而出。这个爱打小报告的家伙。“但足够我们大家分。”

“小子，你是魔术师吗？”典狱长说着，脸孔逐渐远离薛的脸，“还是你催眠他们，让他们以为自己拥有实际上并未得到的东西？我知道心理控制，布尔能。”

“我什么都没做。”薛低语。

怀泰克警官稍稍站近一点：“科因典狱长，他牢房里什么都没有。床垫里也是，毛毯也好好的。如果他真的用毛毯的线来垂钓，那用完之后，肯定已经设法把线完美地缝回了原位。”

我盯着薛。他当然是用毛毯的线来垂钓的，我亲眼看见过那根线。我曾经从海军蓝色的线团中解开泡泡糖。

“布尔能，我会盯着你，”典狱长嘘声说，“我知道你在策划什么。你他妈的再清楚不过，一旦在行刑室摄入大量氯化钾，你的心脏就一文不值了。你这么做，只是因为你再也无法上诉。不过，就算该死的芭芭拉·华特斯来采访你，同情票也无法改变你的行刑日。”

典狱长昂首阔步离开I层。怀泰克警官直接解开薛的手铐，带他回牢房：“听着，薛，我是天主教徒。”

“那很好。”薛回答。

“我以为天主教徒反对死刑。”盖许说。

“是啊，别上他的当。”泰瑟斯接着说。

连乔伊都弯身靠在牢房门上，同意地点头。

怀泰克朝这一层下方瞥一眼，典狱长正站在隔音玻璃之外和另一位警官说话。“事情是这样……如果你想的话……我可以请圣凯瑟琳教堂的一位神父来看你。”他停顿了一下，“也许他能帮忙解决这件关于心脏的事情。”

薛盯着他："为什么你愿意这么做？"

从我站的地方可以很清楚地看见警官。他的手伸进上衣领口，拉出一条项链。他把挂在项链上的十字架放在唇上，再让它落回制服内。"相信我的人，"怀泰克低语，"并不相信我，而是相信差遣我来的人。"

我不熟悉新约，不过只要听到，便能马上认出那是《圣经》经文。就算智力不够超群，我也能听得出来，警官在暗示薛做出的怪异行径，都是从天上来的。这时我明白，即使薛只是一位犯人，也确实能影响怀泰克。他能影响我们所有人。我在I层待了那么多年，从未见过这群拉帮结派的混混变成现在这样。薛·布尔能将大家结合了起来。

隔壁房的薛正安静地收拾牢房。最后，新闻以另一个州立监狱的鸟瞰镜头结束报导。在空中的直升机里，可以看见有多少人聚集于此，又有多少人正往这里前进。

我坐在床上。这绝不可能，不是吗？

对艾尔玛说过的话回到脑海：这并非不可能。一切都有可能。

我从床垫里藏匿物品的地方拿出美术用品，迅速翻阅画册，一直翻到那张薛发病时被推离I层的素描。画中的他躺在轮床上，张开的双臂分别被束缚住，双腿被绑在一起，双眼瞪着天花板。我将纸张竖起，这样一来，薛看起来并不是躺着，反而像被钉在十字架上。

人们总是试图在监狱"寻找"耶稣的同在。也许，他确实已经在这里了。

第二章

玛吉

值得我感恩的事很多，其中包括不再身为高中生。这么说好了，对一位在GAP店内五花八门的行头中找不到一件合身衣服的女孩来说，高中生活并不像在公园散步一般惬意。她总是试图不引起任何人的注意，不让人注意到她的尺寸。今天，高中毕业十年后的我身在另一所学校，内心却依然被类似的焦虑困扰。尽管我身穿用来上法庭的大牌琼斯纽约套装，年纪已经大到被误认为老师而不是学生都无所谓。我依旧随时得等着某个混账从转角冒出来，开我是个胖女孩的玩笑。

汤佛·瑞福，和我一起坐在学校前厅的男孩，身穿黑色牛仔裤和印着无政府主义标志的破T恤，脖子上戴着一条挂着吉他拨片的皮绳。如果被打扰，他会真的变成无政府主义者。他的iPod耳机垂挂在上衣前方，仿佛医生的听诊器。一小时前阅读法院宣判之后，他一直在喃喃自语。

“所以，这些狗屁到底是什么意思？”他问。

“你赢了。”我向他解释，“如果你不想宣读《效忠宣誓》，你可以不念。”

“那卡尔轩克呢？”

那是他的导师，一位参加过朝鲜战争的老兵。当汤佛拒绝朗诵《效忠宣誓》时，这位导师把他送进了拘留所。他写了一大堆信寄到我的办公室，我们便前往法院护卫他的民主自由权。

汤佛把判决令还给我。“亲爱的，”他说，“你有胜算让大麻合法吗？”

“呃，这不是我的专长领域。抱歉。”我和汤佛握握手，恭喜他，接着走出校园。

今天是值得庆祝的一天，虽然天有点冷，我依然摇下丰田普瑞斯的车窗，把艾瑞莎的CD放进音响。我的案子通常都会被法院驳回。我的绝大部分时间都花在辩护上，而不是等候判决。身为新罕布什尔州美国民权自由联盟的三位律师之一，我是运用《美国宪法修正案》第一条的佼佼者——言论自由、宗教自由、结社自由。我的书面报告看起来很精彩，但我因此变成了一个撰写报告的专家。我替想穿猫头鹰T恤上学的青少年或想带男朋友参加舞会的同性恋孩子执笔。我撰写报告反对针对黑人驾驶者的种族歧视行为。统计显示，警察在交通执勤时，会给少数种族驾驶者开更多罚单。我参加小区会议，与本地经销商协商，并在检察总长办公室、警察局和学校都花了难以计数的时间。我是他们摆脱不了的芒刺，也是他们潜意识和立场中的荆棘。

我拿起手机，拨通了妈妈位于SPA馆的电话。“猜猜发生了什么，”她一接起电话，我便说道，“我赢了！”

“玛吉，太棒了。我以你为荣。”我能感受到自己紧张的心跳，“你赢了什么？”

“我的案子！上星期晚餐时跟你提到的案子。”

“关于小区中学的吉祥物是印第安人的案子？”

“不是那个印第安人。”我说，“那桩案子我打输了。我说的是关于《效忠宣誓》的案子。而且，”我亮出王牌，“我想，今天晚上的新闻里会看到我。法庭四周到处都是摄像机。”

我听见我妈放下电话，向同事们炫耀她的女儿。我咬着牙切断电话，直到铃声重新响起。

“你穿了哪件衣服？”我妈问。

“我的琼斯纽约套装。”

我妈迟疑了片刻：“不是那件有别针的条纹套装吧？”

“什么意思？”

“我只是问问。”

“没错，就是有别针的条纹套装。”我说，“有什么不妥吗？”

“我有说哪里不对吗？”

“你不说我也知道。”我偏离车道，闪开一辆车速较慢的汽车，“我得走了。”我一说完，便马上挂断电话，泪水在眼眶中打转。

手机再次响起。“你妈在哭。”我爸说。

“那好，加我一共两个人。为什么她就不能单纯地为我开心？”

“她很开心啊，亲爱的，她觉得你太大惊小怪了。”

“我大惊小怪？有没有搞错？”

“我打赌玛西亚·克拉克的妈妈一定问过她，O.J.辛普森杀人案开庭时，她穿的是哪件衣服。”我爸说。

“我打赌，玛西亚·克拉克的妈妈不会在光明节送女儿健身录像带。”

“我打赌，玛西亚·克拉克的妈妈不会在光明节送她礼物。”我爸笑着说，“不过我听说她的圣诞袜子装着《糖衣陷阱》的DVD。”

我的嘴角因一抹微笑而轻微抽动。我听见我爸身后传来越来越大的婴儿哭声。

“你人在哪儿？”

“目睹一场割礼，”爸爸说，“而且我最好赶快离开，穆汉正板着脸盯着我。我可不想在他行割礼时坏了他的心情。晚点再打电话跟我说其他细节。你妈会把新闻录下来的。”

我挂掉电话后，将手机丢向乘客座。我那位以研习犹太律法维生的爸爸，一向很擅长寻找是非之间的灰色地带。我妈则有个杰出天分，就是毁掉一个值得庆祝的日子。我驶上院子的汽车专用道，朝家里走去，奥利佛正在前门等我。“我需要一杯酒。”我对它说，它立刻竖起一只耳朵，毕竟现在才中午十一点四十五分。我径自朝冰箱走去，那里头只有一瓶西红柿酱、一罐甜椒、奥利佛的胡萝卜和保质期只到克林顿开始执政的酸奶。我替自己倒一杯黄尾袋鼠牌的霞多丽红酒。在打开电视前，我想先让自己处于轻飘飘的状态。毫无疑问，我短短十五分钟的名誉，将被一套条纹套装摧毁殆尽。它会让我原本就肥胖的臀部，看起来更为惊人地突出。

午间新闻的主题音乐在客厅中流淌，我和奥利佛在沙发就位。新闻主播是一位正朝着摄影机微笑的金发女人。她身后的图案是一面美国国旗被横线划过中央，标题则是“不用宣誓？”“今天的头条新闻，一位拒绝宣读《效忠宣誓》的高中生今日于法庭胜诉。”屏幕上开始播出一卷录像带，画面背景为法院阶梯，你可以看见我的脸，鼻子下挤着一支支麦克风。

该死，这套装真的让我看起来更肥。

“这的确是个人民权自由的一场漂亮胜仗。”屏幕上的我开始说。接着，一则亮蓝色“最新消息”的跨页大标题挡住我的整张脸，画面随即跳到位于州立监狱前的一则现场转播，那里有搭帐篷的违建住户和高举标语的人们，还有……一队轮椅合唱团？

现场记者的头发被狂风吹得乱七八糟：“我是贾尼丝·李，位于新罕布什尔州州立监狱前为您报道，这里面正监禁着被其他犯人称为

‘死囚弥赛亚’的男人。”

电视机前的我抱起奥利佛，盘腿坐好。记者背后站着几十个人，搞不清他们是在站岗还是在抗议。人群中有一些人特别突出：身上挂着写有《约翰福音》第三章第十六节经文的广告牌的男人；一手搀着跛脚孩子的妈妈；一小群正在念诵《玫瑰经》的修女。

“这是对我们第一次报道的追踪报道。”记者说，“我们将对在新罕布什尔州唯一的死囚薛·布尔能抵达后，监狱内部发生的一连串无法解释的事件，进行时间先后顺序的确认。他本人则表达了希望于处决后捐赠器官的心愿。今天，我们也许能得到科学的解释，证明这些事件并非魔术，而是其他更让人震撼的事实。”

屏幕上出现一位身着制服的警察，根据他脸孔下方的字幕标示，他是监管人员瑞克·怀泰克。“首先是自来水事件。”他说，“有一天晚上我在执勤时，发现犯人全都变得醉醺醺的，尽管自来水来源测试结果完全正常，但狱中的水管里确实检验出了残余的酒精成分。而且虽然我并未亲眼目睹，但有几位囚犯谈到死鸟复生的事件。而我要说的是，最惊人的改变发生在杜弗里斯犯人身上。”

记者接着说：“消息来源指出，犯人路希尔斯·杜弗里斯是个艾滋病晚期患者，而他的疾病奇迹般治愈了。我们将在今晚六点的报道里，请教达特茅斯–希区考克医学中心的医师，此现象是否有医学上的解释。然而，这位死囚弥赛亚近来的追随者表示，”记者一边说，一边以手势介绍身后的人群，“一切都有可能。我是贾尼丝·李，于康城为您报道。”

这时，我在记者身后的人群里认出一张熟悉的脸孔——迪迪，之前替我做身体裹敷疗程的SPA美容师。我曾经告诉过她，现在什么都救不了薛·布尔能。但那是在这些事情发生之前。

我拿起电话，拨给办公室的老板："你在看新闻吗？"

陆夫斯·厄夸特，新罕布什尔州美国民权自由联盟的头头，办公桌上有两台随时更换频道的电视，这样任何消息都不会错过。"是啊，"他说，"我还以为可以看见你。"

"死囚弥赛亚捷足先登了。"

"你打不过上帝。"陆夫斯说。

"正是。"我回答，"陆夫斯，我想办他的案子。"

"亲爱的，你已经办过了。至少，你本来应该提出'法庭之友'的意见。"陆夫斯说。

"不，我是指，我想让他成为我的委托人。给我一个星期。"我恳求。

"听着，玛吉，这男人已经先后出入州立法院、第一巡回上诉法院和最高法院。如果我没记错，这桩案子去年已经完全定局，上诉全部驳回。经过一连串出庭，布尔能也早已疲惫至极。我实在看不出来，他该如何获得再度尝试的机会。"

"如果他认为自己是弥赛亚，"我说，"他只需要推我们一把就成。"

《宗教用地和收容人员法》自颁布后一直未被执行，直到五年后，最高法院根据该法案支持考特诉威尔金森案的上诉决定。一群身为撒旦教教徒的俄亥俄州州立监狱服刑人员，控诉州政府并未让这项法案扮演它应有的重要角色。只要监狱保障行使宗教自由的权利，不包括强迫无信仰的人行使此权利，法律都是合乎宪法的。

"撒旦教教徒？"我妈放下刀叉，"这个人是这样的吗？"

每星期五晚上，我都会在父母家用餐，之后，他们将去参加安息日仪式。我妈希望我星期一就能回家，但我告诉她，我得看看有没有其他行程，例如约会或参加末日善恶决战，两者在我生活中的发生频率相同。而星期五一到，我便会在安息日仪式上传递烤马铃薯，听我爸为红酒祝圣。

“我不知道。”我对她说，“我还没跟他见过面。”

“撒旦教教徒也有弥赛亚？”我爸问。

“你们两位都漏掉了重点。法律上，每位犯人都有权行使他们的宗教权，只要不和监狱的运作起冲突。”我耸耸肩，“再说，假设他真是弥赛亚呢？既然他在这里是要拯救世界，那基于道德，不更应该救他一命吗？”

爸爸切下一小块肉片：“他不是弥赛亚。”

“你怎么知道？”

“他不是一位战士。他并未维护以色列的主权，也没有保护世界和平。也许他曾经让某物起死回生，但如果他真是弥赛亚，应该让每个人都复活，你祖父母会坐在这里，询问还有没有肉汤。”

“爸，犹太人的弥赛亚和……嗯……是有差别的。”

“什么让你认为不止有一位弥赛亚？”他问。

“那你又为何认为只有一位？”我反击道。

我妈丢下餐巾。“我去拿止痛药。”她说着，离开餐桌。

我爸朝我窃笑：“玛吉，你应该能成为一位很棒的犹太祭司。”

“是啊，只要这档宗教麻烦事不要变成习惯就好。”

我是以犹太人的方式被抚养长大的。我曾于星期五晚上全程参与仪式，聆听主唱高亢浑厚的嗓音。我看着父亲虔诚地拿着律法书，会让我想起自己婴儿时的照片里他是怎么抱我的。然而，我的成长过程极其无聊，甚至会去强记律法书上错综繁杂的族谱。当我越了解犹太律法，就越感到身为女孩会被强制去相信自己是不洁净、有限制或有缺陷的。如我爸妈的期望，我举行了成人礼，就在我读完《摩西五经》，庆祝长大成人之后的那天，我告知了父母自己再也不去圣殿的决定。

为什么？当我告诉爸爸时，他这么问。

因为我并不认为上帝真的在乎，我是否在每个星期五晚上坐在那里。我并不认同这个奠基于你不能做什么，而不是你该做什么才得以完善的宗教。而且，我不知道自己相信什么。

我狠不下心说出事实。比起不可知论，其实我更偏向无神论，甚至怀疑上帝是否存在。我在工作中，看到世界上有太多的不公平，无法认同一位仁慈全能的神会让这些残忍的事物继续存在。大众认为容易犯错的人性之下，其实安排着更伟大的神圣计划，而我彻底痛恨这种说法。这有点像父母看着孩子玩火，内心想着：好，让他们被烧，这样他们才会有所觉悟。

高中时，我曾问我爸，随着光阴流逝，人们信仰的宗教是否会被认为是虚假的。拥有众神的希腊和罗马人，会献上牺牲祭品并在圣殿祷告，以求神明庇佑。而今天，虔诚的人会因此而嘲笑他们。我问我爸，你怎么知道五百年前，没有外星种族曾仔细检查过你的律法和信众们的十字架，心想你们怎么能如此天真？

一向喜欢采取辩论立场并说“让我们探讨一下”的父亲，变得哑口无言。最后，他总算开口。他说：“如果一个宗教建立在谎言上，它不可能于两千年后依然存在。”

我的想法是这样的：我并不认为宗教建立于谎言，但也不认为它们建立于真相。我认为宗教会出现，是因为当时的人们需要它。就像世界级的体育选手绝不会脱掉幸运袜，或者生病孩子的母亲相信自己的宝贝只在她也坐在床上时才会睡着。有信仰的人，需要有某样事物去信仰。

“所以，你的计划是什么？”我爸问，让我转回注意力。

我往上看：“我要救他。”

“也许你是弥赛亚。”他一脸思索的表情。

我妈“砰”的一声再度入座，把两颗药丸扔进嘴巴，一口吞下：“如果他故意制造骚动，让你这样的人来助他逃过一劫呢？”

我想过这点。“如果这是一场大骗局也没关系。”我说，“只要我能让法院买账，这依然是反对死刑的一击。”我想象自己被史东·菲利普斯访问。等到摄影机一停拍，他将邀我共进晚餐。

“答应我，你不会变成一个掉进罪犯陷阱，最后在监狱和他结婚的律师……”

“妈！”

“玛吉，这种事的确发生过。重大罪犯通常口才都很好。”

“你这么清楚，难道你花过很多时间在监狱吗？”

她抬起双手：“我只是说说。”

“端秋，我想，关于这点，玛吉会处理得很好。”我爸说，“我们是不是该准备出门了？”

我妈开始收拾盘子，我尾随她进入厨房。我家有一项规则，我负责将盘子装满洗碗机，她负责把盘子擦干。“我自己来，”我每星期都这么说，“这样，你们去圣殿才不会迟到。”

她耸耸肩。“你爸不在，他们也没办法开始。”我递给她一只湿透的分菜碗，但她只是把它放在水槽旁，反倒检查起我的双手来。“玛吉，看看你的指甲。”

我用力甩开她的手：“妈，比起确认我的角质有没有弄干净，我还有更多重要的事要办。”

“这跟修指甲没关系。”她说，“那是花四十五分钟的时间，和这世上对我来说最重要的人在一起，而那不是别人……是你。”

我妈就是这样。每次当我觉得自己准备好要杀掉她的时候，她就会说一句让你落泪的贴心话。我试图握起拳头，她却硬要和我十指紧扣：“下星期来SPA一趟。一起过个舒适的下午，就我们两个人。”

我的舌根处蹦着许多想法：我们之中有人需要工作得以维生；如果只有我们两个，那肯定不会是舒适的下午；也许我很贪吃，但我不会甘愿受惩罚。尽管如此，我依然点点头。我们都清楚，我丝毫没有现身的意愿。

当我还很苗条的时候，妈妈会在厨房专门为我准备SPA。她会用木瓜和香蕉调配护发素；用椰子油按摩我的手臂和肩膀；用小黄瓜薄片铺在我眼睛上方，为我唱桑尼和雪儿的流行曲。随后她会在我面前举起一把小镜子。“看看我美丽的女儿。”她会这么说。我对她深信不疑了好长一段时间。

“一起去圣殿，”我妈说，“今晚就好。你爸会很高兴。”

“下一次吧。”我回答。

我陪他们走到车旁。我爸启动引擎，摇下车窗。“你知道，”他说，“当我还是初中生时，有一位无家可归的流浪汉爱在地铁附近晃荡。他有一只宠物小老鼠，那小家伙时常会坐在他肩头轻咬大衣衣领。他从不会脱掉大衣，即使气温高达三十五摄氏度。他能将《白鲸记》第一章倒背如流。我每次经过都会给他一枚二十五分钱的铜板。”

一位邻居的车子急速驶过。那是我爸会众中的一位，他按按喇叭，以示招呼。

我爸微笑。“‘弥赛亚’这个词并不在《旧约圣经》里。那是希伯来文‘涂抹香膏使之成圣’的意思。他不是一位救赎者，而是一位有特别目的的国王或教士。《米德拉什》中履次提及所谓‘受膏者’，而且每次都不一样。有时他是士兵或政治家，有时则拥有超能力。另外有些时候，他就像个流浪汉。我之所以给这位流浪汉二十五分钱，”他说，“是因为我永远都不知道会不会是他。”

他说完，倒车驶出专用道。我站在原地，直到看不见他们为止，直到除了回家以外，什么都做不了为止。

迈可

进入监狱前，你必须全身脱得精光，回到最原始的你。脱掉鞋子、腰带，解开皮夹、手表、圣人勋章，拿出口袋里的零钱、手机，摘掉别在衣领的小十字架，再把驾照交给穿制服的警官。你从这些举动中得到的报答，是成为一位匿名人，得以进入这处一旦入内就不得其门而出的场所。

“神父，”一位警官问，“你还好吗？”

我试图微笑点头，想象他眼中所见到的景象：一位高大强壮的男人，一想到即将进入这所监狱，便吓得全身发抖。不过，我曾经赢得摩托车锦标赛，自愿和年轻的帮派少年交流分享，而且只要有机会，就会毫不迟疑地打破一般人对神父的刻板印象。然而身在此地的，却是一位我曾亲手为终结他的生命投下赞成票的男人。

还有——

自从发愿以来，我不断请求上帝赐给我弥补的机会，因为我对他所做的，是再也无法对他人所做的行为。我知道这一天会到来。我早就知道，最后自己将和薛·布尔能面对面。

他是否认得出我？

我是否认得出他？

仿佛藏匿了什么东西似的，我闭气走过金属探测门。我确实心里有鬼，但这些秘密并未启动警报器。我开始把皮带重新穿回裤子上的环扣，把匡威运动鞋的鞋带绑好。我的手依然在发抖。“迈可神父，”我抬头看见另一位正在等我的警官，“科因典狱长在等你。”

“好。”我跟着警官穿过灰暗阴森的走廊。当我们与犯人擦肩而过时，警官侧身而行，如同一面介于我和犯人之间的盾牌。

我被送到一间行政办公室，那里能俯瞰整片州立监狱的内院，那里受刑人们排着队伍，从一幢建筑物走向另一幢。他们身后是一面覆盖铁丝网的双重围墙。

“神父。”典狱长是一位矮壮的银发男人，他主动伸出手来，脸部的扭曲算是微笑的招呼，“我是科因典狱长。很高兴认识你。”

他带领我进入个人办公室。内部出人意料的现代化，宽敞的空间，没有书桌，只有一张简陋的不锈钢桌，散乱放着笔记和档案。他一坐下，立刻拆开一小块口香糖。“戒烟口香糖，”他解释道，“我太太要我戒烟，老实说，我情愿被截掉左臂。”他打开一捆边缘贴着号码的档案，里面应该有薛·布尔能的名字，“我很感谢你能前来。我们现在正缺一个礼拜堂神父。”

监狱内有一座全天候礼拜堂，那里的一位主教制神父必须飞回澳大利亚，陪伴垂死的父亲。如果一位受刑人请求与神父对话，那监狱必须去邀请一位本地神父前来。

“我很荣幸。”我撒谎道，内心记下了稍晚自己赎罪时该念的《玫瑰经》片段。

他把档案推向我：“薛·布尔能。你认识吗？”

我迟疑了一下：“谁不认识？”

“是啊，那个新闻记者是个婊子，请原谅我的措词。没有外界关注，我一个人也能处理好。这下可好，犯人想在处决后捐赠心脏。”

“天主教支持器官捐赠，只要是在病人脑死亡，无法自行呼吸的条件下。”我说。

这答案显然不合适。科因皱着眉头，摊开一张卫生纸，朝里面吐掉口香糖：“是，很好，我懂。可现在的情形是，这男人来日无多。他是杀人凶手，两条人命。难道他会突然摇身一变，成为十足的人道主义者，又或者，他是想利用大众的同情，躲掉处决的命运？”

“或许他只是想让自己死得有意义……”

“毒药注射是用来停止犯人的心脏的。”科因直言不讳。

今年稍早，我曾在类似的情况下帮助过一位教友。她儿子在一场摩托车意外事故中脑死亡，她决定捐赠儿子的器官。当时医生解释，脑死亡并不等于心脏停跳。她儿子就像昏迷不醒的人，几乎没有复原的可能，然而感谢呼吸器的存在，让他的心脏保持跳动。如果是心脏死亡，器官将无法捐赠。

我坐回椅子：“科因典狱长，我以为布尔能犯人要求见一位精神辅导员……”

“没错。我们希望你劝他放弃这个疯狂的念头。”典狱长叹气道，“我知道这话不好听。但是布尔能将被州法处决，这是事实，不论那是否会成为一场余兴节目，还是得被小心慎重地执行。”他凝视我，“你是否清楚自己要做的事？”

“再清楚不过了。”我安静地说。

那一次，我曾经让他人带领自己，我认为他们知道得比我多。另一位陪审团员吉姆引用耶稣登山宝训之中“以眼还眼”的句子来说服我，“杀人偿命”的决定是正确的。可今天我却明白，耶稣所说的事实上完全相反。他在批判那些用刑罚调解罪恶的人。

休想让我被科因典狱长牵着走，我绝对不会照他的话劝导薛·布尔能。

这一瞬间我明白，假如布尔能没认出我，我也不会说出自己曾见过他。这与我个人的救赎无关，而是关乎他的救赎。假如我在毁了他的生命一事上有份，现在身为神父，我的工作便是赎回他。

“我想见薛·布尔能。”我说。

典狱长点点头：“好。”他起身，带我回行政办公室。我们转了个弯，来到控制站里一处有一组双重大门的管制区。典狱长举起手，里面的警官替第一道钢铁门开锁。随着一阵嗡嗡的响声和钢铁互相刮削的声音，我们踏进两扇门中间的空间，之前那扇门随之自动关上。

这就是被关起来的感觉。

我还没来得及恐慌，第二道门嗡嗡打开。我们来到另一条走廊。

“你来过这里吗？”典狱长问。

“没有。”

“你会习惯的。”

我看看四周的水泥墙和生锈的通道：“不见得。”

我们穿过一道标示着“I层”的逃生门。“大部分重要的罪犯都关在这里。”科因说，“我不能保证他们今天会乖乖的。”

房间中央是一处控制塔。一位年轻警官坐在里面，盯着一面似乎能俯瞰内部全景的电视屏幕。周围静悄悄的，也许是因为通往内部的那扇门是隔音门。

我朝着门走过去，窥视内部情形。那里有一处空的沐浴间，还有八间牢房。我看不见这些人的脸孔，更不知道布尔能关在哪一间。

“这位是迈可神父。”典狱长说，“他是来和犯人布尔能谈话的。”他走近一个大箱子，递给我防弹背心和防尘眼镜，仿佛我要上战场，而不是前去一间死囚室。

“除非有足够的保护，否则你不能入内。”典狱长说。

“入内？”

“呃，不然你以为要在哪里见布尔能，神父，星巴克吗？”

我猜，我还以为有某种……会客室，或是教堂。

“我将与他单独相处？在牢房里？”

“天啊，不是。”科因典狱长说，“你站在通道上，透过门与他谈话。”

我深吸一口气，把防弹背心穿在外套里面，将眼镜戴上脸颊。迅速地做了一番祷告后，我点点头。

“开门。”科因典狱长向年轻警官说。

“是的，长官。”年轻人在科因的注视下显得格外紧张。他低头看着前方的操作台，那里有许多按钮和灯光，他推动其中一个靠近左手的装置，直到最后一秒才发现操作错误。八间牢房的门同时打开。

“喔，我的天。”男孩说，双眼睁得如小碟子般大，典狱长把我推开，开始在操作台前推动一系列杠杆和按钮。

“把他带走。”典狱长边吼边用头指向我。扩音器传出他的无线电传呼：I层的数位犯人被释放，立即需要警力援助。

就在犯人们从可怕的牢房如毒药向外扩散时，我动弹不得地站在原地。然后……呃……地狱，就这样被完全地解放了。

路希尔斯

牢房门同时打开，就像一支交响乐团的弦乐器正在调音，当琴弓举起再放下时，神奇地拉出了同一个音符。我并未像其他人一样往外跑。我停顿了一会儿，因这突如其来的自由而动弹不得。

我飞快地把画藏在床垫下方，把墨水藏在一团脏衣服内。我可以听见扩音器传来科因典狱长的声音，他正用无线电呼叫反恐特警组。我坐牢的日子里曾经发生过类似的情况。一名新进警官出纰漏，同时打开两间牢房。意外被释放的一名犯人冲进另一人的牢房，把对方的头颅重重地砸向水槽，一场酝酿已久的帮派冲突瞬间发生。

第一个跑出牢房的是盖许。他紧握一根工具手柄，跑过我门前，以最短的途径冲向乔伊・克斯，这个伤害儿童的罪犯犹如过街老鼠，人人喊打。波基和泰瑟斯如往常般尾随在后。“伙伴们，抓住他，”盖许大喊，“把他阉了。”

乔伊被逼到墙角，越喊越大声：“看在老天的份上，谁来救救我！”

房内传出拳头击打肉体的声音，还有卡洛威的咒骂。他现在也在乔伊的牢房。

“路希尔斯？”我听见一个仿佛从水中传来，气若游丝的声音。我想起，乔伊并不是这一层唯一伤害过儿童的人。乔伊成为了盖许的受害者，而薛很有可能是下一位。

监狱外面，有人在为薛祷告。电视上的宗教道学人士向那些崇拜一位假弥赛亚的民众讲解下地狱遭诅咒的后果。我不知道薛是什么，又或者不是什么，但是我会恢复健康，百分之百归因于他。而且他身上的一切，和这里扯不上任何关系。他能让你停下来多看几眼，犹如行经犹太平民区时，惊见一朵兰花生长在其中。

“你留在原地！”我大喊，“薛，有没有听见？”

他并未回答。我颤抖地站在牢房的门槛内。此时此刻，这里有一条划分错与对的无形界线。我深吸一口气，向外踏出一步。

薛不在牢房。他正缓慢地朝乔伊的牢房走去。透过I层的门，我可以看见警官正在佩戴防弹衣、盾牌和面罩。那里还有一个人，那是一位我从未见过的神父。

我拉住薛的手臂阻止他。仅仅些许体温，却让我整个人差点不支倒地。监狱内的我们不会互相触碰，也没有人会触碰我们。我应该紧抓住薛不放，就这样，一直牢牢抓住那毫无防备的手肘。

不过，当薛回过头来时，我想起监狱内一条不成文的规定：不能侵犯他人的空间。于是我放开他。“没事的。”薛温柔地说，继续朝乔伊的牢房前进。

躺在地上啜泣的乔伊双臂大张，裤子被往下拉开。他的头扭到一边，鼻孔鲜血如注。波基抓住他的一只手臂，泰瑟斯则抓住另一只，卡洛威一屁股坐在乔伊挣扎的双腿上方。从这个角度望去，对于在外面动员，随时准备压制犯人的警官而言，他们这几个人的身影模糊难辨。“你有听过‘拯救儿童联盟’吧？”盖许说，手中挥舞着自制小刀，“今天我要在这里办一场捐赠活动。”

就在这时，薛打了一个喷嚏。

“上帝保佑。”盖许脱口而出。

薛用袖子擦擦鼻子：“谢谢。”

这则插曲，让盖许丧失了冲动。他瞥向大门另一边，看见对我们吼叫的防暴队员。他脚后跟一转，瞪着躺在水泥地上颤抖的乔伊。

“放开他。”盖许说。

“放开？”卡洛威重复。

“你们听见我说的了。全部回房。”

波基和泰瑟斯乖乖顺从。他们永远对盖许唯命是从。卡洛威迟疑了一下。“我们还没玩完。”他对乔伊这么说，之后便离开了。

“你他妈的在这里等什么？”盖许对我说，我匆忙逃回自己的牢房。除了自己，我彻底忘却了其他人。

我不知道是什么原因促使盖许更改计划，是因为知道防暴队即将冲进来惩罚他，还是因为薛那时机恰到好处的喷嚏。“上帝保佑”这样一句祈祷，竟出现在盖许这种罪人的嘴边。说时迟那时快，反恐特警队于几秒后入内，尽管牢房门大开，我们七个人却乖乖地坐在自己的房内，仿佛我们都是天使，没什么好隐藏的。

我能从这里看见运动场上的一朵花。我并不是真的能清楚地看见它。我必须用手指勾住唯一的窗户边缘，像蜘蛛一样贴着水泥墙行走。在落地前，我瞥见了小花的身影。那是一朵蒲公英，对你而言它只是一种野草，可以加进色拉或做汤，根可以作为咖啡的替代品，汁液可以去除皮肤肉疣或用作杀虫剂。这些都是我从《地球之母快讯》杂志中的一页上学到的，而这页纸随后被我拿来覆盖我的宝贝们——工具手柄、棉花棒和用来装自制墨水的小巧优能眼药水瓶。每次当我拿出这些藏品，就会把文章再读一次。所以我每天都会读一遍。我把这些藏品放在床下一处松开的水泥裂缝里，再用混在一起的燕麦纤维制品和牙膏填补水泥缝，这样警官搜检牢房时才不会起疑。

入狱之前的我并不了解园艺，但我现在希望能多学习一些相关知识。我希望以前能多花点时间学习如何让植物生长。该死，如果以前就这么做的话，也许我就能让一颗幼苗长成西瓜，搞不好现在我会让这里挂满葡萄藤。

园艺才能出众的亚当让我们家绿意盎然。我常在黎明时发现他在外头，为我们的百合花和景天翻土。他曾说，野草或许会继承大地。

“谦恭温驯者。”我纠正他。谦恭温驯者或许会继承大地。

“休想。”亚当一边说，一边笑。野草会被他们摧毁殆尽。

他曾说，如果你摘下一朵蒲公英，之后就会有两朵从原来的位置上长出来。我猜想，它们是植物界中等同于监狱犯人的生物。倘若把我们其中一人从街上撵走，之后会有更多人随着他的踪迹窜出。

在盖许去禁闭室，乔伊前往医护室之后，I层显得格外安静。因为乔伊被殴打，我们的特权再度被撤销。当天的沐浴、健身和访客全都取消。薛走来走去。稍早，他抱怨牙齿随着冷气机震动，有时他听起来好像快受够了，这是他在焦虑的征兆。

“路希尔斯，”他说，“你有看见那位神父吗？”

“有啊。”

“你想，他是为我而来的吗？”

我不想给他虚假的希望：“我不知道，薛。也许是其他层死了人，需要进行最后的仪式。”

“死去的，再也不会活过来，而活着的，不会死去。”

我笑出来：“谢啦，尤达大师。”

“谁是尤达大师？”

他讲话有点疯疯癫癫的，就像一年前，盖许捡拾并食用从水泥墙脱落的含铅涂料，一心希望能当作迷幻药一样。“呃，如果有天堂，我猜那里一定长满蒲公英。”我猜天堂有很多长得像《越狱》里的温特沃什·米勒的人，不过现在我只是在谈自然风景。

“天堂不是一个地方。”

“我指的并不是地理方面的……”

“如果它在天上，鸟群会比你先抵达。如果它在海底，鱼群也会先到。”

“那么它在哪儿？”我问。

“它就在你里面，”薛说，“和外面。”

如果他没吃含铅颜料，那肯定是喝了不知从哪里弄到的私酒。

“如果这就是天堂，那我宁可以后再去。”

“你不能期待它的降临，因为它已经在这里了。”

“那么我猜，你是我们当中唯一在登记时满心乐观的人。”

薛安静了一会儿。“路希尔斯，”他终于开口，“为什么盖许先跑去打乔伊，而不是我？”

我不知道。盖许是个杀人凶手。我完全不怀疑，只要有机会，他一定会再度杀人。严格来说，乔伊和薛在盖许的正义法典中都是有罪的，他们都伤害过儿童。也许盖许觉得向乔伊下手比较容易。也许薛透过他行使的奇迹，赢得了少许尊敬。又或许，他只是侥幸。

也许连盖许都觉得薛有特别之处。

“他和乔伊并没有什么不同……”薛说。

“给你个小建议，别让盖许听见你这么说。”

“而我们和盖许，也没什么不同。”他好似下结论，“你不知道什么会让你做出盖许做的事，就像你不知道究竟是什么让你杀了亚当，直到事情发生为止。”

我倒抽一口气。即使内心悄悄认为他人有罪，监狱中也没人会提起别人的罪行。我确实杀了亚当。我的手握着枪，他的血喷在我衣服上。法庭内所争论的，并不是我做了什么，而是理由为何。

“不明白也没关系，”薛说，“这正是我们身为人类的理由。”

无论隔壁房的哲学家怎么想，我对一些事实很清楚。我曾经被爱，同时付出爱。一个人可以在野草生长的过程中找到希望。一个人的人生总和，并不是如何结束，而是种种让他来到今天、来到这里的细节。

我们犯了错。

我闭上双眼，对这些谜题感到厌倦。讶异的是，我眼里所及尽是蒲公英，仿佛十几万朵小太阳，生长于我想象的田地。我还记得一样让我们身为人类的理由——信心，那正是我们兵工厂中，唯一能和怀疑战斗的武器。

琼

有人说，上帝不会让你承受超出能力之外的试练。但这带出了另一个更重要的问题，为什么上帝要让你受苦？

“不予置评。”我朝话筒吼，然后“砰”地挂断电话，声音大到连坐在沙发上听iPod的克莱尔都注意到了。她坐起身，而我钻进桌子底下，把整条电话线扯掉，这样就不会再听见电话铃响了。

这群人整个上午不停地打电话来，还在我家外面扎营。当监狱外有人抗议，希望释放谋杀你孩子和丈夫的人，你会作何感想？

你认为薛·布尔能请求成为器官捐赠人，是为了弥补他所犯下的大错吗？

我的想法是，薛·布尔能的所言所行根本无法赎回伊丽莎白和寇克的性命。我最清楚他会如何撒谎。那是种自我宣传的手段，让每个人都替他感到惋惜。可十年后，谁还会记得去为警察和那位小女孩感到歉疚？

我记得。

某些人说，死刑并不公正，因为总要花费很长一段时间才能处决犯人。花上十一年甚至更久来等待惩罚，这根本不人道。至少，对伊丽莎白和寇克而言，死亡来得相当迅速。

让我告诉你问题出在哪里。人们推断伊丽莎白和寇克是事件中仅有的受害者，而把我排除在外，也排除了克莱尔。而我可以向你保证，这十一年来我每天都会想到自己在薛·布尔能手中失去了什么。无论等待处决要耗费多长时间，我都将奉陪到底。

我听见客厅传来声音，知道克莱尔打开了电视。屏幕上是一张薛·布尔能的照片，分辨率很低，跟报纸上用的是同一张。克莱尔没看过，因为我会立刻把那些报纸丢掉。布尔能的头发如今剪得比较短，嘴巴和眼睛周围有扇状展开的细纹，不然他看起来和当年真没多大区别。

“那是他吧？”克莱尔问。

上帝，复杂？

照片下方的标题如是。

“是的。”我走上前，本能地挡住她的视线，然后关掉电视。

克莱尔抬头看我。“我记得他。”她说。

我叹了口气：“亲爱的，那时候你还没出生。”

她摊开披在沙发上的阿富汗毛毯包裹双肩，好像突然感到寒冷似的。“我记得他。”克莱尔重复道。

迈可

我肯定活得像个山顶洞人，才会对外界关于薛·布尔能的说辞毫不知情，但我想必也是世界上最后一个会相信他是弥赛亚的人。据我所知，上帝有一个儿子，而我清楚那个人是谁。至于布尔能的表演能力，呃，我曾在纽约第五大道看见魔术师大卫·布莱恩让大象消失，但那不是奇迹。我在这里的工作，并不是要介入幻觉般的薛·布尔能信仰，而是帮助这个犯人在处决前接受耶稣基督成为他的神和救主，这样他最终将会进入天堂。

如果可以的话，我会顺便帮他捐赠心脏。那就这么办吧。

I层的意外发生两天后，我把摩托车停在监狱外。我心里一直反复想着一句出自《马太福音》的经句。耶稣对门徒说："我做客旅，你们留我住；我赤身裸体，你们为我穿衣；我病了，你们照顾我；我在监狱里，你们来看我。"门徒——老实说，都是一群粗人——很迷惑。他们并不记得耶稣曾经迷失、赤裸身体、生病或入狱。耶稣告诉他们："你们既然为我的弟兄中最小的那个做了这些事，那就是等于为我做了这些事。"

我来到里面，有人再次递来防弹衣和眼镜。通往I层的门打开，我走下小通道，被带向薛·布尔能的牢房。

这和身在告解室没多大差别。牢房的金属门上有一个类似瑞士奶酪的小洞，通过这个洞，多少可以瞥见薛。虽然我们同年，但他看上去却老了一轮。他两鬓灰白，身形依旧瘦长结实。我迟疑了一会儿，等待着，猜测如果他认出我来，目光会不会变得凶狠，会不会靠在门上哀求来人，把这位启动死刑程序的男人带走。

然而有趣的是，当身着教士服时，你将不再是一个人。不知怎么，你的分量会比身为一个人更大，但同时又会更小。我亲耳听闻许多人在我眼前叙述秘密。女人会在我面前毫不犹豫地拉起裙子，调整连裤袜。教士就像物理学家，理应随时保持镇定，也好比一名观察家，或者一只停在墙壁上的苍蝇。询问十个见过我的人，我的模样如何，会有八个人根本说不出我眼珠的颜色。他们目光所及的范围不会超过我的神父领结。

薛直接走到牢房门前，咧嘴笑道："你来了。"

我吞吞口水："薛，我是迈可神父。"

他的双掌压在牢房门上。我依稀记得犯罪证物中的一张照片里，几根手指沾满小女孩的鲜血，变得乌黑。过去十一年来，我改变了很多，薛·布尔能呢？他是否懊悔，是否变成熟，是否和我一样想抹去自己的错误？

"嘿，神父。"某个声音大喊。稍晚我才知道，那是卡洛威·李斯。"你身上有没有圣饼？我快饿死了。"

我不理睬他，专注在薛身上："据我所知，你是天主教徒？"

"一位养母让我受洗。"薛说，"那是几千年前的事了。"他瞥了我一眼，"他们应该把你安排在会客室，就是律师使用的那间。"

"典狱长说，我们必须在你牢房前说话。"

薛耸耸肩："我没什么可隐藏的。"

你有吗？

虽然他并未这么说，我却似乎听得见。

“反正，他们就是在那里让我患上了C型肝炎。”薛说。

“让你得C型肝炎？”

“例行的剪发日。每隔两周的星期三，我们前往会客室，他们在那里帮我们剃头。他们固定使用二号剃刀，就算想让头发留长来过冬也不行。这里的冬天不会像现在这么热。从十一月开始就会变冷。”他转向我，“为什么不能让这里现在凉一点、冬天热一点呢？”

“我不知道。”

“就在剃刀上。”

“什么？”

“血，”薛说，“残留在剃刀表面。有人被剃伤，还有人得了C型肝炎。”

听他说话就像在看一场橄榄球联盟冠军赛转播：“你也得了？”

“其他人得了，所以，我肯定也得了。”

你们既然为我的弟兄中最小的那个做了这些事，那就是等于为我做了这些事。

我有点头晕。我希望这是薛的间接谈话技巧，而不是意图让我恐慌的攻击。十一年来，从判决薛死刑的那天开始，我一直为此饱受折磨。“不过，你还好吧？”我一说完，立刻想踢自己一脚。你不该询问一个将死之人的感受。

“我很孤独。”薛回答。

我主动回答：“上帝与你同在。”

“呃，”薛说，“他国际象棋下得很逊。”

“你相信上帝吗？”

“你为什么相信上帝？”他身体前倾，突然变得热情起来，“他们有没有告诉你，我想捐献心脏？”

“那正是我来和你谈话的原因，薛。”

“那好，其他人都不肯帮忙。”

“你的律师呢？”

“我把他开除了。”薛耸耸肩，“他输掉了所有的上诉，开始向我建议，我们可以去见州长。你知道州长不是新罕布什尔州人吗？他出生于密西西比。我一直想看看密西西比河，像个玩牌的老千一样乘坐一艘赌船。也许会有鲨鱼。那条河会有这玩意吗？”

“你的律师……”

“他希望州长能让我减刑为无期徒刑，但那只是另一种形式的死刑。所以我开除了他。”

我想到科因典狱长。他确信之前发生的一切都是薛·布尔能为了撤销处决而耍的花招。他会不会错了？

“薛，你说你想死？”

“我想活下去。”他说，“所以我必须死。”

总算有一句我能理解的话了。“你将活下去，”我说，“在天父的国度中。薛，不管发生什么，无论你能不能捐赠心脏，都一样。”

他的脸色突然沉下来：“这是什么意思？无论能不能？”

“呃，说来复杂……”

“我必须捐出我的心脏。一定。”

“给谁？”

“克莱尔·尼尔森。”

我下巴都要掉了。媒体并未披露薛请求的这部分。“尼尔森？她和伊丽莎白有关系吗？”若我不曾身为陪审团的一员，那我也许认不出这个名字。不过薛过于激动，没有注意到我的反应。

“她是被杀的那个女孩的妹妹。她心脏有问题，我在电视上看到的。我体内的器官将拯救我，”薛说，“如果我不主动奉献，它就会杀掉我。”

薛和我都犯下了同样的错误。我们都相信事后的善行能弥补先前的错误。但是，给予克莱尔·尼尔森自己的心脏，并不会让她姐姐死而复生。身为薛·布尔能的精神辅导员，我也无法抹去我是他在这里的原因之一的事实。

“薛，你不能靠捐献器官得到救赎。唯一得到救赎的方法是认罪，通过耶稣寻求赦免。”

“以前发生的，现在都不重要。”

“你无须害怕负责任，上帝爱我们，就算我们搞砸了也一样。”

“以前我无法阻止事情发生，”薛说，“但这次我可以挽救。”

“把这些留给上帝，”我建议，“告诉他，你对自己的所作所为感到抱歉，他会原谅你。”

“无论什么事？”

“无论什么事。”

“那为什么要先认错不可？”

我迟疑了一下，试图找出一个好方法来向薛解释罪恶和救赎。那相当于一种契约：只要承认，就能得到救赎。在薛的救赎经济论中，你给予自己的一部分，然后通过某种方式，感到自己再度变完整。

这两种理念真的完全不同吗？

我摇摇头，抹杀这个想法。

“路希尔斯是无神论者。”薛说，“对吧，路希尔斯？”

隔壁房的路希尔斯咕哝了一句：“嗯嗯。”

“但他没有死。他以前生病，现在却好多了。”

是那位艾滋病患，我在新闻中听过他。

“你和这件事有关？”

“我什么都没做。”

“路希尔斯，你也这么认为吗？”

我往后退一点，以便接触另一位犯人的眼神。那是一个修长纤弱满头白发的男人。

“我认为薛和这件事大有关系。”他说。

“路希尔斯有权相信自己想要相信的事。”薛说。

“那些奇迹又怎么解释？”路希尔斯补充道。

“什么奇迹？”薛问。

两件事实震撼了我。薛・布尔能并未自称弥赛亚、耶稣或是别的什么。而且，因为某些误会，他深信要是不把心脏捐给克莱尔・尼尔森，他就无法得到安息。

“听着，”路希尔斯说，“你到底要不要帮他？”

或许我们两人都无法弥补过去犯下的错，但那并不意味着我们不能让未来变得更有意义。我闭上眼睛，想象自己是薛・布尔能被新罕布什尔州处决前最后一个说话的人。我挑选一段让他产生共鸣的《圣经》经句，在最后几分钟为他抹上香油，为他祈祷。我可以成为他现在需要我成为的那个人，因为以前他需要我时，我没有成为那个人。

“薛，”我说，“知道自己的心脏在他人的身体里跳动，并不是一种救赎。这是利他主义。救赎是回家。不用在上帝面前证明自己，你也能得到谅解。”

“喔，上帝，”路希尔斯嘲讽道，“薛，别听他鬼扯。”

我转向他。“和你无关吧？”我换了个姿势，这样就看不见路希尔斯，而能专注在薛身上，“上帝爱你，无论你有没有捐赠器官，不管你过去有没有犯错。在你处决的那天，他会等你。基督可以拯救你，薛。”

“基督不能给克莱尔·尼尔森一颗心脏。”薛的目光突然变得尖锐清澈，“我不需要找到上帝，我不想进行教义问答。”他说，“我想知道的只是我死后能不能拯救一个小女孩。”

“不能，”我率直地脱口而出，“如果是毒药注射就不行。那些药物就是用来停止你的心脏跳动的，之后那颗心脏就会毫无捐赠的价值。”

他眼中的光芒完全黯淡下来，我深吸一口气：“对不起，薛。我知道你想听到的答案并非如此。你的用意是好的，但你需要把这些好的用意引导至另一个方向，那就是与上帝和好，这是一件我能帮得上忙的事。”

就在这时，一名年轻女性闯入I层。她背后披着杂乱的黑卷发，我瞥见她的防弹衣里穿着我有生以来见过的最丑的套装。

“薛·布尔能，”她说，“我知道有一个方法能让你捐赠器官。”

玛吉

某些人也许会认为越狱困难重重，然而对我而言，进去其实一样困难。好，我的确不是薛·布尔能的正式律师，但是监狱的警官并不知情。假如我见得到薛，到时候我就可以和薛本人商讨其中的细节。

事前我并未预料到，要绕过监狱外的群众会如此高难度。穿过一群在帐篷里抽大麻的初中生，并踏过乱丢在泥泞地上的“和平不要奇迹”的标语是一回事；和一位母亲以及她身患癌症、呀呀学语的光头孩子解释自己为何可以插队，又完全是另外一回事。最后，唯一能让我缓慢前移的方法，是向那些等候的人解释我是薛·布尔能的律师，我可以转达他们的意愿。从一对已经来了一星期、双手长茧，同时被诊断出乳腺癌和淋巴癌的高龄夫妇，到一位抱着八个孩子相片，失业后无力抚养他们的父亲。还有一个推着轮椅的女儿，她盼望身患阿尔茨海默症的母亲能够在临终前清醒一次，这样她能针对多年前发生的母女冲突好好向母亲道歉。我心想，既然这个世界有那么多痛苦，我们该如何振奋自己，在每天早晨清醒地起床呢？

当我抵达大门口，宣称前来见薛·布尔能时，警官嘲笑我：“全世界的人都想见他。”

“我是他的律师。”

他望着我好长一段时间，接着用无线电通话。过了一会儿，第二位警官抵达，护卫我穿过封锁线。我离开时，人群中传来欢呼声。

我愣了一下，回头，迟疑地挥挥手，然后连忙赶上警官的脚步。

我从没来过州立监狱。这是一栋宽广老旧的砖瓦建筑，铁丝网的围墙后延伸出一片内院。他们要我在笔记板上签名，还要我在走过金属探测器之前脱掉外套。

“在这里等一下。”警官说完，让我独自坐在小小的接待室里。有一位囚犯正在拖地，和我完全没有眼神接触。他每往前走一步，穿在脚上的白色网球鞋就会发出咯吱声。我望向他握着拖把的手，心想这双手曾经干过谋杀、强暴还是抢劫。

我没有成为一位刑事辩护律师还有一个原因，就是这种场所会让我吓得屁滚尿流。我曾经前往郡立监狱与委托人见面，但那些都是鸡毛蒜皮的小罪，比如非法集会、焚烧国旗和一些身为公民的不服从行为。我的委托人中没有一位曾经杀过人，更别说杀掉小孩和警察。我想象一辈子被关在这里是何种滋味。倘若我的家居服、外出服和睡衣永远都是统一的橘色服装；倘若有人规定我何时洗澡、何时吃饭、何时就寝，又会怎么样？再说，我的职业关乎维护个人自由，所以很难想象这样一个连基本权利都被剥夺的世界。

当我看着囚犯正在拖一排椅子下方的地板时，我想知道，哪些奢侈行为最难抛下。那都是些微不足道的小事：失去巧克力是最残忍、最不寻常的惩罚；我不能牺牲掉隐形眼镜；如果要我放弃拯救老鼠窝般的卷发的直发胶，我会死掉；还有，比如错过超市里让人眼花缭乱难以抉择的谷物脆片；不能听电话；就算已经很久没有跟一个让我想入非非的男人亲热，但要我放弃人与人之间不经意的身体接触甚至握手，又将会如何？

我打赌，我甚至会想母女之间的争吵。

一双长靴突然出现在我前方的地板上。“你运气不好，他正和他的精神辅导员在一起。”警官说，“布尔能今天真红。”

“没关系，”我继续装腔作势，“精神辅导员可以参与我们的会谈。”我看到警官的脸轻微抽动。不允许犯人和律师见面是禁忌，我打算好好利用这点。

警官耸耸肩，带我走入一条长廊。他向控制亭内的男人点点头，一扇门就此打开。我们踏进一个小金属隔间，铁门一关，我忍不住深深地吸了口气。

“我有幽闭恐惧症。”我说。

警官微笑道：“那太糟了。”

内部的门打开后，我们进入监狱。

“这里真安静。”我注意到。

“因为今天是个好日了。”他递给我一件防弹衣和一副眼镜，等我穿戴上它们。那一瞬间，我有点恐慌。如果一件男人的防弹衣在我身上也没办法拉上拉链，那会有多尴尬？好在衣服用的是尼龙搭扣，不会有这方面的顾虑。等到配备完成，通向一条长长走道的门也打开了。“玩得开心。”警官说。这时我才知道自己必须单独入内。

好。如果我无法鼓起勇气走过这道门，我就不会有足够的胆量来说服薛・布尔能，我能救他一命。

周围传来呐喊和口哨。让我好好得意一下，我总算在州立监狱的高度警戒区域内，找到了欣赏我的支持者。“宝贝，你是为我而来的？”一个男人说。另一个则脱下长裤，向我秀出他的拳击短裤，好像我为了欣赏这类色情秀已经等了一辈子似的。我让双眼专注在那位站在某间牢房外的教士身上。

我应该先介绍自己，然后解释自己为什么要靠扯谎进入监狱。然而，我因为事情没按原计划发展而感到慌乱。

“薛·布尔能，”我说，“我知道一个能让你捐赠器官的方法。”

教士皱着眉头看着我：“你是谁？”

“他的律师。”

他转向薛：“你不是说你没有律师吗？”

薛歪了歪头。他看着我，仿佛正在过滤我的思维，就像把小麦粉从谷壳中分离一样。

“让她说。”他说。

我勇敢的性情大行其道。我把教士和薛搁在一旁，回头找警官，要求一间私人用律师室。我解释道，基于谈话的性质，他们在法律上有义务向我们提供会客室，教士也该获准参与会谈。于是，教士和我被带领着走入小房间的一扇门，薛则由两位警官护卫，从另一个入口进来。门一关上，薛后退几步，双手伸进一道活门，手铐被解开。

“好，”教士说，“这是怎么回事？”

我不理他，径自面向薛。“我的名字是玛吉·布鲁。我是美国民权自由联盟的律师，我想我知道如何让你免于处决。”

“谢谢，”他说，“但那不是我想要的。”

我瞪着他：“什么？”

“我不需要你来救我，只要救我的心脏就好。”

“我……我不懂。”我缓缓地说。

“薛指的是，”教士说，“他完全服从处决，只是想在那之后，成为一位器官捐献者。”

“你到底是谁？”我问。

“迈可·怀特神父。”

“你是他的精神辅导员？”

“是的。”

“从什么时候开始的？”

“从你变成他律师的十分钟前起。”教士说。

我转过头，面向薛：“告诉我，你想要什么。”

“把我的心脏给克莱尔·尼尔森。”

天杀的，克莱尔·尼尔森是谁？

“她想要你的心脏？”

我看看薛，再看看迈可，才明白自己问了一个截至目前没人真正考虑过的问题。

“我不知道她想不想要，”薛说，“但她需要。”

“那么，有人跟她谈过吗？”我转向迈可神父，“那不是你的工作吗？”

“听着，”教士说，“根据州法律，会用毒药注射处决他。这样的话，器官捐献将完全行不通。”

“并不尽然。”我慢条斯理地说。

作为律师，我不能关心委托人胜过关心案件本身。如果我不能说服薛出庭表达希望被饶命的意图，那么，执意承接这桩案子的我也未免太傻了。然而，假设他捐赠心脏的使命，和我的目的——打击死刑法吻合，那为何不利用相同的法律漏洞，来得到我们两人都想要的呢？我可以帮他争取以他想要的方式死亡，并捐赠他的器官，并在此过程中，引起大众对死刑的关注，让更多人采取反对立场。

我抬头看了我的新委托人一眼，露出微笑。

迈可

那个闯入我们单纯的辅导课程的疯女人，竟然向薛·布尔能承诺能给他一个她根本无法实现的完美结局。

“我需要做些调查，”她解释道，“几天后再回来看你。”

薛虽然不知道可不可行，却依旧盯着她看，仿佛她为他摘下了月亮似的。

“但你想……你想，我能把心脏捐给她吗？”他问。

“可以，”她回答，“也许。”

可以，也许。她给的是一种模棱两可的回答，正好和我的信息截然相反。上帝，耶稣。一条真正的道路。

她敲敲窗户，就跟方才闯进来一样，再度十万火急地离开了会客室。当一位警官打开门时，我抓住她的上臂。“不要让他抱太大的希望。”我悄悄地说。

她扬起一边的眉毛：“也不要扼杀希望。”

房门在玛吉·布鲁身后关上，我透过会客室的椭圆形门窗看着她离去。借着窗玻璃上模糊的反射，我看见薛也在看她。

“我喜欢她。”他宣称。

“呃，”我叹了口气，“老天。”

“你是否曾经注意过，为什么有时候那是一面镜子，有时候却只是一片玻璃？”

我花了点时间，才明白他说的是反射。“那全看光线的方向。”我解释道。

“伟大的人心中会有一种光明，”薛低语道，“能够照亮全世界。”他与我四目交会，“所以，你刚刚说的那些，都是不可能的啰？”

我奶奶生前是一位热心的天主教徒，也是妇女委员会的一员。在委员会打扫教堂时，她时常会带我一起去。我会坐在后面，把火柴盒玩具小汽车放在跪垫上，做成交通大堵塞的模样。我看着她用墨菲油皂液磨光刻痕斑斑的木制座椅，用扫帚打扫走廊。星期天我们参加弥撒时，她会看看周围，从入口一直看到拱形天花板和摇曳的烛台，然后满意地点点头。我爷爷从来不去教堂。他星期天的活动是钓鱼。夏天时，他会用飞蝇钓法钓鲈鱼。冬天时，他会在冰上挖一个洞等待，喝着保温瓶里的咖啡，缭绕在头顶的蒸气有如一道光圈。

直到十二岁，我才被准许偶尔错过星期天的弥撒，跟着爷爷去钓鱼。奶奶给我一只装了午餐的袋子，还有一顶老旧的棒球帽，防止我的脸晒伤。“你可以跟他讲点道理。”她说。我听过太多的教训，因此能够理解，为什么有些人无法真正去信仰。于是，我爬进爷爷小小的铝制船，等到我们停在海岸线旁一棵伸展枝叶的柳树下方。爷爷拿出一根钓竿递给我，然后拿起自己的古老竹钓竿，抛出钓饵。

一二三、一二三。飞蝇钓法就像跳舞，有着独特的韵律。我一直等待两人长长的钓线都已投进湖中，等到爷爷绑的钓饵都停在湖面上为止。

“爷爷，”我问，“你不想下地狱吧？”

“喔，老天，”他脱口回答，“是你奶奶怂恿你这么说的？”

“不是，”我说谎道，“我只是不懂，为什么你从来不跟我们一起去做弥撒。”

“我有自己的弥撒，”他说，“不需要一位结着神父领圈、穿一身特殊服装的人来告诉我该相信或不该相信什么。”

如果当时我年纪大一些或聪明一点，就会让这段对话到此为止。我斜眼迎向爷爷身后的太阳：“可你是在教堂里，让一位神父为你证婚的。”

他叹气道：“是啊，我也像你一样上过教区学校。”

“那你为什么停止了这一切？”

在他没能回答之前，我感到某样东西猛扯着我的钓线，那种感觉就像圣诞节时打开圣诞树下最大的一盒礼物前的心情。我开始卷钓线，努力和钓线的啸叫以及位于另一端的鱼奋战，深信那是一条以前从未钓到过的大鱼。最后，它骤然跳出水面，就像再次诞生一样。

“一条鲑鱼，”爷爷欢呼着，“至少有十磅……想想它需要洄游多久，才能从海洋一路回到这里产卵。”他开心得咧嘴大笑，把鱼高高举起，“从六十年代起，我就没在这湖里见过这样的鱼了！”

我看着缠在钓线上奋力挣扎的鱼。它身上同时有银色、金色和绯红色。

爷爷手拿鲑鱼，帮它脱身取下鱼钩，再把鱼放回湖中。我们看着它摇动的尾鳍，还有它游走时红润的背鳍。“谁说过星期天早上只能在教堂里寻找上帝？”爷爷喃喃低语。

之后很长一段时间，我都深信爷爷自有道理：每个细节都有上帝的存在。不过，那是在我学到身为真正的信徒所必备的条件之前，这些条件包括星期日的弥撒和宗教节日的义务、领取圣餐、一年一次的和解周、捐钱给穷人和遵守四旬斋。换句话说，不是你说自己是天主教徒，你就是。只要你没有身体力行，你就不是。

追溯至我还在学院的时期，我曾以为自己听得见爷爷的声音，认为上帝应该无条件地去爱人。这对我而言似乎是必要的。

可事实上，我已不再聆听爷爷的声音。

我离开监狱时，外面群众的数量多出了两倍。那里有生病、无力、年老且饥饿的人，还有一小群来自缅因修道院的修女和一队唱着《圣哉三一歌》的合唱团。惊讶之余，我看见一则所谓的奇迹传言，竟能在这么短的时间内改变了那么多人的信仰。

“你看见了吗？”一个女人指着我说，“连迈可神父都来了。”

她曾是我们的一位教友。她儿子患有囊肿纤维病变，也在这里，坐在他父亲推动的轮椅上。

“这是真的吗？”男人问，“这个人真的能施行奇迹吗？”

“上帝可以。”我经过时碰上这个问题，只能如此响应。我把手放在男孩的额头上，说道，“亲爱的圣若望，生病之人的守护圣人，我请求您施恩，让上帝怜悯这个孩子，让他健康。我以耶稣的名义请求。”

不是以薛·布尔能的名请求，我心想。

“阿门。”两位父母低喃。

“对不起，我得先走一步。”我一边说，一边转身离去。

薛·布尔能是耶稣的可能性，就和我是上帝的可能性一样低微。这些人，这些假信徒并不认识薛·布尔能。他们没有见过薛·布尔能。他们把拯救者的形象强加在一个能和自己对话的男人身上，一个双手沾满两位无辜受害者鲜血的男人。他们把表演技巧和具备神性的不可解释的事件相互混淆。一桩奇迹，必须在以其他方式证实后，才能算是奇迹。

我开始推挤群众，朝反方向前行，远离监狱大门，俨然成了一名有使命的男人。玛吉·布鲁并不是唯一能展开调查研究的人。

玛吉

现在回想起来，打电话给一位能充分向我解释器官捐赠细节的医学专家，应该会简单很多。但是，等一个忙碌的医生回我电话可能要花上一星期。从监狱回家的路上，我刚好经过康城医院，那股法律正义的热忱还在我胸中激荡。这正是我仅有的把车子停在急诊室前的理由。早点向专家请教，就能尽快开始为薛的案子铺路。

然而，判断病人病情紧急与否的护士——一位体形犹如战舰的灰发女士，在我要求和一位医生谈话之后，嘴巴立刻抿成细细的一条线。

“你有什么问题吗？”她问。

“我有一些问题……”

“其他在候诊室的人也一样。你必须先向我解释你的病情。”

“喔，我没有生病……”

她看看我四周：“那病人在哪儿？”

“在州立监狱。”

护士摇摇头：“病人必须在场才能登记。”

这实在叫人难以置信。一个遭遇车祸被撞得不省人事的人，肯定不会被留在大厅，更不可能自己走过来背出医疗保险号码。

“我们很忙，”护士说，“等病人来了，再来签到。”

“可是我是律师……”

“那你告我啊。”护士回答。

我走回候诊室，坐在一个手掌被染血的毛巾包裹、看起来像大学生的男孩后方。“我的手也曾经受伤，”我说，“为了切培根。”

他转向我。“我用手敲破了一扇厚玻璃窗，因为我女朋友在和我室友鬼混。”

一名护士现身喊道：“怀特·罗玛诺！”男孩随即起身。

“祝你好运。”我在他身后喊，然后将十指伸进头发，开始思考。如果留一张纸条给护士，并不能保证哪位医生会在下一个千禧年来临之前看到它。我必须另觅他法。

五分钟后，我再次站到“战舰”前方。

“病人来了？”她问。

“呃，是的。正是我。”

她放下笔：“现在你生病了，之前你不是没病？”

我耸耸肩：“我猜可能是阑尾炎……”

护士嘟着嘴：“你知道，急诊要付一百五十美金，就算是捏造的也一样。”

“你是说保险没有……”

“没有。”

我想到薛，想到监狱铁门的刮擦声：“我的下腹部正在尖锐地疼痛。”

“哪一边？”

“我的左……”护士眯起眼睛，“我是指左边的反方向。”

“找个位置坐吧。”她说。

我再次坐在等候室，翻阅两本几乎和我一样老的《人物》杂志，直到被唤去一间诊察室。一位身着粉红院服的年轻护士测量我的血压和体温。当她记录我的病历时，我心中回想，伪造病历是否可能会被提出刑事控告。

我躺在诊疗台上。当医生走进来时，我正瞪着贴在天花板上的《寻找沃尔多》海报。

“布鲁小姐。”他说。

好，我要进入重点——他简直能把人迷晕。他有一头黑发，一双眼睛有如我爸妈花园里种植的蓝莓，在某个角度的光线下呈紫色，下一瞬间又会变成半透明。他的笑容能把我切成薄片。他身穿一件白袍，里面则是一件棉衬衫，结着一条布满芭比娃娃图案的领带。

恐怕他家里有个活生生的芭比，一位三围38、22、36的未婚妻，拥有法律加医学的双学位，或天体物理加政治学的双学位。

于是，我们的关系宣告终结，而我却连一个字都还没说出口。

“你是布鲁小姐？”

我绝不会忽略他的英式口音。“是的。”我说。这个时候，我真希望自己只是个普通患者。

“我是葛拉弗医生。”他一边说，一边坐在凳子上，“你可以告诉我，你哪里不舒服吗？”

“呃，”我开口，“事实上我很好。”

“根据病历，阑尾炎的病情看来很不妙。”

不妙。这词用得好，我喜欢。

“我们检查一下，”他说完便站起身，把听诊器塞进耳朵，将另一端放进我上衣里。我已经不记得，上一次有男人的手滑进我衣服里是什么时候的事了。

“呼吸。”他说。

是的，好。

“真的，”我说，“我没生病。”

“你可不可以躺回去……？”

这足够让我彻底回归现实。光是触摸我的胃部，他就能马上明白我并没有阑尾炎。而且他还会发现，我在唐恩都乐吃了两个甜甜圈组合当早餐，而一个甜甜圈要花上三天才能完全被消化。

“我没有阑尾炎。”我脱口而出，“我告诉护士自己有阑尾炎，是因为我想和医生谈谈。”

“好，”他亲切地说，“那我去叫佐贺医生。她会很乐意和你谈谈。”他的头探出门外，“苏？查一下心理医生……”

喔，太棒了，他以为我有心理健康方面的问题。“我不需要心理医生。”我说，“我是律师，我要替一位委托人来询问某些医学上的专业问题。”我迟疑片刻，等着他叫警卫。

他却坐回原位，放下戒备：“请说。”

“请问你知道心脏移植的程序吗？”

“一点点。不过我可以告诉你，如果你的委托人需要一颗心脏，就得去全美移植器官共享网络上登记，然后像其他人一样排队……”

“他不需要心脏，他想捐赠一颗。”

他理解了我的委托人应该是那位死刑犯。我看见他的表情变了。新罕布什尔州近来并没有多少犯人吵着要当器官捐赠者。

“他要被处决了。”葛拉弗医生说。

“是的。毒药注射。”

“那他将无法捐赠心脏。心脏捐献者必须处于脑死亡状态，而毒药注射会导致心脏死亡。一旦你的委托人在处决期间心脏停止，他的心脏将无法移植到其他人身上。”

我早就知道了，迈可神父告诉过我，但那时我并不愿意相信。

“你知道吗？”医生说，“毒药注射使用的钾化合物是用来停止心脏的，是我们用来使心脏停搏的化学药剂。我们把这种化合物洒在捐献者的心脏上，再将这颗心脏缝进受赠者体内。当心脏无法接收正常血流时，我们使用这种方法使之暂时麻醉，直到缝合完成。”他抬头看我，“我并不认为监狱会同意使用心脏外科手术——移除心脏来作为一种处决方式。”

我摇摇头：“处决必须在监狱内执行。”

他耸耸肩。“不再使用枪决实在太可惜了。只要瞄准正确位置，受刑人就能成为完美的器官捐赠人。就算是绞刑也成，只要在确认受刑人脑死亡后，立刻为他接上一台呼吸器就行。”他颤抖地说，“原谅我。我习惯拯救病患，而不是讨论如何杀人。”

“我明白。”

“再说，就算他真能捐赠心脏，对一个孩子的身体而言，那颗心实在太大了。有人提出过这点吗？”

我摇摇头。对于薛的胜算，我感到希望渺茫。

医生往上瞥一眼：“坏消息是，你的委托人恐怕运气不好。”

“有没有好消息？”

“当然有。”葛拉弗医生咧嘴一笑，“布鲁小姐，你并没有阑尾炎。”

“东西在这里，剩下的都给你。”替我们两个买了足以喂饱一家四口的外带中国菜后，我对奥利佛说。我妈说兔子不吃人类的食物，但奥利佛确实喜欢苜蓿芽。“距离上一次新罕布什尔州执行死刑已经有六十九年了。大家都默认毒药注射是唯一的方法，但并不意味着这是正确的。”

我拿起装牛肉面的纸盒，舀一些面条放进嘴巴。“我知道一定在某个地方。”我咕哝着。兔子正跳过一叠散乱在客厅地板的法律文献。我并不习惯阅读新罕布什尔州的刑法法典，翻阅这些章节和次章节犹如在糖蜜里航行。我会倒回去读上一页，然而刚刚读到的要点会在翻到下一页时消失无踪。

死亡。

死刑。

重大谋杀。

注射，毒药。

第六百三十条，第五节（第二十三章）：当死刑宣判下达，在指定处决日期之前，被告必须先行进入康城州立监狱，处决日期不得指定于宣判的一年之内。

拿薛的例子来说，十一年。

死刑的执行程序应是连续的静脉注射，毒药必须配合效用迅速的巴比妥类药物和化学麻痹药剂，直到法医根据医学标准判定死亡为止。

每一条我所知的死刑条例，都是我在美国民权自由联盟学到的。到那里工作之前，我从未对死刑有太多想法，除非有人被处决，而媒体对此大做文章。现在，我知道那些被杀的人的姓名，也听闻他们的最后上诉。我还知道，某些犯人在死后才被证实清白无辜。

毒药注射理应类似让一只狗睡着。一股强烈的睡意侵袭你，然后你永远不会再醒来。没有痛苦、没有压力。那是混合三种毒药的鸡尾酒：硫喷妥纳是让受刑人睡着的静脉麻醉剂；泮库溴铵用来麻痹肌肉系统和停止呼吸；氯化钾使心脏停止跳动。硫喷妥纳的效果极其迅速——这是指你很快能从它的药效中恢复正常，而且神经依然有感觉，却因药效而无法沟通或移动身体。

英国医学期刊《柳叶刀》2005年发表过一篇研究，是针对美国四州处决的49位受刑人的毒药学报告。43位受刑人体内麻醉剂剂量低于一般手术标准，其中21人的标准为“清醒”状态。麻醉医师解释，如果一个人在氯化钾注射时保持意识清醒，感觉将类似滚烫沸腾的热油注射入血管。一位受刑人可能感觉自己从体内被活生生地焚烧，却无法移动或说话，因为另外两种毒药会导致肌肉麻痹和轻微的镇静效果。连最高法院都曾经对此点提出质疑，尽管法官依然裁决极刑合乎宪法，最后还是在带来最少后果的范围内，对两位受刑人的处决喊停。无论毒药注射引起的极度痛苦是否违反民权，这个问题都应该能在较低层的法庭内商讨。

简而言之，毒药注射可能并不如大家认为的那么人道。

六百三十条，第五节（第十四章）：行刑负责人或其指派人选应决定并提供处决过程中使用的单一或多数物质。若出于任何理由，负责人判定以毒药注射执行死刑不切实际，根据一九八六年十二月三十一日生效的法律死刑条款，行刑方式将以绞刑取代。

我把这几行重读一遍时，奥利佛稳稳地蹲坐在我的大腿上。

如果我能让负责人或是法院认定注射死刑不切实际，那薛就不一定必须以这种方法被处决。将这一点和宗教用地和收容人员结合在一起——法律申明，犯人的宗教自由必须在监狱内受到保护，再加上，如果我能证明薛信仰中的赎罪系统包括器官捐赠，那毒药注射将被视为不切实际。

无论哪种情况，薛都将被处以绞刑。

这会成为真正的奇迹。根据葛拉弗医生的话，薛·布尔能将得以捐赠自己的心脏。

路希尔斯

教士再度来访那天，我正在研究制作颜料。我最喜欢的材料是茶，可以调整浓淡，从将近全白到淡黄褐色。滚动的巧克力糖是最难萃取的材料，必须弄湿一根棉花棒，搓揉糖果的表面，而不能采取我今天早上从彩虹水果糖里汲取颜料的方法。我把瓶盖放在桌上，滴入十五滴温水，将绿色的彩虹水果糖放进去，用手指翻转，看着糖衣渐渐褪去。这里的诀窍在于，看见糖衣下的白色部分显现时，必须立刻取出糖果。如果糖溶解在颜料中，效果就不太理想。

我把变白的糖果一下子丢进嘴里。霉菌性口炎已经消失，我能这么做。我一面吮吸糖果，一面把瓶盖内的萃取物倒进一只阿司匹林瓶内保存。那绿色就像多年以来我再没能赤脚踏过的青草地，或是丛林的色彩和亚当的眼睛。稍后，我可以用少许白牙膏和颜料调色，或用水稀释，来得到适合的颜色。

这很费工夫，但是，我再重申一次……我有的是时间。

硬糖的颜料产量比彩虹糖多出四倍。就在我准备用一颗黄色硬糖重复这项工程时，薛的教士穿着防弹衣来到我的牢房门外。他第一次来拜访薛的那天，我跟他打过照面，不过隔了好一段距离。现在他直接站在门口，比我预期中年轻，发型显然不像个教士，眼珠如灰色法兰绒般柔和。“薛去剪头发了。”我说。今天是理发日，他在大约十分钟前被带走了。

“我知道，路希尔斯。”教士说，“我希望能和你谈谈。”

我最不想做的一件事就是和教士聊天。按照以往的经验，神职人员只想向我讲述，身为同性恋是出自于我个人的选择，上帝如何爱我，却不包括我爱上其他男人的麻烦习惯。那天薛回来时，坚信他的新队友——某位女律师和这位教士将为他移除阻挡在前的巨石，可这并不代表我和他一样狂热。薛已入狱十一年，却依然是我见过的最天真的犯人。昨天晚上，他和监管人员吵了一架，因为昨天是洗衣日，他们带来了新床单，薛却拒绝更换。他宣称自己还闻得到漂白剂的味道，最后还坚持睡在了牢房地板上。

“谢谢你肯见我，路希尔斯。”教士说，“也很高兴知道这些日子以来，你身体状况好了很多。”

我防备地盯着他看。

“你认识薛多久了？”

我耸耸肩：“从几个星期前，他被安排在我隔壁牢房开始。”

“他跟你提过器官捐赠的事吗？”

“起初没有。”我说，“他癫痫发作被送进医护室，回来时，一天到晚都在提捐赠心脏的事。”

“他有癫痫？”教士重复，我看得出他并不知情，“在那之后，他还发过病吗？”

我靠回原位：“为什么你不自己问薛这些问题？”

“我想听听你说的。”

“在我看来，”我纠正道，“你只是要我告诉你，他是不是真能施行奇迹。”

教士缓缓点头：“我想，的确如此。”

某些情形早已向媒体泄漏，我认为剩下的细节早晚也将被揭露。于是，我说出所有亲眼看见的事。我说完之后，迈可神父微微蹙起眉头：“他是否到处宣扬自己是上帝？”

“没有，”我开玩笑，“那是盖许。”

“路希尔斯，”教士问，“你相信薛是上帝吗？”

“神父，你需要的恐怕是别人。我并不相信上帝。似乎是你的一位令人敬重的同僚告诉我的，艾滋病是对我犯罪的惩罚，从那时候起，我就不再相信上帝。”我将宗教分配在世俗和非世俗之间的缝隙。我会专注于卡拉瓦乔的画作的美丽，而不去注意圣母和圣婴；我会寻找一顿丰盛的复活节晚餐要用到的小羊肉食谱，而不去思考耶稣受难。宗教给予那些清楚结局不会美好的人希望，所以犯人会在监狱中祈祷，临终的病人会开始祷告。宗教理应是一条在你下巴边温暖你的毛毯，一种当最后时刻来临，你将不会孤单死去的承诺。然而，一旦你相信的内容变得比事实来得重要时，它也能轻易让你在严寒中颤抖。

我盯着他：“我不相信上帝，但我相信薛。”

“谢谢你提供宝贵的时间，路希尔斯。”教士温柔地说，然后走出I层。

他也许是一位好教士，却在错误的地方寻找奇迹。打个比方，新闻报道泡泡糖事件，指出薛不知为何拿出一小块长方形泡泡糖，将它变成好几块。不过问问在场的人，例如我和盖许、泰瑟斯，就会知道并非凭空出现了七块泡泡糖。当吊线上的泡泡糖出现在牢房下方时，我们并没有拿走每个人想要的分量，而都是有节制地取适量即止。

泡泡糖如魔术般复制。但贪婪的我们却惦念着其他七个男人的需求。那一刻我们体会到，他人就如同自己，都值得有所获得。

我认为那才是最大的奇迹。

迈可

梵蒂冈有一间专门的宗教事务办公室，致力于分析所谓的奇迹，判定它们的真实性。他们仔细检查雕像和胸像，在“流血双眼”的角落里挖出红蜡油，检测墙壁表面发出玫瑰香味的香油。以经验而论，我根本比不过这些教士，然而，再一次重申，州立监狱外有将近五百人称呼薛·布尔能为拯救者，而我不会让人们这么快就放弃耶稣。

为了达到目的，我现在在达特茅斯学院的一间实验室，和一个名叫哈穆德的大学生在一起，他正试图向我解释I层的水管附近取来的污物样本的测试结果。“监狱之所以不能得到确切解释，在于他们是在水管内，而不是在水管外找证据。”哈穆德说，“所以，被测试出呈现类似酒精反应的水，只存在于某些水管。可你永远猜不到什么东西就长在这些水管附近。是黑麦。”

“黑麦？你是说谷物？”

“正是。”哈穆德说，“水中的麦角菌可以证明一切，这是一种黑麦会患上的菌类疾病。我不是植物学家，不知道其中的原理，不过我打赌，这应该和先前下的暴雨有关。而且他们最初检测的水管上有细微的裂缝，传播途径显而易见。麦角碱是人类历史上的第一种化学武器。公元七世纪，亚述人使用它来破坏水源。”他微笑道，“我主修化学和古代文明，所以能作此推论。”

“它会致命吗？”

哈穆德耸耸肩：“剂量大的话。一种叫麦角酸二乙酰胺的迷幻药就来自其中。”

“所以，I层的犯人应该不是喝醉……”我小心翼翼地说。

“没错，”哈穆德回答，“只是飘飘然而已。”

我把装污物样本的小瓶子颠倒：“你认为水被污染了？”

“我打赌，应该是这样，八九不离十。”

不过，身在监狱的薛·布尔能不可能知道通向I层的水管附近竟然长了一种菌类。可能吗?

我突然想起隔天早晨，饮用这种水的I层囚犯并未出现异常。

“那水源是如何被污染的？”

“关于这个，”哈穆德说，“我也还没搞清楚。”

“晚期艾滋病患者的免疫细胞数量极少，艾滋病毒感染细胞极多。之所以状况骤然好转，原因有很多。”贝雷哥医生说。他是达特茅斯-希区考克医学中心的免疫系统疾病专家，也是州立监狱内所有患艾滋病及后天免疫不全症候群的病人的医生，所以他对路希尔斯的复原状况一清二楚。他没有时间和我正式约谈，不过，如果我愿意陪他从办公室走到位于医院另一端的会议室，他会很乐意和我聊聊。谈话中我明白了，他不能违反医生和患者之间的隐私权法令。“例如，假设患者偷藏药品，又突然决定开始服用，那么皮肤上的疮会消失，健康状况也将改善。尽管我们每三个月会替艾滋病人们抽一次血，我们还是会遇上拒绝抽血的病人。因此，这种看起来突然好转的情况，事实上只是个小转折罢了。”

“监狱的护士艾尔玛告诉我，路希尔斯已经超过六个月没抽血了。”我说。

“这表示，我们无法确知近来他体内的病毒数量。”我们已抵达会议室。一身白袍的医生们成群结队地入内就位。“我不太确定你到底想要听些什么。”贝雷哥医生一脸无奈地笑着说，“你想知道他是否属于特例吗？”

“我自己也不确定。”我坦承，握握他的手，“谢谢你付出宝贵的时间。”

说完，医生走进会议室，我回到大厅，朝停车场走去。我一边等电梯，一边朝婴儿车里一位右眼贴着药膏的婴儿微笑，随后感觉有一只手放在我肩头。贝雷哥医生就站在那儿。“幸好我赶上了你，”他说，“你还有没有时间？”

我看着婴儿的母亲将婴儿车推进张着大嘴的电梯。“当然。”

“这件事我没对你说，”贝雷哥医生说，“你也不是从我这里听来的。”

我会意地点点头。

“病毒会导致感知能力的损害，造成持续性的记忆力与专注力衰退。这一点我们能从核磁共振检查中清楚地看见。杜弗里斯刚入狱时接受过大脑断层扫描，结果显示出无法补救的损害。然而，昨天我们再次让他接受脑部核磁共振检查，结果却显示，这种退化情形已经完全消失。”他看着我，等待我充分理解他的话，“再也没有任何生理证据，足以显示他曾有痴呆状况。”

“可能会有什么原因导致这种情形吗？”

“完全不可能。这正是‘持续性衰退’的涵义。”贝雷哥医生摇摇头，“这一点，”他说，“是一个奇迹。”

我第二次去见薛·布尔能时，他正躺在床上，一副快要睡着的模样。我往后退，不想打扰他，但他连眼睛都没睁开，便开始对我说话。“我醒着，”他说，“你呢？”

“据我所知，还醒着。”我回答。

他坐起来，床铺边缘的双腿使劲地摇摆着。“哇。我梦见自己被闪电击中，突然间有了追踪世界上所有人行踪的能力，于是政府跟我签订了一项协议，要是我能找到本·拉登，就恢复自由之身。”

“我以前常梦见自己有一块神奇的手表，只要转动双手，就能带我回到过去，”我说，“以前我总幻想自己变成海盗或维京人。”

“对一位教士而言，这听起来挺血腥的。”

“呃，我并非生来就是一位教士。”

他直视我的双眼。“如果我能让时光倒流，我想再跟爷爷一起飞蝇钓。”

我往上瞥一眼：“我以前也常常和爷爷一起钓鱼。”

我忍不住思索，薛和我，两个男孩能在相同的起点开始人生，却在路口转向不同的轨道，导致我们如今成为了完全不同的男人。

“我爷爷已经去世很久了，我到今天还是很想他。”我吐露道。

“我从没见过我爷爷。”薛说，“但我应该有一位，没错吧？”

我诧异地看着他。他到底经历过怎样的生活煎熬，才必须从自己的想象中编造回忆？

“薛，你在哪里长大？”我温柔地问。

“光亮。”薛无视我的问题，“鱼要如何找寻方向？海洋表面的事物都会不停变动，不是吗？如果你离开一会儿，等到再回来的时候，怎么知道自己此刻确实位于方才的位置呢？”

I层的门嗡嗡打开，一位警官手拿一张金属凳，朝通道走过来。

“神父，请坐。”他一边说，一面把凳子放在薛的牢房门口，“万一你要待得久一点的话。”

我认出这个男人就是上次我来和路希尔斯说话时跑到外面来找我的人。他的宝贝女儿之前病得厉害，他把女儿的康复归功于薛。

“你觉得自己像条鱼吗？”

薛盯着我，仿佛是我跟不上对话。“什么鱼？”他说。

“找不到回家的路？”

我正试图把话题引向真实的救赎，薛却把我们带离了这个方向：“我曾有过一堆房子，却只有一个家。”

他曾不断被到处寄养，我记得官司期间提到过这点：“那是在哪里？”

“我妹妹和我都在的那个家。我十六岁之后，就再也没有见过她了。自从我被送进监狱。”

我记得他曾因纵火被送进少年教养所，但我完全不知道任何关于他妹妹的事。

“她为什么没去参加你的官司？”我一问出口，才意识到我刚犯下一个天大的错误。除非我当时在场，要不然，我没有任何理由知道这一点。

然而，薛并未察觉。“我要她离开。我不想让她告诉任何人我做了什么。”他迟疑了一下，“我想和她说话。”

“你妹妹？”

“不是，她不会听我说的。另一位。我死后，她会听我说的。每当她女儿开口时。”薛抬头看我，“你知道的，之前曾经问她要不要这颗心脏。我可不可以亲自问她？”

让琼·尼尔森到监狱来探望薛，就像是把圣母峰搬到俄亥俄州的哥伦布市，根本不可能。

“我不知道这有没有可能……”

不过，也许让薛和琼面对面，可以让他看见人类的饶恕和上帝的饶恕之间的差异。然而，把一位凶手的心脏放进一个孩子的胸膛，可以真正地展现一点——善良可以从邪恶中破土而出。相比我的祈祷，克莱尔脉搏的跳动能为琼带来更多的平静。

也许薛真的比我更了解赎罪。

现在，他站在水泥墙前，指尖划过表面，仿佛能读出先前住在这里的男人的故事。

“我会试试看。”我说。

某部分的我，清楚自己应该告诉玛吉·布鲁，我曾经身为判决薛·布尔能的陪审团的一员。我既不想让薛知道真相，又担心影响玛吉正在处理的法律案件。而且，薛是否能在死亡前与上帝和好，应当由我来确认。我知道，当我告诉玛吉自己过去和薛的牵连时，她肯定会叫我走人，并为薛再找一名和他没有任何责任关系的精神辅导员。我已经为此做了长久而认真的祷告，现在却依然犹豫不决。上帝要我帮助薛，或者，这让我不用承认自己之所以想帮助薛，是因为早先曾经背弃过他。

美国民权自由联盟的办公室在一家影印店楼上，闻起来有新鲜墨汁和碳粉的味道。室内有很多处在不同死亡阶段的植物，占据了事务所的绝大多数空间。一位律师助理坐在接待处，其打字的狂热程度，让我担心她的计算机屏幕会当场爆炸。

“请问有什么事吗？”她询问，连头都不抬一下。

“我想见玛吉·布鲁小姐。”

律师助理举起右手，左手继续打字，头顶上方跷起的大拇指往左边一指。我在前厅迂回前进，跨过档案盒和报纸堆，这才看见玛吉坐在桌前，手在笔记本上潦草地书写。她一看见我便露出微笑。“听着，”她说，好像我们是老朋友似的，“我有些好消息。薛可以选择被吊死。”她突然脸色发白，“我的意思不是说这是很棒的消息，真的。我是说……呃，你懂我的意思。”

“为什么他会想这么做呢？”

“这样一来，他就能捐赠心脏。”玛吉不悦地说，“不过，我们得先让监狱同意送他去做检查，看心脏对小孩而言会不会太大。”

我深吸一口气：“听着，我们需要谈谈。”

“一位教士想跟我告解，这似乎并不寻常。”

她并不了解事情的全貌。我提醒自己，这不是为了她，而是把薛放在内心的第一位。“薛想亲自问琼·尼尔森，愿不愿意接受他的心脏。不幸的是，探望薛并不是琼会愿意做的事。我想知道，有没有可能，我们去法院申请仲裁这个问题。”我说。

玛吉扬起一边的眉毛：“你真的认为，他是向她传递这个消息的最佳人选吗？我看不出来，这能帮我们多少忙……”

“听着，我知道你在做你的工作。”我说，“而我也在做我的工作。也许拯救薛的灵魂对你而言并不重要，但这对我却是决定性的。现在，薛认为捐赠心脏是唯一拯救自己的方式，然而怜悯和救赎有很大的不同。”

玛吉桌上的双手叠在一起：“怎么说？”

“呃，就算琼能原谅薛，也只有上帝才能赎回他，这和捐赠心脏完全无关。没错，这是器官捐赠人在世上最后一项美丽又无私的行为，但并不能抹去他对被害者家人的伤害。而且，他并不需要借着行善在上帝面前争取点数。救赎并不是个人的责任。人们并不需要争取救赎，而是通过耶稣来得到它。”

“所以，”她说，“我猜，你并不认为他是弥赛亚。”

“不，我认为那是过于轻率鲁莽的判断。”

“你好像在对唱诗班传教，而我生于一个犹太人家庭。”

我的双颊发烫：“我并不是刻意要……”

“不过，我现在是无神论者。”

我张开的嘴巴猛地闭上。

“相信我，”玛吉说，“我是世上最不会相信薛·布尔能是耶稣化身的人。”

“呃，当然不会……”

“但那并非因为我不相信弥赛亚会化身为囚犯，”她修饰道，“我现在就能告诉你，这个国家有多少无辜的人身为死囚。”

我并不打算告诉她，我知道薛·布尔能确实有罪。那些证据我早就查证过，也听过证词，而我甚至判决了他。

“不是这样的。”

“那你如何确定，他不会是大家所以为的那个人？”玛吉问。

“因为，”我回答，“上帝给了我们他的独生子。”

“没错。而且他是一位被判死刑的三十三岁木匠，到处行使神迹奇事。如果我错了，请纠正我。哦，你是对的，这和薛·布尔能确实大不相同。”

我想起哈穆德和贝雷哥医生告诉我的事。薛·布尔能办到的所谓奇迹根本比不上耶稣。真的吗？水变成酒，用微薄之物喂饱很多人，治愈病人。让瞎眼的——现实情况是有偏见的人——得以正视。

耶稣正如同薛，并不认为自己在行使奇事；耶稣正如同薛，知道自己会死。《圣经》甚至提到耶稣理应被归还。不过，就算《新约圣经》对后来发生的事描述得相当清楚，细节上依然有点混乱：什么时候、什么原因、怎么发生的。

“他不是耶稣。”

“好……好啦。”

“他不是。”我坚持。

玛吉举起双手：“知道了。”

“如果他是耶稣，如果这是第二次降临……那么，各处应该充满纷争、破坏和虚假的复兴，我们也不可能坐在这里正常对话。”

不过《圣经》并未提到，在第二次降临之前，耶稣不会悄悄来到地球，看看如今正如何发展。

我猜，事情若真是如此，那隐藏真面目就合乎情理。他会伪装成一个最不可能被推断为弥赛亚的人。

为了上帝的爱，我到底在胡思乱想什么？我摇摇头，除去这些念头。“在你申请器官捐赠前，让他和琼·尼尔森见一面，我恳求你。我也想做你现在所做的事，让薛的声音被听见，让小女孩被拯救，让极刑被废除。我也想确认，如果事情最终如他所愿，当薛进行器官捐赠时，促使他这么做的都是正当的理由。我指的是，在解决这场弥撒的法律问题时，也解决薛的心理健康问题。”

“我不能这么做。”玛吉说，“现在正是这案子的紧要关头。听着，你是否认为薛是耶稣，或者薛认为自己是耶稣，再或者他只是悲叹自己的命运，对我来说都不重要。重要的是，薛的权利不会在极刑这个大机制之下被践踏或被弃置一旁。如果我必须利用其他人来认为他是上帝，那我会这么做。”

我扬起眉毛：“你利用薛吸引大家，去注意一件你认为该受谴责的争论。”

“呃，”玛吉脸红地说，“我想，你说得没错。”

“那你怎能因为我所相信的真理，阻止我去安排一次会面？”

玛吉抬起目光，叹一口气。“有一种做法，叫做修复性正义。”她说，“我不知道监狱会不会同意，更别提薛或尼尔森一家。但这能让薛和受害者的家人共处一室，并请求他们的原谅。”

我吐出自己没意识到还憋着的一口气。“谢谢。”我说。

玛吉拿起笔，再度于笔记本上潦草地书写。

“别谢我。谢谢琼·尼尔森，如果你有办法让她接受的话。”

我正准备走出美国民权自由联盟办公室，又停下了脚步：“这是正确的。”

玛吉没有抬头。“如果琼不想和他见面，”她说，“我还是会准备请愿书。”

琼

起初，当受害人的援助律师问我愿不愿意出席与薛·布尔能的恢复性司法会谈时，我笑了出来。“是啊，”我说。“也许在这之后，我就会被浸在热油里烫死、淹死，甚至被五马分尸。”

她是认真的，我拒绝的态度同样认真。在这世上我最不想做的一件事，就是和那禽兽坐在一起。让他好过一点，来凌虐自己吗?

寇克死不瞑目，伊丽莎白也一样。那他就不能例外。

我以为这件事到此为止，直到某天早晨有人敲门。克莱尔正躺在沙发上看GSN频道，唐德力蜷缩在她脚边。我们的日子都花在等候一颗心脏和连带的隐忧上，两个人都假装不去思索这个问题。然而我们都很明白，一段短暂的路程都能让克莱尔精疲力竭。“我来开。”她大喊，尽管我们都知道她办不到。厨房里的我放下切芹菜的菜刀，双手在牛仔裤上抹一抹。

“我打赌是那个推销杂志的让人起鸡皮疙瘩的男生。”克莱尔说，我正好从她身边走过。

“我打赌不是。”她说的是那位质朴健壮的犹他男孩，投递耶稣基督后期圣徒教会的宣传单。那时我在楼上浴室，克莱尔透过纱门跟他聊天，我因此察觉到了她的骚动。她被“圣徒”这个词吸引，不知道这个词对摩门教徒而言非常特别。当时我建议他到隔壁镇推销，选一个不曾因为某个年轻男子挨家挨户地找工作，最后演变成双尸案的地方。等他一走，我马上报了警。

我确定不可能是同一个男孩。

我惊讶地看见门廊前站着一位教士。他的摩托车停在我家汽车专用道上。我打开门，试图礼貌性地微笑："我想，你大概走错了。"

"我确定没错，尼尔森太太。"他回答，"我是圣凯瑟琳教堂的迈可神父，希望能跟你谈几分钟。"

"对不起……我认识你吗？"

他迟疑半晌。"不，"他说，"但我希望能改变这点。"

按照我的个性，肯定会甩上门。那会是攸关性命的罪过吗？如果你不相信会有攸关性命的罪过，那又有什么关系？我可以告诉你我放弃信仰的准确时间。虽然我从来不曾是真正的天主教徒，但寇克却是。我们让伊丽莎白受洗为天主教徒，他们的葬礼也由一位神父主持。之后我向自己承诺再也不踏进教堂一步，因为上帝永远无法弥补我所失去的，他什么都办不到。然而，这位教士是个陌生人。但是据我猜测，他也许不是为了拯救我的灵魂，而是要拯救克莱尔的生命。如果这位教士知道一颗全美移植器官共享网络未登记的心脏呢？

"房子里乱糟糟的。"我说着，打开门让他进来。当我们经过客厅时，他停下脚步，克莱尔还在看电视。她转过来，清瘦苍白的脸庞就像一轮明月从沙发椅背中探出来。"这是我女儿。"我边说边转向他，支吾地瞪着他。他看克莱尔的方式，仿佛她是鬼魅。

当克莱尔用沙发背上的手肘支撑身体，向他打招呼时，我正准备把他轰出去。

"你知道任何关于圣人的故事吗？"她问。

"克莱尔！"

她的双眼骨碌碌地转动："妈，我只是问问。"

"知道。"教士说，"我一直挺喜欢圣乌瑞克。他是把鼹鼠赶出房屋的圣人。"

"给我出去。"

"你们这里有鼹鼠吗？"

"没有。"

"那我猜，他很尽本分。"他说完之后，咧嘴而笑。

只因为他逗克莱尔笑，我决定让他入内，并稍稍卸下对他此次来访的怀疑。他尾随我走进厨房，我们可以在那儿好好谈话，不怕克莱尔听到。

"不好意思，她喜欢问东问西。"我说，"克莱尔爱看书，最近很热衷圣人的故事。六个月前是铁匠。"我指指餐桌，请他坐下。

"关于克莱尔，"他说道，"我知道她病了。那正是我来的原因。"

虽然我多少对此有所期待，心脏还是差点跳了出来："你能帮她吗？"

"我认识一个想试试看的人。"教士说，"不过，请你先答应我一件事。"

我愿意变成一位修女，我愿意走过燃烧的煤炭。

"任何事。"我发誓。

"我知道公诉人办公室问过你，关于恢复性司法会谈……"

我两颊发烫。我竟然没有把这些细节联结起来，实在气不打一处来。薛・布尔能想捐赠器官，我也正积极为克莱尔寻找一颗心脏。他是知道克莱尔生病，才投入了这场圣战吗？这真的重要吗？

"滚出去。"我唐突地说，但迈可神父不为所动。

为了随时关注心脏相关信息，我整个人憔悴不已。我收看每一档关于移植的医学报道节目，阅读每一期美国医学协会的期刊。不过，尽管我对所有关于监狱的报道了如指掌，却从未把薛·布尔能和克莱尔连在一起。我在想，自己是过于天真，还是连潜意识里都想保护她。

我用尽所有气力，抬起双眼看着教士："是什么让你认为，我会希望那男人的一部分继续在这世上横行，而且是在我孩子的体内？"

"琼，拜托，听我说。我是薛的精神辅导员。我跟他说过话。我认为，你也应该跟他谈谈。"

"为什么同情一位凶手，你不舒服了？晚上睡不着？"

"因为我相信，一个好人也会做坏事，还因为上帝是饶恕的神，而我只能这么做。"

你知道吗，一个人处在崩溃边缘时，会觉得全世界都在耳边猛烈敲打，是体内的血流奔涌导致的吗？当真相把你的舌头千刀万剐，而你仍然必须开口说话，是什么滋味？

"不管他跟我说什么，什么都不会改变。"我气愤地说。

"你说得对，"迈可神父说，"但你对他说的话将带来改变。"

教士把一项变量撇在了方程式之外：我完全不亏欠薛·布尔能。每晚收看新闻，看见露宿于监狱外的支持者带着病童和垂死的伴侣，盼望他们能被治愈，这些对我而言，就像在伤口上撒盐。你们这些傻子！我好想对他们怒吼。你们难道不知道他在欺骗你们，就像他以前欺骗我一样？难道你们不知道他杀了我的丈夫和女儿吗？

"举出一位连环强奸杀人犯约翰·韦恩·盖西的被害人。"我问道。

"我……我不知道。"迈可神父说。

"杰弗利·达玛？"

他摇摇头。

“但你记得他们的名字，不是吗？”

他从椅子上起身，慢慢朝我走来：“琼，人是会变的。”

我嘴扭曲了：“是啊。就像一个举止温和、无家可归的木匠刹那间变成了杀人魔？”

或是一个小女孩的银发精灵仙女，在一次心跳的瞬间，胸口盛开出艳红的牡丹；或是一位母亲转变成一个她无法想象的女人：痛苦、难堪、心碎。

我知道为什么这位教士希望我和薛·布尔能见面。我清楚耶稣说过，不要以同情偿还，而是以仁慈偿还。如果有人陷你不义，你还是要对他行义。

这么说好了：那是因为，耶稣从未亲手埋葬过自己的孩子。

我转身背对他。我不想让他看见我哭而感到得意，可他的手搭着我的肩，引我坐下，递给我一张卫生纸。随后，他低低的声音凝结成一个个单词。

“亲爱的圣菲莉西缇，您是那些因失去孩子而痛苦的人的圣守护者，我求您代我请求上帝帮助这个女人，找到平静……”

我使出自己都不知道的蛮力推开他。“你怎么敢！”我的声音颤抖不已，“不准替我祷告。假如上帝正在聆听，也晚了十一年！”我走向冰箱，上面唯一的装饰是一张寇克和伊丽莎白的照片，用克莱尔在幼儿园劳技课上做的磁铁固定。我常常抚摸这张照片，它的边缘都被磨圆了，还褪了色。“当意外发生时，每个人都说，寇克和伊丽莎白会安息长眠，前往一个更好的地方。但你知道吗？他们什么地方都没去。他们是被夺走的。而我是被抢劫的那个人。”

“琼，不要为这个而责怪上帝，”迈可神父说，“他并没有带走你先生和女儿。”

“不，”我平淡地说，“是薛·布尔能。”我冷酷地抬头看着他，“现在，我希望你离开。”

我陪他走到门口，因为我不希望他再跟克莱尔说话。在沙发上扭动的克莱尔想知道究竟发生了什么事，想必她已经从我激烈的反应中得到了比窥视更多的线索。迈可神父在门槛前停下脚步。“也许那不是我们想要的时间或方式，但最后上帝会带来平衡。”他说，“你不需要成为复仇者。”

我瞪着他。“那不是复仇，”我说，“而是正义。”

教士离开后，我觉得好冷，身体不住地发抖。我套上一件毛衣，又套上另一件，再把毛毯披在肩头。然而，没有任何方法能温暖一具体内已化为石头的躯体。

薛·布尔能想把心脏捐给克莱尔，这样她就能活下去。

如果让这件事成真，我会是怎样一位母亲？

若是我拒绝，我又是怎样一位母亲？

迈可神父说，薛·布尔能想平衡痛苦的尺度，他取走了我一个女儿的生命，所以现在想还我另一个女儿的生命。但是克莱尔无法取代伊丽莎白，我应该同时拥有她们才对。可最简单的问题是，可以保下一个女儿或是全部失去，你会怎么选择？

只有我会痛恨布尔能，克莱尔根本没见过他。我不接受这颗心脏，是因为我觉得这对克莱尔最好，还是只是发自内心的自我抗拒？

我想象着吴医生从圆顶冷却器里取出薛的心脏。那是一颗成熟的坚果、一颗黝黑如碳的水晶。如果把一滴毒药滴入最纯净的清水里，接下来会发生什么？

如果我不接受布尔能的心脏，克莱尔很可能会死。

如果我接受，好像意味着我多少能从丈夫和女儿的死亡中得到偿还。但那永远也不可能。

我相信好人会做坏事，迈可神父也这么说。那就像是因为正确的理由做出了错误的决定。签字让出你的女儿，因为她不能拥有凶手的心脏。

原谅我，克莱尔，我心想。突然，我再也不冷了。我的全身因双颊流下的热泪而滚滚沸腾。

我无法相信薛·布尔能会突然转变成一个利他主义者。也许这也意味着他赢了，我变得跟以前的他一样，怨恨且堕落。不过这让我确信，自己有足够的耐心去面对面告诉他平衡痛苦指数的真正涵义。不是给我的克莱尔一颗心脏就能抚平过往的沉重。在明白薛·布尔能非常想办到的一件事后，我决定成为夺走他梦想的人。

玛吉

处于惊愕状态的我在挂断电话后，仍傻傻地盯着电话机。我非常想按自动回拨号码，想确定刚刚不是一场恶作剧。

也许奇迹的确发生了。

在我深思熟虑着事情的演变前，我听见一阵朝办公室而来的脚步声。迈可神父走出角落，一副刚从但丁地狱归来的模样："琼·尼尔森完全不想跟薛扯上任何关系。"

"那就奇怪了，"我说，"琼·尼尔森刚刚跟我挂过电话，同意出席恢复性司法面谈。"

迈可神父脸色发白："你马上打电话给她。这不是好主意。"

"你可是安排这件事的人呢。"

"那是在我和她谈过之前的事。她之所以愿意会面，并不是想听薛对她说的话，而是要在法律了结他之前，先将他折磨殆尽。"

"你真的确定，薛对她说的话一定比她想对薛说的来得不那么令人痛苦吗？"

"我不知道……我以为，如果他们能面对面……"他整个人沮丧地瘫在我书桌前的椅子里，"我不知道自己在做什么。我想，世界上就是有某些事是你无法修复弥补的。"

我叹了口气："你正在尝试，这是我们能做的最好的事了。听着，我不是一直都在办死刑案件，但我老板以前是。他过去在弗吉尼亚州南部工作，后来才北上。那就像一处情感雷区，你会先慢慢认识受刑人，因为他们有不幸的童年、酒精中毒、情绪失控、吸食毒品等问题，因此犯下某些可憎的罪行。直到你看到被害人的家庭，见到另外一种不同层次的痛苦。突然间，你会为自己身在被告阵营而感到可耻。”

我走到档案柜旁的小型冷冻库，为教士拿一瓶冰水：“神父，薛有罪，法庭告诉过我们这一点。琼清楚，我也清楚。每个人都知道，处决一个无辜的人是错误的。问题在于，处决一个有罪的人是否依然是错误的。”

“但你试图让他被吊死。”迈可神父说。

“我并不是试图让他被吊死。”我纠正，“我想护卫他的民权，同时让这个国家的死刑问题浮出水面。唯一能够达成这两个目的的方法，就是让他以自己想要的方式被处决。这就是你我之间的不同。你试图让他照你想要的方式死去。”

“你还说薛的心脏可能不适合捐给孩子。就算合适，琼·尼尔森也永远不可能接受。”教士说。

这完全说得通。当迈可神父思忖一场琼和薛的会面时，很自然地把这一点排除在外。为了原谅，就必须先记起当初自己如何被伤害。然后，为了遗忘，又必须先接受自己在已发生的事件中的角色。

“如果不想让薛失望，”我说，“我们最好别失去希望。”

迈可

在不用主持午间弥撒的日子，我会去探望薛。我们会讨论各自收看的电视节目，我们都对《实习医生格蕾》的梅莉迪丝·格蕾挺失望，并一致同意《黄金单身汉》里的女人都很性感，却笨得可以。我们会聊木匠的工作，聊到一块木头是如何告诉他自己想要变成的模样，就和我如何知道某位教友的需求一样，道理相通。我们还会谈到他的案子，说起这些年输掉的上诉和曾经有过的律师。有时候，他头脑不太清楚，如同一头困兽，在牢房内兜着圈跑。他会前后摇摆，从这个话题跳到另一个话题，仿佛这是唯一能在思绪丛林中找到自己的途径。

有一天，薛问我，外面的人是怎么谈论他的。

“你自己清楚，”我告诉他，“你看过新闻。”

“他们认为我能救他们。”薛说。

“呃，是啊。”

“这实在他妈的够自私的，不是吗？或者，要是我不尝试看看，那就是我太自私？”

“薛，我无法替你回答。”我说。

他叹气。“我已经厌倦等待死亡，”他说，“十一年很漫长。”

我把凳子朝牢房门推近，以增加谈话的私密性。我花了一星期时间，成功地把我对本案的感觉和薛对自己的感觉分开来。我讶异地发现，薛相信自己是无辜的，尽管科因典狱长告诉我，监狱里的每个人都不在乎判决结果，只认定自己是清白的。我在想，薛对事件的记忆是否已随着时间而模糊，而我却依然清楚地记得那些恐怖的物证，好像昨天有人刚拿给我看一样。我鼓励他告诉我更多关于误判的细节，提议也许玛吉可以在法庭利用这一点。我问他，如果他是清白的，为何还能顺从地接受处决，他便一言不发，然后又一遍一遍地说，无论以前发生过什么，现在一点都不重要。我开始明白，宣称自身清白和案子本身并无多大关联，反而和我们之间的脆弱关系有关。我要成为他的知己，他希望我能为他着想。

“你觉得哪一种比较容易？”薛问，“知道自己将在特定的时间死去，还是知道死亡将在最意想不到时发生？”

某个念头像一条小鲤鱼，悄悄游过心头：你这么问过伊丽莎白吗？“我情愿不知道，”我说，“把每一天当成最后一天来活。不过我想，如果你确实知道自己即将死去，基督将指示你该如何从容应对。”

薛冷笑道：“拜托。你今天整整花了四十二分钟，才把你的老好人耶稣搬出来。”

“抱歉，职业病。”我说，“耶稣在客西马尼园祷告时说：‘我父啊，倘若可行，求你将这杯撤去。’他正和命运角力，但到了最后关头，他依然接受上帝的旨意。”

“他实在够倒霉。”薛说。

“呃，当然。我打赌当他扛着自己的十字架时，一定感到双腿像果冻一样软。毕竟他也只是凡人。一个人可以具备勇敢的性格，却并不表示他不会感觉胃痛。”

我一说完，就发现薛盯着我：“你有没有想过，如果你大错特错了呢？”

“如果什么？”

“全部。耶稣所说，所指。圣经甚至不是他写的，不是吗？那些写下《圣经》的人，也许和耶稣处于不同的年代。”我看起来肯定一副大受打击的模样，因为薛急着继续说下去，“我并不是说，耶稣不是杰出之人——伟大的导师、优秀的演讲者，诸如此类。只不过……上帝的儿子？证据在哪儿？”

“这正是信心，”我说，“不用亲眼看见就相信。”

“好，”薛辩解道，“但那些跟你打赌安拉才是唯一真神的民族呢？又或者，正确的道路是佛教？我是说，一个能走在水面上的人，还需要受洗吗？”

“我们知道耶稣被施洗，是因为……”

“因为《圣经》这么写？”薛大笑，“某人写了《圣经》，但他不是上帝。那就像某人写了《古兰经》和《塔木德》，一样的道理。他一定想好什么该写进去，什么不该写。就像你度假时写的信，吃喝玩乐都会写进去，但不会写钱包被偷或食物中毒。”

“你非得知道耶稣有没有食物中毒吗？”我问。

“你漏掉了重点。你不能把《马太福音》第二十六章三十九节，或《路加福音》第五百章四十三节，或其他的，全认定成事实。”

“你看，薛，这就是你犯的错误。我可以认定《马太福音》第二十六章三十九节是上帝的话。《路加福音》第五百章四十三节也可以，假如这本福音书真有这么长。”

现在，I层其他的囚犯都在偷听我们的对话。其中有些人，例如身为希腊正教会信徒的乔伊·克斯和身为美南浸信会信徒的波基，喜欢在我探望薛的时候，听我们说话和阅读经文。有少数人甚至问我，愿不愿意在来的时候顺便和他们一起祷告。

“布尔能，闭上你的嘴，”波基吼道，“等那一针刺进你的手臂，你立刻会下地狱。”

“我并不是说自己是对的，”薛提高声说，“我只是说，就算你是对的，那也不一定是我错了。”

“薛，”我说，“你别大吼大叫了，要不然他们会要我走人的。”

他走向我，双手摊平贴在金属网状门的另一面：“无论你是基督徒、犹太教徒、佛教徒、巫术信仰者或……先验主义者，这些都一点也不重要吗？如果这些道路，最后都通往相同的地方呢？”

“薛，”路希尔斯叹了口气，“不要再谈哲学了。你让我的头快痛死了。”

“宗教让人聚集在一起。”我说。

“是啊，没错。追踪这个国家所有的极端议题，最后都将回溯至宗教源头。干细胞研究、伊拉克战争、死亡权利、同性恋婚姻、堕胎、进化，甚至是死刑。破绽是什么？就是你那本《圣经》。”薛耸耸肩，“你真的认为，耶稣看到世界变成今天这个模样会开心吗？”

我想到自杀式劫机的激进分子，还有关于中东的新闻镜头。“我想，上帝看到某些以他之名进行的事，会觉得非常恐怖。”我同意，“我认为某些地方的人扭曲了他的信息。因此我认为，传扬他赐给众人独生子一事非常有必要。”

薛远离牢房门口：“看看卡洛威这种人……”

“操你妈的，布尔能，”李斯大喊，“我不想成为你演讲内容的一部分。我甚至不想让你那张污秽的屁股嘴提到我的名字……”

“曾放火烧了一间圣殿的某男……”

“布尔能，你死定了，”李斯说，“死——定——了。”

“或是那些带你去浴室的监管人员，他知道自己根本无法正眼看你。因为，假如他的生命稍有不同，那么今天戴手铐的人很可能会是他。还有那些以为自己可以把不喜欢的人带离社会并关起来的狗屁政客……”

讲到这里，其他囚犯一起发出了欢呼。泰瑟斯和波基拿起晚餐盘，敲打各自的牢房铁门。对讲机里传来一位警官的声音：“里面发生了什么事？”

现在，薛站在房间前方，仿佛在向他的会众讲道，说的话完全跳脱了连贯思考，除了眼下的喝彩和掌声，和一切都没关系。

“还有那些真正的禽兽。像我这样的人已经成功被他们剔除，他们甚至都不愿意走近我们这些人的妻儿。隔离我们，杀死我们，比承认他们和我们之间其实并没有多大差别要简单多了。”

口哨和欢呼声响起。薛往后退，仿佛自己身在舞台般弯腰鞠了一躬。随后，他为了安可再度回到舞台。

“他们实在可笑。一剂皮下注射根本不够。劈开一块木头，他们会找到我；举起一块石头，他们会找到我；看看镜子，他们也会找到我。”薛毫不回避地直视我，“如果你真的想知道，是什么让一个人成为杀人犯。”他说，“问问自己，什么会让你这么做。”

我的手抓紧每次前来探望薛都会随身携带的《圣经》。薛并没有真的不抱怨或责怪任何事物。他并没有脱离现实。

脱离现实的人是我。

因为正如薛所说，尽管我不愿意这么想，但我们之间确实没有多大的不同。我们两人都是凶手。

唯一的差别在于，我造成的死亡尚未到来。

玛吉

当我去尤松邦准备和我妈共进午餐时，她忙得没看见我。“玛吉，”当我出现在她办公室门口时，她说，“你在这里做什么？”

按照惯例那正是我们的午餐时间，也是我从不想赴的午餐约会。但今天，在我的角质都被仔细修整后，我的确想离开市区透透气。自从迈可神父如旋风般来过办公室，谈论薛和琼·尼尔森之间的会面后，我就开始怀疑自己的意图。我让薛能够捐赠心脏，究竟是在实现对他最好还是对自己最好的事？如果薛在世的最后一桩行为是无私的器官捐赠，这肯定能为反死刑运动带来最好的媒体效益。然而，就算那出自受刑人的要求，但合法地催促执行处决，在道德上就没错吗？经过了三个睡不着的夜晚，我想做的只是闭上眼睛，把双手浸在温水里。想什么都好，就是不要想到薛·布尔能。

我妈穿的那件超小的奶油色裙子就像是从洋娃娃店买来的，她的头发则盘成发髻。

“今天有一位投资人要来，”她说，“记得吗？”

我记得她曾经大略提到过替尤松邦加盖房屋的计划。几位来自伍德贝瑞和纽约的有钱女士，想谈谈投资的事。

“你没跟我说是今天。”我一边说，一边整个人沉入她办公桌对面的椅子中。

“你会把椅垫压扁的。”我妈说，“而且我跟你说过。我打电话到你办公室时你正在打字。每次打去都会听到打字声，虽然你认为我听不见背景音。我跟你说，我必须把午餐延期到星期四，你同意了，还说你很忙，问我是不是真有必要打到你办公室去。”

我脸红了：“我跟你讲电话的时候，没在打字。”

好啦，我有。但那是我妈。她总是为了最荒谬的理由打电话：可不可以把光明节的晚餐排在十二月十六日星期六？但现在才三月；记不记得小学图书馆员的名字？她觉得自己刚刚在杂货店碰巧遇见了这个人。我妈打电话来的理由和书写一份摘要以拯救即将被处决的人比起来，实在太微不足道了。

“你知道，玛吉，我很清楚自己在这里做的每件事都不可能比你的重要，但是，知道你从来不会听我讲话，实在很伤人。”她气得双眼快要爆出来，嘴巴喋喋不休地咒骂，“我真不敢相信，在我要和艾莉西亚·哥德曼谈正事前，你居然跑来这里捣乱，让我伤心。”

“我不是来让你伤心的！我来这里，是因为每个月的第二个星期二，我都会来！你不能因为一通我们六个月前讲的电话来怪我！”

“一通电话。”我妈安静地说，“那好，玛吉，我很高兴知道你对我们之间的关系的看法。”

我举起双手。“我说不赢你，”我说，“希望你约会顺利。”我一说完便冲出她的办公室，经过秘书的白书桌和上面的白计算机，还有个仿佛国际象棋白子的接待小姐，走向停车位。车内的我试图告诉自己，此刻哭泣的原因和我总是有意无意让人失望的事实无关。

我找到爸爸时，他正在写安息日用的讲稿。自从成了一个没有圣殿的拉比，他便租下购物卖场的一小块空间当办公室。我一走进去，他便露出笑容，举起一根手指，恳求给他一点时间，让他完成手中的文章，也不知又是什么灵感让他奋笔疾书。我四处闲逛，手指在希伯来文和希腊文的书、《旧约》和《新约》、关于神学和哲学的书脊之间拖曳浏览。我用手掌抚弄着一块我在托儿所时为爸爸做的镇纸。那是一块画上螃蟹图案的石头，虽然现在看起来比较像变形虫。之后，我取下一张塞在塑料相框内的我婴儿时期的照片。

就算当时还小，我却有了胖乎乎的脸颊。

我爸关上笔记本电脑："我真是受宠若惊。"

我把照片放回桃木书架："你是否曾经想过，照片上的那个人和你在镜子里看到的到底是不是同一个。"

他笑了出来。"这真是一个值得深思的问题。是一生下来就这样，还是我们让自己变成这样？"他起身，走过书桌，亲吻我的脸颊，"你来是要和老爸讨论哲学吗？"

"不，我来是因为……我不知道为什么。"这是事实。我的车子不由自主地朝他办公室的方向开来。其他人会在心烦或需要意见时来找我爸，为什么我就不行？我一头倒在那张自我有记忆以来就已经属于爸爸的老旧皮沙发上。

"你认为上帝会原谅杀人凶手吗？"

我爸坐在我旁边："你的委托人不是天主教徒吗？"

"我说的是我自己。"

"呃，天啊，玛吉。我希望你早就把凶器给处理掉了。"

我叹口气："爸，我不知道该怎么做。薛·布尔能不想成为反抗极刑运动的代表人，他想死。我已经告诉自己几十遍，我们两人都能得到自己想要的，也能好好享受所得。薛可以照自己想要的方式死去，我也可以让大众注意到死刑制度，也许还能让最高法院废除它。但这些无法避免薛最后会死的事实，而我，将和最先签下许可状的州法一样负有责任。或许，我应该说服薛推翻判决，为他的生命而不是死亡奋斗。”

“我不认为他希望如此，”我爸说，“玛吉，你并不是在谋杀他。你在实现他最后的心愿，帮助他弥补以前犯下的错。”

“通过器官捐赠来弥补？”

“应该类似于‘回归上帝’。”

我瞪着他。

“喔，对，”他开玩笑道，“我忘记了你患有晚期希伯来学校健忘症。对犹太人而言，悔过与行为有关，知道自己做错了，然后决定在未来改变它。但是，‘回归上帝’有‘返还’的涵义。我们每个人体内都有上帝的一团小火花，那是真正的我们。不管你是最虔诚的犹太人，还是最恶劣的边缘人，都一样。罪行、邪恶、谋杀都会掩盖真正的自我。回归上帝，是把被掩藏的属于上帝的那个部分找回来。当人悔改时，通常会难过，懊悔自己落到了今天的下场。但是，当你谈到回归上帝，谈到再次与上帝联结，你将快乐起来，”我爸说，“甚至比先前更快乐，因为你的罪行让你与上帝分离……而距离总是能让内心变得更温柔，不是吗？”

他走向我刚放回书架的婴儿照片。“我知道薛不是犹太人，但这也许能解释他想死、想捐赠心脏的欲望。回归上帝，就是完成某个神圣的、超越身体极限的行为。”他看我一眼，“顺便一提，这也是刚才的照片问题的答案。现在的你和拍这张照片时的你，外在当然不同，但内在核心是相同的。此外，不只是和现在的你以及六个月大的你相同，也和我、你妈、薛·布尔能，还有世上所有的人相同。那是我们内在与上帝联结的部分，每个人在这点上都是同等的。”

我摇摇头：“谢了，但这并没有让我觉得好过一点。爸，我想救他，可是他——他根本不想被救。”

“赔偿，是一个人回归上帝时必须采取的步骤。”我爸说，“显然，薛在用字面涵义诠释这一点，他拿走了一个孩子的性命，因此欠那位母亲一个孩子。”

“这并不是完美的等式。”我说，“如果真要这么做，他必须把伊丽莎白·尼尔森带回来。”

我爸点点头。“自大屠杀以来，拉比们讨论这个话题很多年了。如果被害人已经死亡，他的家人是不是真的有能力原谅凶手？凶手修正过错的对象应该是被害人，但这些被害人都成了残骸灰烬。”

我坐起来，按摩太阳穴。“这真的很复杂。”

“那么，问自己，什么才是正确且该做的事。”

“我回答不出来。”

“那么，”我爸说，“也许你应该去问薛。”

我向他眨眨眼。事情就这么简单。自从上次在监狱的第一次会面后，我就再也没有见过我的委托人。先前安排恢复性司法面谈的工作也是通过电话进行的。或许我真正需要的是，找出薛·布尔能为何如此确信这是个正确的决定的原因。这样一来，我才能给自己一个解释。

我弯身给他一个拥抱：“谢了，爸。”

“我什么都没做。”

“你和奥利佛比起来，还是个比较好的谈话对象。”

“千万别跟兔子说，”他说，“要不然，它下次会用两倍大的力量挠我，就像之前一样。”

我起身朝门口走去。“我晚点再打电话给你。喔，对了，”我说，“妈妈又在生我的气。”

当薛·布尔能再度被带来与我会面时，我正坐在律师和委托人的会谈室刺眼的荧光灯下。他退至活门后方，让手铐解开，然后坐在桌子另一端。我这才发现他的手很小，也许比我的手还小。

“还好吗？”他问。

“还好。你好吗？”

“不是，我是指诉讼。我的心脏。”

“呃，先等你明天和琼·尼尔森谈完之后再说。”我迟疑了一下，“薛，身为你的律师，我需要问你一个问题。”我一直等到他正视我的双眼，“你真的相信，死亡是唯一能补偿先前罪过的方式？”

“我只是想给她我的心脏。”

“我知道。但为了这点，你等于同意了处决自己。”

他虚弱地微笑：“我以为，我的票在这里并不算数。”

“我想你明白我的意思。”我说，“薛，你的案子可以为极刑这个议题带来警示，但你将成为牺牲的羔羊。”

他突然抬起头：“你以为我是谁？”

我迟疑片刻，不太确定他这么问的意思。

“你也相信其他人信的那套吗？”他问，“或者，你相信路希尔斯？你认为我能行使奇迹吗？”

“我不相信任何没有亲眼目睹的事。”我斩钉截铁地说。

“大多数人只想相信其他人对他们说的。”薛说。

他说得没错。这正是我会在爸爸的办公室精神崩溃的原因。即使我认为自己是不折不扣的无神论者，然而，偶尔想到这世界也许真的没有神来看顾我们，难免让人感到恐慌。这正是为何一个像美国这样进步开明的国家，直到今天仍有死刑存在。只要想到假如我们没有掌控好一切，所谓的正义将赢得什么，就足以叫人恐慌。事实总让人感到安慰和舒适，以至于大家会停止质疑这些事实究竟从何而来。

我想搞清楚薛·布尔能究竟是何人，是否只是为了自己？也许。我并不吃他是上帝儿子那一套，但如果这能为他带来媒体的关注，那我认为，在鼓励人们继续朝这方面想的工作上，他的确表现称职。“薛，如果你能让琼通过这次会面原谅你，那么也许你无须舍弃你的心脏。再度和她有所联系，会让你好过一点，我们还能请她去和州长说明你的行为，让你减刑为无期徒刑。”

“如果你这么做，”薛打断我，“我会自杀。”

我下巴都要掉下来了：“为什么？”

“因为，”他说，“我必须离开这里。”

刚开始，我以为他讲的是监狱，但随后我看见他紧紧抓着自己的手臂，仿佛这“监狱”正是他自己的身体。这一点又让我想到我爸和“回归上帝”。让他以自己希望的方式死去，真的是在帮他吗？

“我们一步一步来，”我让步了，“如果你可以让琼·尼尔森明白你想这么做的原因，我就尽力让法庭也能了解。”

薛突然迷失在了自己的思绪中。“薛，明天见。”我一边说，一边碰碰他的肩膀，让他知道我准备离开。就在我伸出手臂的那一瞬间，我发现自己整个人倒在了地上。薛俯身看着我，为自己刚刚给我的那一拳惊吓不已。

一位警官冲进来将薛制服在地，用膝盖抵住他的肩膀，再把他双手铐起来。“你没事吧？”他朝我喊。

“我没事……我只是滑了一跤。”我说谎道。我可以感觉到左颊颧骨处肿了起来，警官一定看得一清二楚。我吞下卡在喉咙的恐惧感。“你可不可以再多给我们几分钟？”

我没有要求警官解开薛的手铐，我没那么勇敢。但我努力站了起来，直到房间再度剩下我们两人。“对不起，”薛脱口而出，“我很抱歉，我不是故意的，我有时候，当你……”

“薛，”我命令，“坐下。”

“我真的不是故意的。我没有看到你过来。我以为你在……你会……”他嘶哑的嗓音突然凝滞，“对不起。”

我才是那个犯错的人。一位被单独囚禁超过十年的人，唯一存在的身体接触就是戴上和解开手铐。对于这个小小的亲密举动，薛很可能完全没有心理准备。他也许会以为，那是一种威胁私人领域的举动，这正是我跌倒在地的原因。

“不会再发生了？”我说。

他猛烈摇头：“不会。”

“明天见，薛。”

“你在生我的气吗？”

“没有。”

“你有。我看得出来。”

“我没有。”我说。

“那你可不可以帮我一件事？”

其他曾经帮助受刑人打官司的律师警告过我，说囚犯会榨干你的血，求你给他们邮票、金钱、食物，请你代表他们打电话给家人。他们是终极的诈骗艺术家，无论你多同情他们，你都要提醒自己，他们会拿走所有能拿走的，因为他们一无所有。

“下次你可以告诉我光脚走在草地上是什么感觉吗？”他问，“我以前知道，但现在不记得了。”他摇摇头，“我只是想……我只是想再知道那是什么感觉。”

我把笔记本夹在手臂下。“薛，明天见。”我重复道，接着朝警官打打手势。

迈可

薛·布尔能在牢房里走来走去，每走十五步就会一转脚跟，朝反方向走。“薛，”我试图让他镇定，也让自己镇定，“会很顺利的。”

我们等待警官前来，带他去和琼·尼尔森进行恢复性司法会谈，两人都很紧张。

“跟我说话。”薛说。

“好，”我说，“你想聊什么？”

“我该说什么。她会说什么……我知道，我一定讲不好。”他抬头看我，“我一定会搞砸。”

“薛，说你需要说的就好。这对每个人都很困难。”

“当你知道跟你讲话的人把你当成人渣，情况只会更糟。”

“耶稣会帮忙。”我指出，“而且，这不像他出席尼尼微城的星期二祝酒大会那样。”我打开《圣经》，翻到《以赛亚书》，“主耶和华的灵在我身上，因为耶和华吩咐我，叫我传好信息……”

“可不可以就这么一次不用讨论《圣经》？”薛嘟哝着。

“这只是个例子，”我说，“耶稣说，当他回到小时候长大的地方的犹太会堂时，全体会众有一大堆问题。以前那些人和他一起长大，认识行神迹前的他。在人们开始起疑前，他该怎么做？他给予大家期待听到的那个词。他给了他们希望。”我看着薛，“那正是你需要对琼说的。”

这时，I层的门打开，六位身穿防弹衣、脸部佩戴面罩的警官入内。“等到仲裁人叫你开口时再说话。请确实地告诉她，为什么这对你而言如此重要。”我给他最后一分钟的进攻指挥。

这时候，第一位警官来到牢房门口。“神父，”他说，“我们必须请你在楼下与我们会合。”

我看着他们把薛带出I层。用你的心说话，我看着他离开时心想。这样，她就会知道这值得接受。

有人告知过我，薛将被如何安置。他的双手和脚踝都会被铐起来，这两处铐链会和腰部的铁链连在一起。他必须在众警官包围成的人体盒子中缓慢前行，被带到现在改装成犯罪者辅导处的自助餐厅。典狱长先前解释过，当他们替重大刑犯进行团体辅导时，会先搬来几个大型金属盒，囚犯会被带进这些迷你牢房，辅导员则坐在自助餐厅的椅子上与他们对谈。“这是团体治疗，”科因典狱长自豪地解释，“不过，他们依然被监禁。”

玛吉游说过，希望能采取面对面会谈，失败后，她希望能够采用以透明亭相隔的方式。但我们人数过多，还得把仲裁人和琼也算进去。虽然我曾经见过一共十人的家庭全部塞进一间这种阻断肢体接触的透明亭探望一位囚犯。尽管我和玛吉一样认为，我们没有在一开始就获得优势，但比起其中一位参与者如同沉默的羔羊般被五花大绑后拴在木板上动弹不得，现在这样其实挺不错了。

仲裁人是位女性，叫艾比盖尔·亨瑞克，由受害人援助师的办公室派遣，对处理这类场合游刃有余。她和琼正在休息室一端默默谈话。我入内后，马上往琼的方向走去：“谢谢。这对薛意义重大。”

“我决定前来，并不是为了他。”说完，琼立刻转向艾比盖尔。

我鬼鬼祟祟地走过房间，坐在玛吉旁边。她正用粉红指甲油在长袜上画线。

“我们麻烦大了。”我说。

“是吗？他还好吗？”

“他吓坏了。”她抬起头，我借着朦胧的光线瞥了她一眼，“这淤青，你怎么弄的？”

“我在业余时间练习拳击，是新罕布什尔州的轻中量级冠军。”

门口传出嗡嗡声，科因典狱长入内：“一切准备就绪。”

他领我们穿过金属探测器，前往自助餐厅。玛吉和我早已清空口袋，脱下夹克。琼和艾比盖尔意识到，这是时常进出拘留所、和囚犯有关系的人，和一位拥有正常生活的人之间的不同。一位全身着防暴服的警官为琼打开一扇门。琼一面往里走，一面惊恐地盯着他。

薛坐着的地方看起来像一间电话亭，外面用螺母、门闩和金属扣钉得密不透风。我走进房间，薛的眼神正焦急地寻找我，一看见我们便马上站了起来。

这一瞬间，琼整个人动弹不得。

艾比盖尔拉着她的手臂，领她坐在透明亭前方排成半圆形的四张椅子上。玛吉和我补上剩下的两个座位，后方则站着两位警官。隔着一段距离，我能听见某处正在烧烤的滋滋声。

“好，我们开始吧。”艾比盖尔说，然后作自我介绍，“薛，我是艾比盖尔·亨瑞克，是今天的仲裁人。你明白这代表什么吗？”

他迟疑了片刻，看起来快昏厥了。

“被害人-犯人调解计划，是被害人在安全保护下和犯人面对面的机会。”艾比盖尔解释道，“被害人可以告知犯人，此桩罪行带来的生理、心理和金钱伤害，也有机会解开罪行之后无法解答的疑惑，并试图直接与犯人达成补偿罪过的方案——心理或金钱方面。犯人也能针对自身行为获得负起责任的机会。在场的人是否都理解？”

我开始思考，为什么这种模式没有应用在所有的案件里？就算这对检察总长和监狱来说将是非常繁重的工作，但是，让相对立场的两方面对面会谈，不是比让法律系统作为媒介要好得多吗？

“这个过程完全自愿。如果琼想离开，她可以随时离开。不过，”艾比盖尔补充，“今天的会面是由薛主动提出的，这是非常好的第一步。”

她看看我、玛吉，然后看向琼，最后是薛。“现在，薛，”艾比盖尔说，“你得先听听琼怎么说。”

琼

他们说，你会从痛苦中复原，但永远不可能真正走出阴影。事情已经过去了十一年，然而，痛苦就像事发的第一天时那样剧烈。

他的脸仿佛某幅毕加索的画像，被金属条分割成碎片，无法再连为一体。我看着这张脸，一切都回来了。他那该死的脸，正是寇克和伊丽莎白最后看见的脸。

事件刚过时，我习惯和自己商量。我告诉自己，我能接受他们的死，只要他们死得迅速，没有痛苦。只要伊丽莎白死在寇克怀里。开车时我打赌，如果到达路口前变成绿灯，那这些细节肯定都是真的。我无法否认自己有时候会放慢速度，以增加获胜的可能性。

最初的几个月，我勉强自己起床的唯一理由，是有人比我更需要被照顾。身为新生儿的克莱尔没有任何选择。她需要有人喂奶，有人换尿布，有人抱她哄她。她让我紧紧抓住当下，对过去的依恋放手。我一直认为她救了我一命，也许那正是我坚持要救她的原因。

然而，即使我有克莱尔要照顾，遗忘也不是件简单的事。任何微小的状况都能让我沮丧：为她的生日蛋糕插上七根蜡烛时，我会想到，伊丽莎白应该十四岁了。我会在车库打开一个装着寇克爱抽的迷你雪茄的小盒子，拼命嗅闻那熟悉的味道。我会打开一小瓶凡士林，凝望伊丽莎白遗留在表面的小巧手印。我取下书架上的一本书，一张寇克手写的购物清单会飘落跟着下来：图钉、牛奶、岩盐。

我想告诉薛·布尔能，这桩罪行带给我的冲击是，他摧毁了我某一时期的家庭生活。我想把他带回克莱尔四岁的时候，看她站在楼梯上盯着一张伊丽莎白的照片，问我这个跟她长得很像的女孩住在哪里。我想让他知道，把手伸进自己睡衣触碰下体，却完全没有任何感觉的滋味是什么。

我想让他看看，那间他所盖的房间，那是克莱尔以前的育婴室，地板仍留有那块怎么擦也去不掉的血迹。我想告诉他，就算几年前我把那间房间铺上地毯并改成客房，但只要一入内，我根本不敢大步行走，只敢用脚尖，偷偷地走过周围。

我想让他看看每次克莱尔进医院后寄来的账单，这项花费很快就把寇克死后我们收到的保险费全部用光。我想让他跟我去一趟银行，看着我丧气地站在柜员面前，告诉她我想解冻伊丽莎白·尼尔森的大学基金。

我想再度感受伊丽莎白坐在我的大腿上。当我念故事给她听，她会软绵绵地睡在我怀中。我想听寇克再叫我一次“红发姑娘”，当我们晚上在卧房看电视时，他会把手指埋进我的头发里。我好想再捡一次伊丽莎白到处乱丢的臭袜子，虽然我曾经因此向她发过小小的脾气。我也想像过去那样，和寇克为了信用卡账单的金额吵架。

如果他们必须死，我希望有人提前告知，这样我可以紧紧抓住每一秒和他们共处的时间，而不是想当然认为还会有无限共处的时间。我希望当时自己在场，这样，他们最后看见的会是我的脸，而不是他的。

我想让薛·布尔能下地狱。无论他死后会去哪里，都不要是靠近我丈夫和女儿的地方。

迈可

“为什么？”琼·尼尔森问。她的声音嘶哑悲伤，大腿上的双手交缠紧扭。“为什么你要那么做？”她抬起双眼注视薛，“我让你进我家，给你一份工作。我信任你，你却拿走了我的全部。”

薛的嘴无声抽动着。他在透明亭内动来动去，有时还会用额头撞墙。他的双眼惊惶不定，好像在尽全力组织想说的话。

“我可以补偿这一切。”他最后说。

“你做什么都没有用。”她斩钉截铁地说。

“你另一个小女儿……”

琼的态度变得强硬：“不准你谈她，别喊她的名字。只要告诉我实话。我等这个答案等了十一年。告诉我你为什么那么做。”

他用力闭上眼睛，眉间突然渗出汗珠。他正在低喃，仿佛在说服自己或者琼的小小哀求。我身体前倾，厨房的噪音却抹去了他的话。烤架上烘烤的食物被移开，我们全部都听见了薛沉重清晰的声音：“她最好死了算了。”

琼整个人弹起来。她的脸极度苍白，我怕她随时会晕倒，所以站起来以防万一。她的双颊充盈着炽热的鲜血。“你这混账。”她说完之后，便往外跑。

玛吉用力拉拉我的夹克。“去。”她说。

我尾随琼，经过两位警官，穿过休息室。她闯过双重大门，直接进入停车场，都来不及前往控制室用访客证换回驾照。我想，她宁可跑一趟，付钱申请一张新驾照，也不愿再踏入监狱一步。

“琼！”我喊，“拜托，等一下！”

我总算把她逼到车子的一角，那是一辆老旧的福特车，排气管围绕在后方的保险杠上。她哭得相当厉害，手抖到连钥匙都插不进去。

“让我来。”我打开门，扶着门让她坐下，但她不肯，“琼，我很抱歉……”

“他怎么能那么说？她只是个小女孩。一个美丽、聪明、完美的小女孩。”

我紧紧抱住她，让她在我肩头哭泣。晚些时候，她一定会后悔这么做，一定会觉得是我操控了局势。但现在我抱着她，直到她能自行呼吸为止。

赎罪往往只对犯罪者有意义。耶稣也许会原谅薛，但如果薛不能原谅自己，那又有何意义呢？就是这股冲动，让他想捐出自己的心脏，也正是这股冲动，让我想帮助他，因为这能撤销我先前投下的死刑赞成票。我们无法抹去自身的过错，便试图做一件好事，再用其他行为来让他人不去注意到这一点。

“我希望能认识你死去的女儿。”我温柔地说。

琼推开我。“我也希望你认识她。”

“我并不希望你再次受到伤害。薛真心想赎罪。他明白自己唯一能做的一件好事，会随着他的死亡而实现。”我看着沿监狱围墙安置的高压电线，仿佛一位想成为拯救者的男人头上的荆棘王冠，“他曾经夺走你的家人，”我说，“如果没什么其他的问题，至少，让他帮你留住克莱尔。”

琼钻入车中。她手忙脚乱地倒车，依然泪流满面。我看见她的车停在监狱出口，警示灯于原地闪烁不已。

突然，刹车灯亮起，车子加速往后倒车，在距离我只有几英寸的地方停下来。她摇下驾驶座的车窗。“我接受他的心脏，”琼混浊的声音说，“我会接受它，然后，我要看着那畜生被处死。我们之间永远都不可能扯平。”

我惊吓地说不出任何话，只是不住地点头。我看着琼驾车离开，闪烁的后灯就像恶魔的眼睛一样火红。

玛吉

当我看见迈可神父一脸茫然地走回监狱时，低语道："一切都完蛋了。"

他一听见我的声音，便抬起头来说："她愿意接受心脏。"

我的嘴张得很大："你开玩笑？"

"没有。虽然基于所有错误的理由……但她总算接受了。"

我简直不敢相信。随着恢复性司法会谈的瓦解，我反而比较能接受她冲出去买一把UZI冲锋枪，亲自向薛·布尔能讨回公道。我的脑袋开始上发条，高速运转。无论理由为何，如果琼·尼尔森想要薛的心脏，那么接下来，我该办的事情就多了。

"我需要你写一份证明书，说明你是薛的精神辅导员，并谈及他的信仰理念，包括捐赠自己的心脏。"

他深呼吸，说道："玛吉，我没法在任何有关薛的上呈文件中签名……"

"你当然可以，只要说谎就好，"我说，"之后再去忏悔。你不是为了自己才这么做，而是为了薛。另外，我们还需要一位心脏外科医生来替薛检查，看看他的心脏是否适合克莱尔。"

教士闭上眼，点点头："需要我去通知他吗？"

"不，"我微笑着说，"让我来。"

我稍微绕过一段路，再度走过金属探测器，被带往I层外律师和委托人见面的那个房间。几分钟后，一个喃喃抱怨的警官和薛一同现身："他再继续像这样到处跑的话，本州得替他雇用一位司机。"

我的大拇指与食指互相搓揉，仿佛在拉世上最精巧的小提琴。

薛的双手扫过头发，最后撑着头部，身上的监狱汗衫往两旁敞开。"对不起。"他立刻说道。

"我不是那个应该接受你道歉的人。"我回答。

"我知道。"他摇摇头，眯起眼睛，"十一年以来的千言万语都在脑海中，而我却无法用自己想要的方式表达出来。"

"神奇的是，琼·尼尔森愿意接受你想捐给克莱尔的心脏。"

在我的职业生涯中，曾几次将改变委托人一生的信息传达给他们。一桩仇恨犯罪的被害人，整间店被人毁坏殆尽，最后得到一笔赔偿金，让他能在更好的地点盖更大的店面；同性恋伴侣得到法律认可，能以家长身份列入小学名册。薛的脸上绽放出一丝微笑，而我在那一刻想起，"福音"也是"好消息"的另一种说法。

"这件事还不算大功告成，"我说，"我们还不知道医学上可行与否。而且，我们还有一连串火圈要跳……这就是我现在需要和你谈的，薛。"

我一直等到他坐在桌子另一头，停止咧嘴痴笑，冷静直视我为止。以前，我也曾和委托人进行到这个步骤。我为他们画一张地图，向他们解释逃生门的位置，等着看他们是否明白，然后让他们自行爬向逃生门。这是合法的，并非让他们篡改事情真相，只是向他们解释法院如何运作，并希望他们自行拿捏好分寸。"听清楚，"我说，"这个国家有一条法律规定，只要你的宗教信仰不和监狱安全冲突，那么，每个州都有义务让你行使自身的宗教权利。新罕布什尔州有一条法律说，就算法院判处你以毒药注射处决，捐赠心脏无法执行，然而在某些情况下，处决方式也可以用绞刑替代。如果你是被吊死的，那你就能捐赠器官。”

这对他来说，是一连串短时间难以接受的庞大信息，我能看见他在努力消化这些字句，仿佛一只鸡被机器填满饲料似的。

“也许我能说服本州改用绞刑。”我说，“如果我能在联邦法庭上说服一位法官，让他相信捐赠器官对你而言属于宗教信仰的一部分。你懂我说了什么吗？”

他退缩了：“我不喜欢当天主教徒。”

“你并不需要说自己是天主教徒。”

“你去跟迈可神父说。”

“乐意之至。”我笑出来。

“那么我该说什么？”

“薛，监狱外有一大群人茫目地相信，你在这里做的事全部出自宗教信仰。我需要你也这么相信。如果这行得通，你就必须告诉我，捐赠器官是唯一让你得到救赎的方式。”

他起身开始走路：“我拯救自己的方法也许和他人不同。”

“不要紧。”我说，“法庭并不在意其他人。他们只想知道，你是否认为把自己的心脏捐给克莱尔·尼尔森，就能让你在上帝的眼中赎回自己。”

当他停在我前方与我四目交会时，我看见某样使我讶异的东西。我忙着为薛·布尔能精心策划一条逃脱路径，以至于有时会忘记本案骇人听闻的事实。

“我不这么认为，”他说，“我就是知道。”

“那就这么办。”我双手滑入套装口袋，突然间想起，还有一件事要告诉薛，“刺刺的，”我说，“就像走在插满针的木板上，却一点都不痛。闻起来的味道，就像星期日早晨，你试图假装太阳尚未升起，窗外的割草机却提醒了你。”

就在我说话的当下，薛闭上双眼：“我想我记得。”

“那么，”我说，“为了避免你忘记。”我拿出一把在监狱外拔的野草，把其中一丛铺在地上。

一抹笑容在薛的脸上绽开。他踢掉脚上的监狱网球鞋，开始赤足在野草上方前前后后踩来踩去。他俯身收集这些东西，塞进监狱服胸前的口袋，靠着此刻依旧砰砰跳动的心脏。

“我会把它们救活。”他说。

第三章

琼

每件事都有代价。

你能拥有梦想中的男人，但只有数年。

你能拥有完美的家庭，但到最后，只是幻梦一场。

你能让自己的女儿活下去，只要愿意收留这世上你最痛恨的男人的心脏。

我没办法从监狱直接回家。我颤抖得厉害，一开始根本无法开车，之后还两次错过高速公路的出口。我出席这场会谈，是为了告诉薛·布尔能，我们不会接受他的心脏。可我为何会改变主意？也许因为我在生气；或者薛·布尔能的那句话让我极度震惊；也有可能因为，如果我们继续等全美移植器官共享网络为克莱尔找到一颗心脏，已经太迟了。

再说，我告诉自己，这件事还没定案。现在还不知道薛的心脏是否适合克莱尔。对儿童的身体而言，他的心脏可能太大，搞不好还有危害性疾病或长期使用药物的隐患，使他不能成为器官捐赠人。

然而，另一部分的我仍然不停思考：如果可以呢？

我能怀抱希望吗？如果这个希望再度被薛·布尔能粉碎，我承受得了吗？

当我觉得自己够冷静，能开车回家面对克莱尔时，已经很晚了。

虽然我请过一位邻居，整个下午和晚上的每小时都来看克莱尔一次，但克莱尔拒绝请一位正式的保姆。很快，她在沙发上睡着，狗蜷缩在她脚边。我一走进去，唐德力立刻就抬起了头，真是一位可敬的哨兵！可伊丽莎白身陷危机时，你在哪里？当我搓揉唐德力的耳朵时，不止一次这么想。凶杀事件过后的几天，我抱着狗，紧盯着它的双眼，假装它能给予我绝望中需要的答案。

我把喋喋不休的电视关掉，坐在克莱尔身边。如果她接受薛·布尔能的心脏，那么，当我看着自己的女儿时，会不会发现他也正盯着我？

我能克服这一点吗？

如果不能的话……克莱尔可以吗？

我躺在沙发上的克莱尔身边。她熟睡着，靠着我缩成一团，就像一块回归原位的拼图。我亲吻女儿的额头，不自觉地发现，她正轻微发烧。这正是我和克莱尔现在的生活，一场等待的游戏。就像薛·布尔能坐在牢房里等死，因为克莱尔的体能限制，我们只能静静地坐着，等候她重生。

所以，不要批判我，除非你也曾和你病重的孩子一起在沙发上睡着，心想，今晚会不会就是她最后一晚。

请反问自己：你会怎么做？

如果能够救活你所爱的人，你愿不愿意抛下对痛恨之人的复仇？

如果让你的梦想成真，同时也意味着成全敌人的遗愿，那你愿不愿意？

玛吉

我在学校里一直都是那种凡事要求尽善尽美的孩子。我总是再三确认作业格式是否正确，这样整份作业才不会看起来破破烂烂的。我会精心制作封面——评论《双城记》的作业封面是一张小巧的平面剪纸；关于棱镜的科学实验报告，则采用了一道颠倒的彩虹；一封深红色的信给……呃，你大概猜得出来。

准备一封给惩治理事长的信和相关文件，多少会让我想起学生时代。文件包含诸多部分：一份薛·布尔能证明自己想把心脏捐予受害人妹妹的书信副本；一份克莱尔·尼尔森的心脏外科医生的证明书，陈述病人确实需要一颗心脏才能存活。我打电话替薛安排了一次体检，看看他的心脏是否适合克莱尔，然后又花了一个小时，和全美移植器官共享网络的协调人通话，确认薛作为捐赠者能自行挑选受赠人。我用一个发亮的银色活页夹，把这些文件夹在一起，再回到计算机前，继续撰写那封呈给林奇理事长的信。

被告的精神辅导员迈可·怀特神父的信里清楚地写着，以毒药注射处决不只会妨碍被告将心脏赠与克莱尔·尼尔森——这也和他的宗教行使权相互冲突，侵犯了他拥有的合众国宪法修正案第一条的权利。根据新罕布什尔州刑法第六百三十节第五条第十四章，以毒药注射方式行使的处决，将被负责行刑的理事长视为不切实际。以绞刑取代，不但合乎刑法条例，也得以让被告在处决的最后一刻，充分行使自身的宗教权。

我可以想象，当理事长读到这里，发现我正设法把两条不相关的法律拼凑在一起，意识到自己接下来几个星期的日子肯定很难过时，下巴绝对会整个掉下来。

我相信政府机关很乐意与惩治理事长合作，促进接下来的工作，例如捐赠前的医学健康及身体组织契合度检查。对时间问题的考量，也将是器官摘除流程的必要因素。

更不用说——我并不相信你。

为此诸多明显的原因，这桩案件必须迅速处理。

我们已经没多少时间来解决这些细节了。因为，不管是薛·布尔能还是克莱尔·尼尔森，都没剩多少时间了，没错。

诚挚地敬上

辩护律师，玛吉·布鲁

我把信打印出来，塞进早已誊好地址的马尼拉纸信封。我封装信封时，内心暗想：请让我们成功。

我在跟谁说话？我并不相信上帝。早就不相信了。

我是一位无神论者。

而内心某一部分的我，希望自己是错的。

路希尔斯

如果有人和我交换生活，待在牢房里，他们肯定以为自己知道自己最想念什么。食物、新鲜空气、最爱的那条牛仔裤、性，这些我都曾听闻，但都大错特错。一个人在监狱里最想念的，是选择。这里没有自由意志，发型永远剪得和别人一样，餐点准备什么就吃什么，还要等别人指示什么时候可以洗澡、上厕所、刮胡子。连我们的对话也没有选择。真实世界中有人不小心撞你一下，会说“对不起”，这里如果有人不小心撞到你，你要在对方开口之前说“干什么，他妈的”。如果你不这么做，马上就会成为众矢之的。

今天我们没有选择，原因是我们在过去做了一个错误的选择。这正是在薛尝试按照自己的意愿死亡之时，大家都大受鼓舞的原因。虽然仍将被处决，但渺小的选择权却比日常准则来得重要。我可以想象，如果能选择橘色或黄色的狱服，或者在餐盘附一支金属汤匙或叉子，而不是通用的塑料制品，那我的世界将会有多大变化。然而，当我们对这件事成功的可能，呃，可能性……变得越来越兴奋激昂时，薛却反而变得越来越沮丧。

“也许，”某天下午空调故障，牢房里的每个人几乎都快被蒸干时，他对我说，“我应该让他们爱怎么做就怎么做。”

警官打开通往运动场的门作为对我们的怜悯。打开的门理应带来一阵微风，但空气依然沉闷。

“你为什么这么说？”

“因为我觉得，自己好像在宣战。”薛说。

“那么，你想象一下。”盖许笑出来，“这段时间以来，我一直在这里练习射击。”

今天下午，盖许为自己注射了抗过敏药。这里的很多囚犯都能自制皮下注射器，使用几次后，可以借由摩擦火柴盒再度变得锋利。抗过敏药是由监狱护士分发的，可以累积起来备用。打开一颗胶囊，把药粉倒在小汤匙内，再用一个空可乐罐加热，直到药粉溶化。药效迅速，连药粉中的缓释成分都足以叫人疯狂。

“你说什么，弥赛亚先生……要不要来一点？”

“他肯定不想要。”我回答。

“他并不是在跟你说话。”薛说完，又对盖许说，“给我。”

盖许大笑：“看样子，你并不如自己想象中了解他，同性恋。不是吗，死囚？”

盖许没有任何道德准则。当他有个人需要时，就会和白人监狱帮会同一阵线。他高谈恐怖袭击，看到电视里九一一事件世贸大楼崩塌的画面，他会大声欢呼。他有一张受害者名单，等哪天出狱时会派上用场。他希望自己的孩子长大后变成混混、毒犯或妓女，还说，如果孩子走上正途，他会大失所望。我听过他叙述如何教育自己三岁大的女儿。他让她去学校揍其他小孩，这会令他骄傲，在她没办到之前，不要再来看他。我看着他把皮下注射器传给薛，东西简洁地包在一颗内部被拆除的电池里，针筒内准备好了溶化的抗过敏药，随时可以注射。薛把针筒置于手肘凹陷处，大拇指准备注射药剂。

这时，珍贵的毒品喷洒在了走廊地板上。

“你搞什么！”盖许发飙，“东西还我。”

“你没听说过吗？我是耶稣，我应该拯救你。”薛说。

“我不想被拯救，”盖许大吼，“把我的东西还我！”

“自己过来拿，”薛说着，把注射器放在门下，和走廊呈直角，“嘿，警官，”他大喊，“看看盖许做了什么。”

监管人员入内，没收了皮下注射器，还给盖许一张包括关禁闭惩罚的字条。盖许气得用双手用力敲铁门：“我发誓，布尔能，在你意想不到的时候……”

从天井传来的科因典狱长的声音打断了他。“我刚买了一张处决用轮床。”典狱长大喊，正和一个我们看不见的人说话，“现在要拿来干什么？”当他一停止，我们全都注意到某件事——或是注意到，缺了某件事。数月以来，外面一直不断传来敲打和锯子的声音，那是监狱在为薛的死刑盖处决房。突然间，一片寂静。我们能听见的，只是一片幸福而简单的宁静。

“你马上就要死了。”盖许撂下最后一句话。而现在，我们开始怀疑这会不会成真。

迈可

埃布尔加特·琼斯图斯教士在密歇根州汉德拿区一处名为“上帝基督”的露天免下车教会讲道。星期天早上，他的会众会驾车前来。一张印着当天经文的蓝色传单提醒大家打开收音机一六二〇频道，收听牧师讲道。他把以前露天电影院的点心部作为传教讲堂。我把这当作笑柄，然而他的会众有六百人之多，让我不得不相信，这世界上有足够多的人，希望把自己需要祈祷的事项夹在挡风玻璃板下，让别人来收取并代为祈祷，并和玩轮滑的祭坛女孩恳谈。

我猜，这就类似电影以大屏幕转战小屏幕，并不会令人难以接受。琼斯图斯牧师还经营一家福音电视台，是一个称为“拯救我们的灵魂”的当地频道。我曾经在转台时看到几次。他的节目让我着迷的程度不亚于探索频道的大鲨鱼周——我会保持一段美好的安全距离，带着好奇心去学习更多。电视上的琼斯图斯画了眼线，身穿一系列糖果色的鲜艳服装。高唱赞美诗歌时，他太太在一旁拉手风琴。这一切看来与大家平常对信仰的印象——安静沉着、不铺张、不戏剧化——完全相反，充满讽刺意味，也是使我立刻转台的原因。

某天，我去探望薛，车子堵在前往监狱的车阵中。一张张明亮干净的东西方脸孔在车与车之间忙忙碌碌。他们身穿绿色上衣，后背印着雪佛兰敞篷车的图案，上面潦草地写着琼斯图斯教堂的名称。一个女孩走过来，我摇下车窗。“上帝保佑你！”她一边说，一边递给我一张黄色纸片。

纸片上有一张耶稣的照片，双臂伸开，手心朝上，飘浮在汽车侧边的椭圆后视镜上方。

标题：镜中的事物，比看起来还近。

下方则写着：薛·布尔能是披着羊皮的狼？别让一位假先知带领你误入歧途！

车阵总算缓慢向前推进，我转向停车场。这里人山人海，我得把车停在草坪上。一大批群众等待着薛，媒体的报道都没白费。

不过，我往监狱方向行驶时方才明白，这时候，大批群众的注意力，并不在薛身上，而是在一位身穿青绿色三件套西装、戴着教士领圈的男人身上。当我走得够近，能够看见他脸上的妆容和眼线时，马上明白埃布尔加特·琼斯图斯教士现已移驾来到媒体国度，选择监狱作为他的第一步。“奇迹根本不代表什么，”琼斯图斯宣称，“世界充满了假先知。《启示录》告诉我们，有一头巨兽用奇迹迷惑人们，使人们崇拜它。你们知道这只巨兽在最后审判时的下场吗？它和那些被迷惑的人全被丢进了火焰之湖。这就是你们想要的吗？”

一位站在群众边缘的女人往前跪倒。“不，”她啜泣，“我想和上帝一起走。”

“姐妹，耶稣能听见你。”琼斯图斯教士说，“因为他就在这里，与我们同在。他不是那位在监狱里的假先知薛·布尔能！”

改变立场的人们顿时发出吆喝。吆喝声很快又夹杂了不准备放弃薛的人们的声音。

“我们怎么知道你不是假先知？”一个年轻人喊道。

我身边的一位母亲把怀中生病的儿子抱得更紧。她看见我的领圈，不悦地皱眉："你和他一道的？"

"不，"我说，"绝对不是。"

她点头："我不会听一个教会里有饮食贩卖处的男人的意见。"

我表示同意。但很快，一个身强体壮的男人让我分心了。他把教士从临时讲台上拉下来，拖入人群。

摄影机转个不停。

我并没有想自己在做什么。我奋力往前挤，把埃布尔加特·琼斯图斯教士从暴民的魔掌中救了出来，仿佛自己在演电影似的。他气喘吁吁地抓住我的臂膀，我则拖着他来到围绕停车场边缘的花岗岩花台。

现在回想起来，我真的不知道自己为什么要逞英雄，为什么之后又说了那些话。从哲学的角度来看，就算布道的风格大不相同，琼斯图斯教士和我还是属于同一阵营。但我也知道，薛正试图履行一件值得夸赞的事，不应被人如此诽谤。

我也许并不信仰薛，但我信任他。

我感到电视台摄影机的广角镜头正转向我，后面还跟着一堆群众。"我相信琼斯图斯教士来到这里，是为了告诉大家事实。薛·布尔能也是。他想在离开这个世界之前做一件事——拯救一个孩子的性命。我想，我认识的耶稣会为他作证。而且，"我一边说，一边转向教士，"我认识的耶稣，不会随便把试图补偿罪过的人送进火焰地域。我认识的耶稣，相信第二次机会。"

琼斯图斯教士似乎以为我把他从暴民手中救出来只是为了让他更难堪。他面红耳赤。"上帝有真言，"他用在摄影机前说话的嗓音说道，"而薛·布尔能并未说出真言。"

针对这点，我的确无从辩驳。在所有我与薛度过的时间里，他从未引用过《新约圣经》，更不常常起誓，还常常迸出反叛政府的言论。“你说得在理，”我说，“他正尝试做一件没人做过的事。他对现状提出质询和疑问，并试图提出一种更好的方法，愿意为了实现它而死。”我扬起一边的眉毛，“你们想想吧，耶稣和一位如同薛·布尔能的男人是有着诸多共同点的。”

我点头走下花岗岩花台，从群众之中开出一条路，朝着安全警卫室走去，一位监管人员让我通过。“神父，”他边说边摇头，“你不知道自己刚刚踏入了一串多么大的‘你知道吗’的麻烦。”这一瞬间，我的手机仿佛实时证据一般响起，华尔特神父愤怒地要我立刻回圣凯瑟琳教堂。

我坐在教堂的第一排座椅上，华尔特神父在前方来回踱步。

“如果我把这一切都归为圣灵感动呢？”我刚开口提议，马上就接收到对方咄咄逼人的眼神。

“我不明白，”华尔特神父说，“你为什么会在电视直播里说出那样的话，看在上帝的份上……”

“我不是故意……”

“你不知道那会让人们对圣凯瑟琳教堂的热度减退吗？”他沮丧地坐在我旁边，头向后靠，仿佛在向上方的耶稣受难像祈祷，“迈可，老实说，你到底在想什么？”他温和地说，“你是一个年轻、英俊、聪明、正直的青年。你可以在教廷留名，拥有自己的教区，在罗马服事，得到所有你想要的。可我却收到一份来自检察总长办公室的证明书副本，指出薛·布尔能的精神辅导员，也就是你，相信通过器官捐赠可以得到救赎？然后我打开午间新闻，看见你在街头演说，听起来就像……就像……”

“什么？”

他摇摇头，简洁地称我为异教徒。

“你读过德尔图良的著作。”他说。

我们在神学院里都读过。他是一位正统的基督教历史学家，其著作《反异端的法规》是之后《尼西亚信经》的先驱。德尔图良创造了信仰准则概念，取基督的所有教导为准则，之后不增加，也不减少。

“你知道天主教为何能存在两千年之久吗？”华尔特神父说，“因为有德尔图良这样的人存在，他知道我们不能随便编造事实。人们对梵蒂冈二世教皇的变化感到失望，甚至要恢复拉丁文弥撒。”

我深吸一口气：“我认为，身为精神辅导员能帮助薛·布尔能达成心愿，这样他才能平静地面对死亡，而不是我们要他怎么做，他才算是一位好的天主教徒。”

“上帝，”华尔特神父说，“他怎么把你哄得一愣一愣的。”

我面露不悦：“他没有哄我。”

“他根本是把你玩弄于股掌之间！看看你，今天电视上的你看起来就像他的媒体公关……”

“你相信耶稣是为一桩使命而死的吗？”我打岔。

“当然。”

“那为什么薛·布尔能不被允许做同样的事？”

“因为，”华尔特神父说，“薛·布尔能不是为其他任何人，而是为自己的罪而死的。”

我恐惧了起来。呃，我不是比任何人都清楚这点吗？

华尔特神父叹了口气。“我并不赞成死刑，但我理解这项判决的存在。他杀了两个人，警察和小女孩。”他摇摇头，“迈可，拯救他的灵魂，别试图拯救他的人生。”

我抬起头：“如果当时，和耶稣留在花园的一名使徒保持清醒，你认为事情将如何发展？如果他们让耶稣逃过被逮捕的命运？如果他们试着救他一命？”

华尔特神父的嘴巴张得大大的：“你不会真的认为薛·布尔能是耶稣吧？”

我没有。

有吗？

华尔特神父整个人垮在座椅上。他摘下眼镜，揉了揉双眼。“迈可，”他说，“放几个星期的假，去别的地方祈祷。想想你做的事，和你说过的话。”他抬起双眼看我，“不要再以圣凯瑟琳教堂的名义前往监狱了。”

我环视这座内心已滋生情感的教堂。擦得发亮的座椅，透过彩绘玻璃洒落的光线，覆盖圣杯的丝绸所发出的私语，捐献箱上方的蜡烛舞动的火焰。你的宝藏在哪里，你的心就在哪里。

“我不会以圣凯瑟琳教堂的名义去监狱，”我说，“而是以薛的名义前去。”

我沿着走廊向外走，经过布告栏，上面的消息提到，教堂会众的奉献将帮助一位来自津巴布韦的男孩。当我穿过教堂的双重大门，外面的世界是如此的明亮，有那么一瞬间，我都不知道自己该朝哪个方向行走。

玛吉

吊死一个人有四种方法。短程坠落，受刑人只需往下掉落几英寸，靠体重和肢体挣扎绷紧套索，引发窒息死亡；悬浮吊刑，把受刑人向上拉，将其绞死；标准坠落绞刑，十九世纪末和二十世纪在全美普遍实施，是让受刑人往下掉落四至六英尺，有折断受刑人脖子的可能；长程坠落吊刑，一种较为个人化的处决，受刑人掉落的距离视体重和体型而定。身体会因重力而加速坠落，头部被套索束缚，脖子折断，脊椎破裂，立即失去意识，迅速死亡。

绞刑是全世界除了枪决之外最普遍的处决方式，于二千五百年前从波斯传入，作为处置男性罪犯的方式。女性则在木桩上被绞死，因为这种方式稍微人道些。相较于斩首的出血量和恐怖程度，绞刑比较温和，却保有了同等的气势和警告大众的特性。

可是绞刑不一定安全。一八八五年，一位名为罗伯·古迪尔的英国杀人犯被绞刑处决，坠落的力量让他当场身首异处。最近，萨达姆·侯赛因同母异父的弟弟在伊拉克遭受了相同的悲惨下场。这是一则法律难题：假如死刑以绞刑执行，那受刑人将不得身首异处，否则判决等同于未执行。

我必须好好研究一番。所以，当迈可神父走进我的办公室时，我正在阅读《官方绞刑一览表》，预测薛·布尔能的体重。“喔，正好。”我一边说，一边朝办公桌对面的椅子打个手势，“假如套索位置套得好的话——这跟上面的黄铜金属圈有点关系——坠落将立即造成脊椎骨断裂。这里说，六分钟后脑死亡，全身死亡将于十至十五分钟后来临。我们有四分钟的时间，抢在心脏停止跳动前用呼吸器救回心脏。喔，我差点忘了，检查总长办公室已经回复了我。他们拒绝我们提出的，用绞刑取代毒药注射处决薛的请求。他们甚至寄了一份最初的判决书给我，好像不知道我读过几千遍似的，并告诉我，如果我想挑战原先的判决，就必须列出一切适当的提议。关于这点，”我说，“五小时前，我已经弄过一遍了。”

迈可神父好像没听见我说话。“听着，”我温和地说，“假如你把绞刑想成科学研究会简单一点，别跟薛联系起来。”

“对不起，”教士一边摇头，一边说，“今天实在糟透了。”

“你是指你和电视上那位布道家一决雌雄的事？”

“你看到了？”

“神父，你现在是全城的话题。”

他闭上眼：“太棒了。”

“如果这能安慰你，我敢说薛一定也看到了。”

迈可神父抬头看我：“我要感谢薛，都是因为他，我的教士指导认为我成了异教徒。”

我心想，假若我爸的会众之一去找他舒缓灵魂重担，那他会说些什么。

“你认为自己是异教徒吗？”我问。

“哪一位异教徒认为自己是？”他说，“玛吉，老实说，我应该是帮你一同处理薛的案子的最后人选。”

“嘿，”我试着帮他打气，“我刚好要去我爸妈家晚餐。这是星期五晚上的惯例。你跟我一起去吧？”

“我不能这么……”

“相信我，那里的食物，永远足以喂饱整个第三世界。”

“那么，呃，”教士说，“恭敬不如从命。”

我关掉桌灯。“开我的车去吧。”我说。

“我可不可以把摩托车停在这里？”

“你当然可以骑摩托车，但星期五不能吃肉。”

他依旧一脸仿佛脚下的世界被人移开了的模样：“我猜，教堂创始人觉得禁肉比禁哈雷摩托车容易。”

我领他穿过美国民权自由联盟办公室内的档案迷宫，朝外面走去。“猜我今天发现了什么？”我说，“州立监狱的老旧绞刑架，就放在礼拜堂牧师的办公室里。”

我瞄了迈可神父一眼，确信自己瞥见了一抹微笑。

琼

那面相片墙是我喜欢吴医生办公室的一个原因。一块巨大的软木板挂着病患的照片，经吴医生的妙手替他们衰弱的心脏动过手术后，他们都战胜了可能性。有睡在枕头上的小婴儿、圣诞卡肖像和挥舞小联盟球棒的男孩。这是一幅象征成功的壁画。

我告诉吴医生薛·布尔能捐赠器官的事，他仔细聆听后告诉我，在他二十三年的执业生涯里，从未见过一个成年男人的心脏能适用于儿童。通常，心脏的成长会符合身体主人的需要，所以其他可能为克莱尔捐赠器官的人，都是另一名儿童。

“我会替他检查，”吴医生承诺，“但你不要抱太大的希望。”

我看着吴医生坐下，手掌摊平放在书桌上。我对他到处走动、与人握手或挥手的行为总感到讶异，他的义肢看上去就像真的一样，完全称得上奇迹。那些为自己胸部和腿部投保的可笑名人，根本比不上吴医生和他的手。

“琼……”

“一口气说出来吧。”我说着，心虚地为自己打气。

吴医生直视我的双眼：“他是克莱尔的完美捐赠人。”

我的手早已握紧皮包的皮带，准备匆促地向他道谢，然后在为失去又一颗心脏而哭泣前，赶紧从办公室撤退。但医生的那番话紧紧地把我钉在座位上："你……你说什么？"

"他们的血型都是B型RH阳性。我们为两人的血液组织进行交叉试验，结果没有任何排斥现象。而且最不可思议的是，他的心脏尺寸刚刚好。"

他们寻找捐赠人的体重一般是受赠人的体重再加上20%，以克莱尔的情形来看，大约是一个体重介于60至100磅的人。薛·布尔能个子小，但依然是成人，体重至少有120至130磅。

"这在医学上无法解释。理论上，相比身体的需求，他的心脏实在太小了，可他看起来却像马一样健壮。"吴医生微笑，"看来，克莱尔找到了一位捐赠人。"

我沉默了。这应该是一则天大的好消息，我却几乎不能呼吸。如果克莱尔发现捐赠背后的前因后果，她会如何反应？

"你不能告诉她。"我说。

"关于她快要接受移植一事？"

我摇摇头："关于心脏来自何处。"

吴医生皱眉："你不认为她会发现吗？新闻讲的都是这件事。"

"器官捐赠都是匿名的。再说，她不想要一颗男孩的心脏。她总是这么说。"

"真正的关键不在这里，不是吗？"心脏外科医生盯着我，"琼，这只是一块肌肉，除此之外什么也不是。这颗心脏，值不值得受赠者去接受，和捐赠人的人格无关。"

我抬头看着他："如果她是你的女儿，你会怎么做？"

"如果她是我的女儿，"吴医生回答，"我早就安排好手术日期了。"

路希尔斯

那天晚上，我试着告诉薛，他成了《拉里·金现场》节目的讨论话题。我不知道他是不是睡了，他没有回应我。我从水泥块背后的藏匿处取出刺针，准备烧点水泡茶。当晚的嘉宾是和迈可神父在监狱外争辩的疯狂教士，以及一位名叫伊·弗莱彻的自命不凡的学者。两人中，很难界定谁的背景故事比较精彩。弗莱彻曾是在电视媒体频繁露面的著名无神论者，直到遇见一位像薛的小女孩。她能行使奇迹，让死人复活。他娶了小女孩的单身妈妈。照我看，这一举动大大削弱了其言论的可信度。

不过，他和琼斯图斯教士比起来，可算是个水平较高的演讲人。对方有事没事就从椅子上跳起来，仿佛氦气灌满全身，坐不住似的。

“拉里，有一句古老谚语这么说，”教士说，“你不能阻挡问题降临，但也无须去记录下来。”

拉里·金用笔轻敲桌面两次：“你这么说的意思是？”

“奇迹并不能让一个人成为上帝，弗莱彻博士应该比任何人都清楚这点。”

伊·弗莱彻不慌不忙地露出微笑：“你越认为自己对，你就越可能错——这句谚语，琼斯图斯教士恐怕从未听到过吧。”

“跟我们谈谈你身为无神论者的想法。”拉里说。

“我以前做的事，就和那个电视布道家杰瑞·法威尔一样，只是当他说上帝存在时，我说没有。我跑遍全国，揭穿所谓奇迹的真面目。最后，当我发现一桩自己无法反证的奇迹时，我开始质疑是不是真的有一位我一直以来反对的上帝。或者，奇迹这种事本来就属于宗教团体。就像听见某人是好的基督徒时，会质疑，谁说只有基督徒是独占全世界的善行者？每次总统演说结束前，都会以‘愿上帝保佑美国’这句话来做总结，可为什么这种情况只发生在美国？”

“你依旧是无神论者吗？”金问。

“严格来说，你应该称我为不可知论者。”

琼斯图斯嘲笑道：“鸡蛋里挑骨头。”

“并不尽然。无神论者和基督徒有很多共同点，他相信的，并不是上帝不存在，而是当基督徒说绝对存在时，他表示绝对不存在。对于我和其他不可知论者而言，这种评判本来就不存在。宗教确实很吸引人，但那只是在历史层面。一个人应该以某种方式生活，并不是因为什么神权关系，而是出于自己和他人间的道德义务。”

拉里·金转向琼斯图斯教士：“那先生，你的会众在一家昔日的露天汽车电影院聚会，你不认为那里沾染了不少宗教之外的浮夸吗？”

“拉里，我们只是认为，对某些人而言，早起去教堂这项义务实在过于霸道了。他们不喜欢看到别人，或被别人看到。在一个美好的星期天，他们并不享受留在室内，而且他们偏好个人崇拜。前来露天教会，能让一个人在做必须做的事情之外，也能和上帝沟通，无论他是不是穿睡衣，吃麦当劳早餐，或是在我讲道时打瞌睡。”

“薛·布尔能并不是第一个冒出来搅混水的人，”金说，“几年前，有人发现一位佛罗里达州的橄榄球四分卫躺在地上宣称自己是上帝。一位弗吉尼亚州的男子希望将驾照的个人资料改成天堂王国的居民。你们认为薛·布尔能有何特别之处，让大家认为他是真的？”

“据我了解，”弗莱彻说，“布尔能从未宣称自己为弥赛亚、《欢乐满人间》里的保姆或美国队长，是支持他的民众把他基督化的。具有讽刺意味的是，这与我们在《圣经》里见到的十分类似，耶稣也没有四处宣扬自己是上帝。”

“我就是道路、真理、生命；若不借助我，没有人能到父那里去。”琼斯图斯引用道，“《约翰福音》第十四章第六节。”

“福音书中也有证据显示，耶稣以不同的形象出现在不同的人面前。”弗莱彻说，“使徒雅各谈到，他看见耶稣以小孩的形象站在海岸边。当他指给约翰看时，约翰认为他疯了，因为在约翰眼中，站在海岸边的不是小孩，而是一位英俊的年轻男子。他们一同上前询问，其中一人看见一位年老且赤身裸体的男人，另一人则看到一位蓄着长胡须的年轻人。”

琼斯图斯教士一脸不悦。

“我能把《约翰福音》倒背如流，”他说，“你说的根本不在里面。”

弗莱彻微笑：“我从未说这一段出自《约翰福音》。我只是说，它出自一本福音书，它更具灵性和智慧，称为《约翰行传》。”

“《圣经》没有《约翰行传》，”琼斯图斯发怒了，“是他自己乱编的。”

“教士说得没错，它不在《圣经》里。还有好几十本都是。因为一连串理由，它们都被排除在外，并被早期天主教会认定为异端。”

“那是因为《圣经》是上帝的话语，完毕。”琼斯图斯说。

“事实上，马太、马可、路加和约翰福音甚至不是由马太、马可、路加和约翰所写的。《马可福音》是根据使徒彼得的传教而写；《马太福音》的作者常被认为是一位名叫利未的收税人；《路加福音》是由一位医生执笔的；而《约翰福音》的作者从未提及自己的名字。《约翰福音》是四福音中最后完成的，大约在公元一百年。假如使徒约翰真是作者，那他年纪一定非常非常老。”

“荒谬之谈。”琼斯图斯教士说，“这个人只不过是用漂亮的修辞，让我们对基本的真相感到困惑。”

“那真相是什么？”金问。

“你真的相信，倘若今天上帝再次现身在世人面前，他会选择存在于一位夺走两条人命的重大杀人犯身上吗？”

我的热水开始沸腾，我拿开刺针，还没听见弗莱彻的答案，我就把电视关了。为什么上帝会选择存在于我们其中一人身上呢？

倘若今天反向思考……如果是我们存在于上帝身上呢？

迈可

在我们开车前往玛吉父母家的途中，我在不同程度的罪恶感中饱受折磨。我让华尔特神父和圣凯瑟琳教堂失望了。我让自己在电视上看起来像个大白痴。尽管我打算告诉玛吉，薛和我之间其实还有一段渊源，只是薛不知道罢了，但我再次怯懦起来。

“事情是这样的，”当我们开上汽车专用道时，玛吉这么对我说，让我摆脱自己的思绪，“当我爸妈看到你在我车里时，他们会变得有点兴奋。”

我朝旁边茂密林木中的寂静住宅瞥了一眼：“附近没什么人，是吗？”

“应该说没什么约会。”

“我并不想打破你的幻想，但我实在不是什么当男朋友的料。”

玛吉笑了出来：“是啊，谢了，我认为自己还不至于那么绝望。只是我妈好像有雷达之类的，可以在几里之外闻到Y染色体。”

好像受到玛吉召唤似的，一个女人走出屋外。她身材娇小，皮肤白皙，金发优雅地扎成一束，脖子上戴着一串珍珠项链。我不清楚她是刚下班回来，还是准备出门。星期五晚上，我妈妈肯定会穿着一件老爸的法兰绒衬衫，两边袖子卷起，称周末为“宽松牛仔裤周末”。那女人透过挡风玻璃瞥见我。“玛吉！”她大喊，“你怎么没告诉我们要带朋友来家里吃晚餐？”

她说出“朋友”这个词的语气，让我不禁对玛吉产生了同情。

“约尔！”她朝身后的房子喊道，“玛吉带了一位客人来！”

我走出车子，调整好领结。

“你好，”我说，“我是迈可神父。”

玛吉妈妈用手掐住自己的脖子：“喔，我的老天。”

“非常接近，”我回答，“不过问题不在这里。”

这时候，玛吉的爸爸匆忙走到前门，把上衣塞进裤子里。“玛吉。”他一边说，一边给她一个大大的拥抱，我因此注意到他微秃的头顶。

他转向我，伸出一只手。“我是布鲁拉比。”

“你应该事先告诉我你爸是一位拉比。”我悄悄地对玛吉说。

“你又没问。”她挽起她爸的手臂，“爸爸，这位是迈可神父，是个异教徒。”

“拜托你告诉我，你不是在跟他约会。”布鲁太太低喃。

“妈，他是个教士。我当然没有。”当她们朝屋子里走去时，玛吉笑着说，“不过我打赌，现在你看那位邀我出去的街头表演家，应该会比较顺眼……”

这下只剩两个上帝的仆人笨拙地站在汽车专用道上。布鲁拉比领我走向屋内，开始他的身家调查。

“所以，”他说道，“你的会众在哪里？”

“康科德，”我说，“圣凯瑟琳教堂。”

“你怎么认识我女儿的？”

“我是薛·布尔能的精神辅导员。”

他往上看一眼：“那肯定让人精疲力尽。”

“的确，”我说，“很多层面上都是。”

“所以，他究竟是不是？”

“要捐赠他的心脏？我想，这一点全看你女儿了。”

拉比摇摇头：“不，不是。如果玛吉想做，她可以移动一座山。我指的是，他到底是不是耶稣？”

我眨眨眼：“我从没想到会从拉比口中听见这个问题。”

“呃，耶稣曾是犹太人。看看证据——他住在家里，继承父亲的事业，认为他母亲是处女，他母亲则认为他是上帝。”布鲁拉比咧嘴而笑，我也开始露出微笑。

“呃，薛并未传讲耶稣的所作所为。”

拉比笑了出来：“你是第一次在那里见证并确定这是真的吗？”

“我知道经文怎么写。”

“我永远搞不懂为什么犹太教徒或基督教徒会把《圣经》当做铁证。‘福音’一词可以指好消息，将故事翻新，让它更适合于今天听你讲道的会众。”

“我不知道自己是否认为，薛・布尔能是一个用来向现代人传道的新版基督故事。”我回答。

“这让你思考为何有如此多的人奔向他的阵营。比起大家想要他成为的样子，真正的他显得并不重要。”布鲁拉比开始搜寻书柜，找到一本沾满灰尘的书。他翻书浏览，直到找到某一页，“耶稣对他的门徒说：‘拿我和某人比较，然后告诉我，我像谁。’西门彼得对他说：‘你就像一位正直的天使。’马太对他说：‘你就像一位聪慧的哲学家。’托马斯对他说：‘老师，我无论如何也说不出你像谁。’耶稣说：‘我不是你的老师。因为，你已经喝了我的滚滚泉水，并陶醉其中。’”

当我想看这段经文出自何处时，他“砰”的一声合上书本。“历史永远是由赢家撰写的，”布鲁拉比说，“这本是输家。”他把书递给我，玛吉刚好把头探进房间。

“爸，你该不会试着把那本《最佳犹太冷笑话》脱手吧？”

“不可思议的是，迈可神父拥有一本签名本。晚餐好了吗？”

“好了。”

“感谢老天。我还在想你妈是不是把鸡肉烤成了焦炭。”玛吉没入厨房，布鲁拉比转向我：“尽管玛吉刚刚那样介绍你，在我看来，你一点也不像异教徒。”

“说来话长。”

“我确信你知道，‘异教’这个词源自希腊语的‘选择’。”他耸耸肩，“这能让你思考。如果那些一向被谴责的想法其实完全不该被谴责，而不过只是我们未曾思考过的想法，那将如何？或者，那些不曾被允许拥有的想法，却突然冒了出来。”

在我双掌间，那本拉比递给我的书好像在燃烧似的。

“饿了吗？”布鲁问。

“饿坏了。”我坦承，然后跟在了他的身后。

琼

我怀克莱尔的时候，医生说我患有妊娠糖尿病。坦白说，我一直不认为那是事实。检查前一小时，我带伊丽莎白去麦当劳，还喝完了她的高纤柳橙汁，那足以让人血糖偏高。然而，当妇产科医生告诉我结果后，我依然做了一切该做的，实行严格的节食计划，整天饥肠辘辘，一周抽血两次。每当医生检查胎儿发育时，我都会情不自禁地闭气。

一线希望？我照过无数次的B超。绝大多数的准妈妈在怀孕超过二十周，度过胎内宝宝的观察期之后，依旧会继续更新胎儿肖像。但对寇克和我而言，观察我们的宝宝是一件平凡且了无新意的事，所以他后来不跟我一起去每周的定期产检了。当我开车去医院时，他会在家照顾伊丽莎白，我则翻起上衣，让超声波探棒在腹部滑动，屏幕上则会显示出一只脚、一边的手肘，以及新生儿鼻梁的倾斜度。满八个月后，胎儿不再像二十周时看见的那般骨瘦如柴，我能看见她的头发、大拇指的纹路、脸颊的弧线。她在屏幕上看起来是那么真实，有时我几乎忘了她还在我肚子里。

“不用多久了。”诀别的那一天，检验师这么对我说，然后用一条温热的毛巾擦去我腹部的凝胶。

“说起来都很容易，”我告诉她，“今天可不是你挺着八个月的大肚子，追在七岁的女儿身后跑。”

“可我也是这么走过来的。”她一边说，一边走到屏幕下方，递给我那天印出来的胎儿脸部照片。

我一看见照片，不由得倒抽一口气。胎儿和寇克简直是一个模子印出来的。她长得完全不像我，也不像伊丽莎白。新生儿有属于她的大眼睛、酒窝和下巴上的凹陷。我把照片收进皮包，想着拿给寇克看，然后开车回家。

通往我家的街道正在堵车。我猜是因为施工，附近要重新铺路。车子全部都保持一条直线，驾驶者无法动弹，坐在车内听收音机。五分钟后，我开始担心。寇克今天值勤，他把午餐时间提前，这样我才能去照B超，不会被伊丽莎白缠住。如果我不赶快回家，他上班可能会迟到。

“感谢老天。”当车阵缓缓移动时，我这么说。可是，等我开近些之后，看到绕道标志设在我家这个街区，警车停在路口的几条小路上。我心头微微骚动，就像看见一辆消防车朝自家附近急驶而去一样。

罗杰，一位和我有过几面之缘的警察正在指挥交通。我摇下车窗。“我住在这里，”我说，“我是寇克·尼尔森的……”

我连话都还没说完，他的脸立刻冻结了。我知道出事了。以前我也看过寇克这样的表情，那是在他告诉我，我的第一任丈夫在车祸中过世的时候。

我解开安全带，试着走出车外，因为怀孕的缘故，看来想必非常笨拙。

“她在哪里？”我大喊，车子的引擎还在运转，“伊丽莎白在哪里？”

“琼，”罗杰一边说，一边紧紧抓住我，“跟我走。”

他陪我走向我住的那条街，看到刚刚在路口看不见的情景。警车的顶灯如节日彩灯般闪烁不已。救护车车门大开。我家大门大大地敞开着。一位警察手里牵着一条狗。唐德力一看见我，便开始疯狂吠叫。

“伊丽莎白！”我大喊，推开罗杰，以我体型和重量的极限飞快地往前冲，“伊丽莎白！！”

我被某人拦截住，打乱了气息。那是警长。“琼，”他温和地说，“跟我来。”

我反抗着艾瑞福警长，又抓又踢又哀求。我以为，如果能跟他起争执，就不用听见他接下来要跟我说的话。

“伊丽莎白！”我轻声喊。

“她中枪了，琼。”

我等他接着说“不过她会没事的”，但他没有。他摇摇头。之后，我才想起那时的他也在哭泣。

“我想看她。”我哭诉。

“还有一件事。”艾瑞福说。就在这时，我看见医护人员推出躺在担架上的寇克。他脸色苍白，毫无血色，所有的血好像都被腰部的绷带吸走了。

我握住寇克的手，他眼神呆滞地转向我。“对不起，”他窒息地说，“对不起。”

“发生什么事了？”我如发疯般尖叫，“对不起什么？到底发生什么事了？”

“太太，”一位医护人员说，“我们必须将他紧急送医。”

另一位医护人员把我推开。我看着他们带走寇克。

艾瑞福把我带向另一辆救护车，他说的每个词坚硬得宛如砖块，一句一句砌出一道墙，横亘在我从前的幸福生活和现在的窘境之间。

寇克向我们汇报……发现木匠正在性侵伊丽莎白……僵持不下……开枪……伊丽莎白中弹。

伊丽莎白，当我以前在厨房准备晚餐时，伊丽莎白总是围着我团团转，我都会说：“你会把我绊倒。”

伊丽莎白，你爸和我有事要谈。

伊丽莎白，不是现在。

从来不是。

当艾瑞福领我进入第二辆救护车时，我双腿僵硬。“她是母亲。”当一位医护人员走上前时，他这么说。一具小小的身躯躺在救护车中央的担架上，身上盖着一条厚厚的灰色毯子。我颤抖地走到旁边，脱下衣服。一看见伊丽莎白我就便双膝发软，如果不是艾瑞福，我应该早就倒地了。

她看起来像在睡觉。她的手好好地收在身体两侧，双颊发红。

他们搞错了，就这么简单。

我朝担架弯身，摸摸她的脸。她的皮肤还温温的。“伊丽莎白，”我轻喊，就像在叫她起床上学，“伊丽莎白，该起来啰。”

但她一动不动，她听不见我说话。我整个人倒在她身上，紧紧抱住她。她胸前的鲜血很明显。我试着把她拉得更近，却做不到，我体内的婴儿正好卡在中间。“别走，”我轻声说，“不要走。”

“琼，”艾瑞福碰碰我的肩膀，“如果你想的话，可以跟他们一起去，但你得先把她放下来。”

那时候，我不懂为什么他们急着把她带去医院。稍晚我才知道，无论多么显而易见，只有医生才能宣告死亡。

医护人员小心地把伊丽莎白固定在担架上，给我一张椅子坐在旁边。“等等，”我说，从头上解下一个发夹，“她不喜欢刘海刺进眼睛。”我喃喃着，把她的头发夹好。我把手放在她的额头好一会儿，就像一种赐福的方式。

前往医院的这段无尽长路上，我低头看着自己的上衣，上面沾满了血。但我并不是唯一受到冲击而永久改变的人。一个月后，我生下克莱尔，然后一点都不讶异地发现，婴儿完全不像那天B超影像里的样子。她一点也不像爸爸，反而酷似她那位素未谋面的姐姐。

玛吉

当奥利佛和我正在享受一杯黄袋鼠红酒和录像机预录的《实习医生格蕾》时，突然有人敲门。这个时间有人来敲门，有几点值得担忧：

（一）那天是星期五，从来没人会在星期五晚上来我家。

（二）会在晚上十点来按别人家门铃的情形有：

① 汽车的电池挂了，束手无策；

② 连环杀手；

③ 两者皆是。

（三）我身穿睡衣。

（四）而且刚好是屁股破洞、露出内裤的那一件。

我看着兔子。“我们不开门。”我说，但是奥利佛跳下我的大腿，开始在门缝周围嗅闻。

“玛吉，”我听见有人说，“我知道你在里面。”

“爸！”我从沙发上站起来，打开门闩让他入内，“你不是应该在主持聚会吗？”

他脱掉外套，挂在一个古雅的大衣架上。这个衣架是某年生日我妈送的礼物，我一点都不喜欢。可是她每次一来，就会开始到处寻找它的踪迹，嚷嚷着“喔，玛吉，我真高兴你还留着”。

“重要的部分我都出席了。你妈正在和卡洛闲聊，我很可能比她早到家。”

卡洛是唱诗班的领唱。这个女人的嗓音会让我想到一幅在夏日阳光下入睡的画面——平稳、放松又不失力量。除了唱歌，她也喜欢收集顶针。她会千里迢迢前往西雅图的市场和别人交换，家中有一面足足四十英尺的墙，由承包商施工，分割成一层层小巧的展示架。妈妈说，卡洛收集了超过五千枚顶针。我没有任何一样东西超过五千，除了每日吸收的卡路里。

他走进客厅，瞥一眼电视：“我希望那个瘦女孩能放弃麦克吉米。”

“你也看《实习医生格蕾》？”

“你妈看，我这是耳濡目染。”他在沙发上坐下，而我正慎重思考自己确实和妈妈有共通之处的事实。

“我喜欢你那位教士朋友。”我爸说。

“他不是我的朋友。我们只是在一起工作。”

“我还是可以喜欢他，不是吗？”

我耸耸肩：“某件事告诉我，你大老远跑来，不只是为了告诉我你觉得迈可神父有多棒。”

“呃，有一部分是。今天晚上你怎么会带他来？”

“怎么说？”我有些发怒，“妈妈有抱怨什么吗？”

“你可不可以不要开口妈妈、闭口妈妈的？”我爸叹了口气，“我在问你问题。”

“他今天很不顺。对他而言，站在薛那一边并不轻松。”

我爸仔细地看着我：“那么你呢？”

“你告诉我，去问薛到底想怎么做。”我说，“他不愿意自己的生命获救，他希望死得有意义。”

我爸点点头：“很多犹太人认为捐赠器官违反犹太律法，因为死后的人不应该有缺陷，并且理应尽快被埋葬。不过，拯救生命的义务应该被优先考虑。在拯救生命面前，犹太人应该打破成规。”

“所以，如果为了救某人而杀人，就无所谓啰？”我问。

“呃，上帝并不愚笨，他早已有所设想。但如果这世上真有因果报应，那拯救生命……”

“不要混淆概念……”

“你无法阻止处决的发生，至少能和你即将拯救另一条生命的事实，达成平衡。”

“爸，代价是什么？杀一个罪犯，一个社会不想令其生存的人，让一个小女孩可以活下去，这样就对吗？如果不是一个小女孩需要心脏，而是另一名罪犯呢？如果今天不是薛必须死亡，而是我呢？”

“上帝不会让这种事发生。”我爸说。

“我只是说说。”

“这全是道德问题。你在做好事。”

“手段却是坏的。”

我爸摇摇头：“关于挽救生命的义务，还有一点，它会洗去罪恶记录。你不该为打破律法而自责，因为在道德上你必须这么做。”

“看吧，这就是你错的地方。我可以感到自责。我们谈的并不是因为生病而不能在赎罪日禁食。我们谈的是一条人命。”

“和救你的命。”

我抬头看他：“克莱尔的命。”

“一石二鸟。”我爸说，“玛吉，也许以你的情况来看，这不是字面的解释。然而这件案子让你再度燃起火花，让你有所期盼。”他四处打量，环顾了一圈我的房间。这是适合一个人住的地方，桌上有爆米花和兔笼。

我曾在生命的某个时期，盼望过这样的美好生活——犹太婚礼、丈夫、孩子、一家子共乘汽车。不知从何时起，我开始停止盼望。我习惯了一个人生活，把另一半的罐头汤留到隔天晚餐，枕头套只换我自己这边的。我习惯一个人生活，外人仿佛都是入侵者。

最后的结论是，假装要比企盼来得不花气力。

我爱我爸妈的其中一个原因——也是恨他们的原因，是他们到现在还相信，我有机会得到这一切。他们只要我快乐，却看不见我一个人可以过得多快乐。如果你能体会言外之意，就会知道，他们现在觉得我像从前一样贫乏。

我感觉双眼充满了泪水。“我累了，”我说，“你该回去了。”

“玛吉……”

他一走到我身边，我就朝别处踱步而去：“晚安。”

我按下电视遥控器按钮，直到电视屏幕转黑为止。奥利佛从书桌后面爬出来探看，我一手把它铲起来。也许，这正是为什么我选择把闲暇花在兔子身上，它不会给我不想听的建议。

“你忘了一个小细节，”我说，“拯救生命的义务并不适用在无神论者身上。”

我爸正想从世界上最丑的衣架上取下外套，他突然停了下来，把大衣挂在手臂上，走向我。“我知道，身为拉比，这样的话听起来很奇怪。”他说，“但是，你相信什么对我而言并不重要，玛吉，只要你相信自己，就像我相信你一样，这样就够了。”他把手放在奥利佛背上。我们的手指轻触，但我并未抬起头来看他，“这不只是说说而已。”

“爸……”

他抬起一只手按住我的嘴，打开门。“我会跟你妈说，下次生日送你一套新睡衣。”他站在门槛边说，“你身上这件，屁股那里破了洞。”

迈可

1945年，一对兄弟在埃及的拿戈玛第城断崖下方挖掘，希望挖出一些肥料。其中一位——穆汉·阿里挖掘时敲到一块很硬的东西。他挖出一个用红碟子封口的大型陶罐。穆汉·阿里害怕会有精灵在里面，所以不想打开。最后，希望找到金子的好奇心仍旧驱使他打开了罐子。他找到了十三捆羊皮纸手抄本。

其中几本手抄本被当成柴火烧成灰烬，剩下的则被送进宗教学院。有研究指出，它们是在公元140年被写下，大约是《新约圣经》后的三十年。经过解读，发现这些福音书并未收录在《圣经》中，但很多格言警句出现在《新约圣经》中，还有很多则没有。耶稣讲的某些格言有如谜语，其他例如处女怀胎和肉体复活的部分则完全被删除。这些手抄本被认为是《灵知福音书》，就算今天，教廷依旧对它们默不关注。

我们在神学院学过《灵知福音书》，而且是被当作异端来学的。当一个教士递给你一篇文章，对你耳提面命，说这些都不可信，你自然会戴着有色眼镜去阅读。也许当时的我只粗略浏览过文章，小心翼翼地保留贴近《圣经》的分析。我随口告诉授课的教士，我已经做了分内的作业，实际上根本没有。不管借口是什么，那晚，当我翻开约尔·布鲁的书，就好像自己未曾读过这些字句一般，尽管我本来只打算阅读某位名叫伊·弗莱彻的学者编辑的前言，却发现，自己好像在读一本史蒂芬·金的新作小说，而不是一本古代福音书选集，且读得津津有味。

书中的《多马福音》曾被附加批注。据我所知，《圣经》提及多马的部分肯定不含奉承意味。多马不相信拉撒路死而复生。当耶稣要门徒跟随拉撒路时，多马直接指出他们不知该往何处去。耶稣被钉上十字架后复活时，多马并不在现场，直到他亲自触摸耶稣的钉痕，才愿意相信。他是信仰不足的最佳写照，也是“多疑的多马”一说的来源。

然而，布鲁拉比的书中，这一页却如此开头：

这些是耶稣生前说过的神秘话语，然后由双胞胎，迪迪摩斯·犹大·多马，将之写下。

双胞胎？什么时候耶稣有了一对双胞胎？

这本“福音书”不像马太、马可、路加和约翰福音那样记述耶稣的生平，反而比较偏向一本收集耶稣名言的福音书，所有的句子都以“耶稣说”起头。某些话与《圣经》相近，剩下的则完全没听过。与其他经文一比，听来更像一种逻辑推理谜题：

如果你们在自己里面生出那件东西，那件你们拥有的东西会救你。如果你们自己里面没有那件东西，那么那件你们没有的东西会杀了你。

我把这行字读了两遍，然后揉揉眼睛。我觉得自己好像曾经听过这段话。

我想起来了。

我第一次见到薛的时候，他解释想把心脏捐给克莱尔·尼尔森的原因，就曾经这么对我说过。

我继续专注地阅读，脑海中不停反复听见薛的声音：

死的不会活，活的不会死。

我们来自光。

劈一块木材，我就在那里。举一块石头，你会在那里找到我。

我第一次坐云霄飞车时，也曾有过这样的感受——仿佛脚下的地面被推开、仿佛自己要呕吐出来、仿佛自己需要牢牢抓住一样东西。

如果你在街上问一群人，是否听说过《灵知福音书》，多数人会狐疑地看着你，认为你是疯子。现在，大多数人根本无法背出“十诫”。薛·布尔能的宗教洗礼，是极少且零散的。我亲眼看见他阅读的唯一刊物是《体育画报》中的泳衣专题。他不会写字，很难从头到尾捉摸他说的话的涵义。他的教育程度停滞在少年教养所的时代，等同于通过高中入学考试。

那么，薛·布尔能如何强记《多马福音书》呢？他是在哪里与这本福音书巧遇的呢？

我唯一能得到的答案是，他从未读过这本书。

这很可能完全是巧合。

我很可能记错了先前的谈话内容。

或者，我对他的了解根本大错特错。

在过去三个星期里，我屡次推挤着经过在监狱前露营的大群民众。当电视里某位学者又提出薛可能是弥赛亚时，我本能地关掉电视，毕竟我知道的更多。我是教士，我曾发过愿，明白有上帝存在。他的信息记录在《圣经》当中，而且薛说话听起来完全不像四福音书中的耶稣。

这里却出现了第五本，一本甚至不包含在《圣经》中，年代却同样古老的福音书。这是一本在基督教诞生时，至少激发并支撑了某些人信念的福音书。这本薛·布尔能对我引用的福音书。

如果创立教廷的先祖错了呢?

如果这些被遗漏，之后才暴露在世人面前的福音书才是真的，而被挑选在《新约圣经》中的是美化过的版本呢?如果耶稣真的曾经亲口说过《多马福音》的一字一句呢?

这也指出，所有关于薛·布尔能的推断不一定真的与事实不符。

这样也许能解释，弥赛亚为何会以重大谋杀案件嫌犯的身份出现——看看人们这次的决定是否正确。

我从椅子上站起来，合拢手边的书，开始祈祷。

“亲爱的天父，”我无声地说，“请助我理解。”

此时电话铃声突然响起，吓了我一大跳。我瞄了一眼时钟。谁会在凌晨三点打来?

“迈可神父，我是监狱的史密特警察。抱歉，在这个时候打扰你。薛·布尔能的癫痫又发作了。也许你想知道这件事。”

“他还好吗?”

“他在医护室，”史密特说，“他要求见你。”

这个时间，监狱外那一大群小心谨慎的群众，正处在竖立于建筑物前方的数盏聚光灯的强光照射下，在人工的白天中，各自缩在睡袋或帐篷里。我必须迅速行动。我一进入接待区，史密特警察已经在那里等我了。

“发生什么事了?”我问。

“没人知道。”警官说，“这次又是犯人杜弗里斯通知我们的。我们无法从监视器里看见事发经过。”

我们进入医护室。薛正躺在远处的阴暗角落，身旁站着一位护士。他一手拿着果汁，正用吸管慢慢地喝。另一只手则和病床栏杆铐在一起。他衣服下方有管线露出来。

“他情况如何？”我问。

“他会活下去。”护士说着，意识到自己失言，脸颊立刻涨得通红，“我们替他接上了心电图。情况到目前为止还可以。”

我坐在薛旁边的一张椅子上，然后抬头看看史密特和护士：“我们可以私下谈一会儿吗？”

“请便，”护士说，“我们才刚给了他一剂安眠药。”

他们走向房间较远的一端。我俯身向薛：“你还好吗？”

“如果跟你说的话，你大概不会相信。”

“喔，说来听听。”我说。

他往四周看看，确定没人听见。“我只是在看电视。那是一部有关如何制作糖果的纪录片。我觉得有点累，站起来想关电视。就在我按按钮前，电视内所有的光如同电力般全部射进我体内。我是说，我可以感受到那些东西就在血管内流动，那是怎么称呼来着，血丘？”

“血球。”

“没错，这些玩意。我恨这个词。你有没有看过《星际迷航》？里面的异形把每样东西的盐分都吸出来。我一直以为那玩意才应该称作血球。你一说那个词，听起来像你正在吃一颗柠檬……”

“薛，你刚刚讲到光。”

“喔，对。呃，那就好像我的体内开始沸腾，我的眼睛就要结冻。我试图呼喊，但牙齿绷得紧紧的。之后我在这里醒过来，感觉整个人好像被吸干了。”他抬头看我，“被一颗血球。”

“护士说你癫痫发作。你还记得其他事吗？”

“我记得当时在想什么，”薛说，“应该就是这种感觉。”

“什么？”

“死去的感觉。”

我深吸一口气：“记得你还是一个孩子的时候在车上睡着的感觉吗？有人把你抱出来放在床上，当你早上醒来时，立刻知道自己又在家里了。我认为死亡应该像这样。”

“那也不错，”薛用深沉的声音说，“如果知道家长什么样子，感觉应该很不错。”

一小时前阅读的某句话，如碎片般滑入心头：天父的王国散落在世上各处，人们却看不见。

尽管我知道这不是好时机，尽管知道自己在这里是为了薛。我弯下身体，让话语直接落入他的耳朵。“你在哪里读到的《多马福音》？”我小声说。

薛茫然地瞪着我。“多马？”他说完，眼皮立刻重重地阖上了。

开车离开监狱时，我耳边传来华尔特神父的声音：他在玩弄你。但刚才提到《多马福音》时，我并未在薛的眼睛内看见任何一丝虚假的闪光，而且他被注射了镇静剂，在这种情况下，想要假装什么，肯定难度颇高。

当犹太人遇见耶稣，发现他比一位天赋异禀的拉比还有力量时，应该就是这种感觉吧？我无从想象。我一直以天主教徒的身份长大，并成为教士。我不记得自己曾在哪段时期否定耶稣就是弥赛亚。

然而，我知道某人曾经如此。

布鲁拉比并未拥有一座圣殿，因为圣殿被烧了。他在进行仪式的学校附近租了一间办公室。他在早上八点之前抵达，发现我就站在上锁的办公室门外等候。

“哇，”他看见了前方的男人，一个双眼布满血丝的狼狈教士，双手握着哈雷机车和《拿戈玛第经》。

“你不用急着一个晚上就把这本书还我。”

“为什么犹太人不相信耶稣是弥赛亚？”

他打开办公室的门。“这至少得花掉一杯半咖啡的时间，”布鲁说，“进来吧。”

他开始烧水，给我一个位置坐下。他的办公室安逸又舒适，和圣凯瑟琳教堂内华尔特神父的办公室很像，是一个会让你想坐下来谈话的地方。不过，布鲁拉比的盆栽都是真的，不像华尔特神父的，都是妇女会购买的塑料制品。因为无论是热带植物还是非洲紫罗兰，神父都会把它们养死。

“这是一位漫游的犹太人。”看见我正在看他的花盆，拉比这么说，“这是玛吉开的小玩笑。”

“我刚从监狱回来。薛·布尔能的癫痫又发作了。”

“你跟玛吉说了吗？”

“还没。”我抬头看他，“你还没回答我的问题。”

“我还没喝我的咖啡呢。”他站起来，替我俩各倒一杯，没问我就替我加了牛奶和糖，“犹太人不认为耶稣是弥赛亚，是因为他并不符合犹太人弥赛亚的条件。道理很简单，由迈蒙尼德提出。一位犹太弥赛亚会带犹太人回到以色列，在耶路撒冷建立政府，那地方将成为世界政治力量的核心，对犹太人或非犹太人来说都是。他将重新建立圣殿和犹太律法，并统治一切。他会让所有死人复活，带来一个全胜的和平时代，每个人都将相信上帝。他是大卫王的后裔，一位国王、战士、法官和伟大的领袖，同时也是一位显而易见的凡人。”布鲁把咖啡杯摆在我前方，“我们相信，每一代都有一个人出生，并且拥有成为弥赛亚的潜力。但倘若弥赛亚的世代尚未来临，这个人却死了，那就不是他。”

“就像耶稣。”

“我本人一直视耶稣为伟大的犹太爱国者。他是一位好犹太人，可能头戴小帽，遵行《托拉》，从未有开创新宗教的计划。他痛恨罗马人，希望把他们撵出耶路撒冷。他被控告为政治反叛分子，宣判死刑，并由犹太大祭司该亚法执行。到头来，大多数犹太人都痛恨该亚法，因为他是罗马人的亲信。”他透过咖啡杯边缘看着我，“耶稣是不是好人？是的。伟大的老师？当然。弥赛亚？不确定。”

“圣经提到很多关于弥赛亚来临的寓言，都充满了耶稣……”

“但这些是关键版本吗？”布鲁拉比问，“假设今天你并不认识我，而我要求跟你碰面。我告诉你，我会在早上十点站在史蒂普雷杰购物中心外，身穿夏威夷衫，一头红卷发，手持iPod听Outkast组合的专辑。到了约好的时间，你看见一个人站在史蒂普雷杰购物中心外，一头红卷发，身穿夏威夷衫，正用iPod听Outkast组合的专辑，却是个女人。你会认为那是我吗？”

他起身又替自己倒了杯咖啡。“你知道我今天来这里的途中，在国家公共电台听见什么了吗？以色列又有一辆巴士爆炸；三个来自新罕布什尔州的孩子在伊拉克战亡；曼彻斯特的警察逮捕了一个当着两个孩子的面杀前妻的男人。如果耶稣带来了弥赛亚世代，那么，我所听见的新闻，应该描绘着一个充满和平和救赎的世界。所以，我宁可等待另一位不同的弥赛亚。”他又瞧了我一眼，“假如你不介意我问你一个问题……一位教士早上八点在一位拉比的办公室，询问有关犹太人弥赛亚的事，究竟是怎么一回事？”

我起身在小房间内来回走动：“你借我的那本书让我思考。”

“这样不好吗？”

“薛·布尔能曾经逐字说出昨晚我在《多马福音》里读到的句子。”

“布尔能？他读过多马？玛吉说他……”

“完全没有任何宗教家庭背景，教育程度也很低。”

“也不是读到国际基甸会放在各旅馆房间内的《多马福音》。”布鲁拉比说，“他是在哪里……”

“没错。”

他舔舔指尖：“哦。”

我把向他借的书放在书桌上：“如果你开始批评自己曾相信的一切，你会怎么做？”

布鲁拉比身体前倾，开始翻阅通讯簿。“我会问更多问题。”他说。他在便条贴上潦草地写了一些字，然后递给我。

“伊·弗莱彻。”我读道，“603-555-1367。”

路希尔斯

那天晚上，当薛的癫痫第二次发作时，我正好醒着，收集准备为自己刺青的墨水。我对自己的刺青挺骄傲的。我有五个刺青——直到三个星期前，我的身体除了当个人艺术的画布，也没别的用处。我得担心自己会不会因为一根肮脏的针头感染艾滋病。我在左脚踝上刺了一个小时，用指针标明亚当死去的时间。我的左肩有一个天使，下方有一个非洲部落图案。我的右腿有一头牛，因为我是金牛座。旁边有一条鱼在游水，因为亚当是双鱼座。我对第六个刺青有个宏大的计划：我打算在右胸以哥特体刺下“相信”这个词。我已经用纸笔反复练习颠倒书写，直到确定自己能在镜子前用刺青枪复制它为止。

我的第一把刺青枪和盖许的注射器一样，被监管人员没收了。我花了整整六个月时间，才收集完重做一把的必要零件。制造墨水很难，要湮灭痕迹更难，所以我必须选择夜间的死寂时间行动。我把一把塑料汤匙置于火焰上方，让火焰维持最弱的程度，再用塑料袋捕捉烟雾。味道奇臭无比，监管人员应该很快就会闻臭而来，中止我的行动。隔壁的薛·布尔能就是在这时发作了。

这一次不太一样。他放声尖叫，大声到足以唤醒整层的人，恐怕连天花板上的灰尘都得落下来。老实说，薛被推出I层时，惨得不成人样，没一个人确定他会不会再回来。所以隔天，当看见他被带回牢房时，我十分惊讶。

“警——察！”乔伊·克斯吼道。我正好来得及把刺青枪的零件藏到床垫下方。警官把薛关回牢房，等到I层的门在他们身后关上，我立刻问薛感觉如何。

“我头痛，”他说，“我要睡觉。”

盖许因注射器一事违规，暂时不在I层，事情变得简单多了。卡洛威白天大多在睡觉，晚上则和小鸟一起过夜生活；泰瑟斯和波基在玩虚拟扑克牌；乔伊则定时收看肥皂剧。我特地多等了好几分钟，确定警官在控制亭外忙碌，才再度取出床垫下的物品。

我从吉他的中空部位取下一条弦，插入一根已挤出墨水的笔管，锯开一小部分笔尖，再将吉他弦由此拉出，绑在录音机的卡带转轴上。我再用带子将笔管绑在一根弯成L型的牙刷上，这样就能轻松握住它，将笔管向前或向后滑动，来调整针的长度。最后要做的，就是将录音机插上电源。这样一来，我便能再次拥有一把刺青枪。

前一夜捕捉到的烟雾，已和数滴洗发精混合，变成液体。我站在当作镜子的不锈钢板前方，仔细端凝胸膛，然后咬紧牙关，准备抵抗疼痛。我启动刺青枪，刺针沿着椭圆路径运动，一分钟刺数百下。

好了，字母B。

“路希尔斯？”薛的声音飘进房内。

“薛，现在我有点忙。”

“那是什么声音？”

“不关你的事。”我再度提起刺青枪对准皮肤，感觉针头仿佛万箭，刺在身上。

“路希尔斯，我还是听得见那声音。”

我叹气。“薛，这是一把刺青枪。我正在替自己刺青。”

他迟疑片刻："可以也帮我刺一个吗？"

以前我被关在其他楼层时，曾帮数名囚犯刺青。那里比I层自由多了，犯人被关进牢房前，有二十三小时的作乐时间。

"不行，我够不到你。"我说。

"不要紧，"薛说，"我够得到你。"

"随你便。"我身体再次弯向镜前，把刺青枪对准皮肤，深吸一口气，小心翼翼地刻画字母和华丽的曲线。

开始刺字母时，我听见薛开始啜泣，之后变成了大哭。我的刺青枪想必帮不了他的头痛。我耸耸肩，凑近镜子，审视我的手工艺杰作。

天啊，真是好看。字母随着我的每一次呼吸起伏。字母之间的皮肤间隙有些发炎红肿。

"相……相信。"薛口吃地说。

我转身，仿佛能透过两人牢房间的墙壁看见他："你说什么？"

"是你说的。"薛纠正，"我没说错吧？"

我根本没对任何人提过第六个刺青的计划，也没跟任何人分享我的艺术品原型。我只知道一件事，从薛现在站的地方，根本不可能看见我的刺青。

我笨拙地在砖块后的安全藏匿处搜索，拿出当作随身镜的物品。我站在牢房前方，调好镜子角度，这样就能看见薛愉快的脸孔："你怎么知道我刺了什么？"

薛笑得更开怀了。他伸出拳头，慢慢打开一根根手指。

他的手掌心红肿发炎，正中央以哥特体印着一样的刺青，和我刚刚替自己刺的一模一样。

迈可

薛以8字形在房内踱步。“你看到他了吗？”他睁大眼睛问。

我坐在方才从控制亭内抓来的凳子上，懒洋洋的，脑袋被刚读到的东西弄得嗡嗡作响，而且今天是我一年中第一次不参与主持今晚的午夜弥撒。

“看到谁？”我心不在焉地反问。

“苏利。隔壁新来的。”

我瞄一眼隔壁牢房。路希尔斯・杜弗里斯依旧在薛的左边，右边的空房现在被某人占据了。然而，苏利不在。他正在活动场，在小小的正方形场地全力来回奔跑，快碰到墙壁时，就踩上去一步跳起来，双臂展开，好像如果他力气足够，就能穿透金属墙似的。

“他们打算杀掉我。”薛说。

“玛吉正在努力写一份陈述书……”

“不是本州。”薛说，“他们其中一位。”

我并不清楚监狱的政策，但薛的被害妄想和事实也许真的只有一线之隔。比起监狱里其他犯人，薛因为案件和媒体的狂热，确实受到更多的关注，所以非常可能成为监狱其他犯人的目标。

一身防弹衣的史密特警察经过我身边，手中拿着一把扫帚和几样清洁用品。犯人每星期必须打扫自己房间一次，打扫过程受到警察监督。当犯人从活动场回来，打扫用具已在房内等候，一位监管人员会站在门槛边监督，直到工作完成。他们需要贴身监督，因为清洁剂在这里也能成为武器。隔壁牢房门大开，这样，史密特才能把清洁喷雾、毛巾和扫帚放进去。之后，他朝I层尽头走去，准备把新犯人从活动场带回来。

“我去和典狱长谈谈，确定你会受到保护。”我这样告诉薛，他看起来比较平静，“所以，”我试着改变话题，“你想读什么？”

“什么，我们有读书会？”

“没有。”

“那好，我可不读《圣经》。”

“我知道，”我抓住这个好机会了，“为什么？”

“那全是谎言。”薛挥挥手，一脸不想多谈的样子。

“那你读过什么不是谎言的书呢？”

“我根本不读。”他回答，“字和字全都结成一团，光看一页，就要花一年的时间，才能搞懂意思。”

“在一个光明的人之中有光明，”我引用道，“而他，照亮了整个世界。”

薛迟疑片刻。“你也看见了吗？”他双手举在脸庞前方，仔细看着自己的手指，“从电视来的光，进入我体内的玩意，还在里面。晚上会变得更强烈。”

我叹气：“这出自《多马福音》。”

“不，我很确定它来自电视……”

“薛，这些话，我刚刚说的，出自我昨晚读的一本福音书。很多你之前对我说的话也是。”

我们四目交会。

“你知道些什么。”他温和地说。我搞不清楚这究竟是陈述句还是问句。

“我不知道。”我承认，“这正是我在这儿的原因。”

“这也正是为何我们都在这儿的原因。”薛说。

如果你们在自己里面生出那件东西，那件你们拥有的东西会拯救你。这是《多马福音》里耶稣的一句话，也是薛·布尔能解释为何需要捐赠心脏时对我说的话。真的那么简单吗？救赎不只是一种被动的接受，也可以是一种主动的作为吗，就像自己一直被引导的信仰那样？

也许对我而言，救赎是读《玫瑰经》、与教友分享交流和服侍上帝。也许对玛吉的父亲而言，救赎是与一群不会因为缺少一座实质的殿堂而停止祷告的顽强会众共处。也许对玛吉而言，那是专注于自己的缺点，并无视自己的力量。

也许对薛而言，那是把自己的心脏捐赠予——同时具有字面与象征的意义——几年前因为自己而失去亲人的母亲。

然而，薛曾经是凶手，判决像一条狗追逐自己的尾巴般追随着他。他认为一台电视机在半夜向他发射光线，这些光如今正在血管内流动。这听起来不像弥赛亚，只是妄想罢了。

薛看看我。“你该走了。”他说道，随后却被通往活动场的门打开的声音分散了注意力。史密特警察领着新犯人回到I层。

他是一个壮汉，头皮上有纳粹万字党徽的刺青，新的头发如苔藓般从剃过的平头里冒出来。

犯人的牢房门关上，手铐被解开。“苏利，你知道规则。”警察说。他就站在门槛边看苏利缓慢地拿起清洁液，开始清洗水槽。我听见纸巾在金属上的摩擦声。

“嘿，神父，你有看昨天晚上的比赛吗？”史密特警察说，接着转移他的视线，“苏利，你在做什么？你不用冲洗……”

突然，苏利手中的扫帚成了一根断裂的鱼叉，戳向警察的喉咙。史密特按住咯咯响的脖子，双眼向上翻，朝薛的囚房方向倒下。他就倒在我身旁，我赶紧用双手压紧他的伤口，尖叫呼救。

整个I层突然嘈杂起来。囚犯们大声喧闹，观望发生了什么事。怀泰克警察突然出现，并用力拉我的双腿，另一位警察抢了我的位置，开始做急救。另外四名警察跑过我身边，用催泪瓦斯喷向苏利。当一位距I层最近的医生抵达时——一位我曾在监狱里见过的心理医生——苏利正惨叫着被拖出去。史密特已经一动不动了。

似乎没有人注意到我在场。一时之间发生太多事情，一切都太过危险与混乱。心理医生试图摸史密特的脉搏，可他双手一移动，便立即沾满鲜血。他抬起警察的手腕，摇了摇头。“他走了。”心理医生喃喃地说。

整个楼层变得异常肃静，犯人们全都惊恐地瞪着眼前的尸体。史密特的脖子不再流血，他已完全僵硬。从我右手边可以看到控制亭内有人在争吵，来得太迟的医疗急救小组正试图得到入内许可。终于，他们身穿防弹衣入内，跪在史密特身旁，重复心理医生方才已做过的无效测试。

我听见后方传来哭泣声。

我转身，发现薛蹲在房间里。他泪眼模糊，手从牢房门下方伸出来，手指轻触史密特的手指。

“你在这儿，是准备进行最后的仪式吗？”一位医护人员问，大家这才发现我还在场。

“我，呃……”

“他在这儿干什么？”怀泰克警察呵斥。

“他妈的是谁？”另一位警察说，“我不是在这层工作的。”

“我可以走，”我说，“我马上……走。”我再看一眼薛，他蹲着哭泣，蜷缩得像一颗球。如果对他了解不够深的话，会以为他是在祈祷。

当两位急救人员准备把尸体移到担架上时，我为史密特祷告。“以创造你的全能天父之名，以赎回你的耶稣基督之名，以使你成圣的圣灵之名。愿你于平静中安息，回到你在天堂的寓所。阿门。”

我在胸口画十字，然后准备离开。

“数到三。”一位急救人员说。

另一位点点头，双手抓住被害警察的脚踝。“一、二……我的妈啊！”当死人在他的双掌之间挣扎时，他忍不住大叫。

第四章

琼

克莱尔会被切开，胸骨被锯子锯断，用金属延展器保持敞开，这样一来，她便可维持无心脏的状态。然而，这并不是最让我感到害怕的部分。

让我吓破胆的是细胞记忆的事。

吴医生说过，没有任何科学研究证明，心脏捐赠人的人格特征会转移到受赠人身上。但我想，科学顶多只能做到这种地步。我念了很多书，也做了研究，但仍然看不出，为何会有人认为活体组织会有记忆能力。话又说回来，我们有多少人试图遗忘创伤性事件，却发现事实上，事件已刻在眼皮里、刺在舌头上？

有十几件不同的案例。一个左腿畸形的婴儿淹死后，心脏捐赠给另一个婴儿，没过多久，受赠的婴儿左腿开始变得一瘸一拐；接受心脏移植的饶舌艺人突然开始弹起古典音乐，后来才知道，自己的捐赠人死前紧抓着一只小提琴盒；一个动物牧场的工人接受一名十六岁素食主义者捐赠的心脏，此后只要一吃肉，就病得厉害。

一名二十岁的器官捐赠者闲暇时喜爱创作歌曲。父母在他过世一年后，找到一张CD，录有儿子亲自创作的情歌，歌曲叙述他为了一位名叫安蒂的女孩心碎失神。他的受赠人是一个名叫安德拉的二十岁女孩。当男孩的父母把这首歌放给她听时，她可以在尚未听完之前就说出歌词。

这些故事，大部分还算平和，类似奇怪的巧合。而另一则故事却完全不是这样。一个小男孩接受了另一个被谋害身亡的小男孩的心脏。之后，他开始做很多关于谋杀捐赠人的男人的噩梦——男人身穿的衣物，如何诱拐小孩，还有谋杀用的凶器藏在何处等细节。警方则根据这些线索逮捕了凶手。

倘若克莱尔因为接受薛·布尔能的心脏而得到凶手的思想，那就太糟了。甚至如果拥有这颗心脏的克莱尔，必须去感受自己的爸爸和姐姐被杀害时的感觉，那就会真正摧毁我。

要真如此，不要这颗心脏也罢。

玛吉

今天，我决定把每件事都做好。星期天不用上班，我一起床，就翻出了《一分钟健身》录像带。这其实并没有听起来那么简洁，健身时间可以随意增减，反正没人知道我没有选累垮人的八分钟教程，而是选了四分钟健身操。跟比较简单的上臂运动相比，我挑了加强腹肌的动作。之后，我给垃圾分类，洗完澡刮腿毛，并用牙线清洁口腔。到了楼下，我清理奥利佛的笼子，让它在客厅里跑一跑，自己则在厨房炒蛋当作早餐，配小麦芽一起吃。

总之，我撑了四十七分钟，才去翻出和小号牛仔裤藏在一起的奥利奥饼干。那条牛仔裤是我掉入罪恶感之前的最后一道防线。我撕开饼干包装，开始尽情满足口腹之欲。

我也给奥利佛一块饼干。吃到第三片时，门铃响起。

我看见一个身穿亮粉色上衣的男人站在门廊里，衣服上面印着“耶稣的喜乐”。这一定是对我沉沦于零食的惩罚。

“如果你没在十秒内离开，我立刻报警。”我说。

他朝我咧嘴笑，一嘴鲜明的白金牙套强化了笑容。“我并不是陌生人。”他说，“我是一位你还不认识的朋友。”

我的双眼骨碌碌转一转：“为何不直接切入重点？你把传单给我，我则礼貌地拒绝与你交谈，然后关门，把传单丢进垃圾桶。”

他伸出手："我叫汤姆。"

"你叫'离开'。"我纠正。

"我也曾经很痛苦。早上工作，下班后回到空荡荡的家，把剩一半的罐头汤当晚餐，问自己为何存在于世。我以为，除了自己，什么人也没有……"

"然后，你把剩下的汤给了耶稣。"我替他说完，"听着，我是无神论者。"

"找到自己的信仰永远不会太迟。"

"对我而言，你真正的意思是，找到你的信仰永远不会太迟。"我一边回答，一边抓起往打开的门狂奔的奥利佛，"你知道我相信什么吗？宗教的用途是历史准则，是人们在拥有司法系统之前依循的生活规范。就算起初立意良好，事情却搞砸了，不是吗？有一群人信仰同样的事物，便组成团体，然后认定其他不相信这些事物的人都是错的。坦白说，就算有一种宗教，是以为他人做好事的基准建立的，或是帮助他人获得权利，正如我每天的工作，我也不会加入。因为那永远都是一种宗教。"

汤姆哑口无言。这恐怕是数月以来，他所遭遇过的最激昂的辩论，大部分情况都是吃闭门羹。突然，房内的电话响起。

汤姆把一份传单塞到我手中，匆忙地由门廊往后退一步。我在他身后关门，瞄了一眼传单封面：

上帝＋你＝∞

"如果宗教有数学公式的话，"我咕哝，"那应该是除法。"我把传单塞到奥利佛笼子下方的报纸垫里，急忙接起这通马上就要开始录音的电话。

“喂？”

声音听起来不太熟悉，有点踌躇。“请问玛吉·布鲁在吗？”

“我是。”星期天早上来这样一通扰人的电话推销，实在有点不太寻常。

她并不是电话推销人员。她是康城医院的护士，打电话来，是因为刚才发生的一件紧急意外。

而我正是薛·布尔能的紧急联络人。

路希尔斯

你恐怕不相信这种可能性，但史密特警察复活之后，事情反而变得更糟。在场的警官必须向典狱长呈报所有关于刺杀的细节。我们都被限制行动。隔天，一组平日不在I层工作的警官来此值勤，从大家轮流的一小时运动和洗澡时间开始调查。波基是第一个被带走的。

刺杀事件过后，我就没洗过澡。监管人员让我和薛大致清洁了一番，我们俩身上都沾了史密特的血，却只能在自己牢房的脸盆里冲洗，不可能让我觉得有多干净。就在我们等着被带去洗澡的时候，艾尔玛现身，准备替我们两人抽血。他们会检查任何和囚犯的血液有接触的人，当然，也包括史密特警察。不过，他的血显然被排除在有问题的可能性之外。薛戴着手铐脚镣，腰部缠着铁链，被带往楼层外一间小房间，艾尔玛在里面等候。

在此期间，波基溜进浴室，躺在那里埋怨背痛。另外两位监管人员拉出一块挡板，把波基和挡板铐在一起，再把他移到担架上，一路把他抬到医护室。这群人不习惯I层，通常，监管人员应该跟在我们背后，而不是走在前面，所以他们没注意到，当波基被带出去的时候，薛正好在被带回来的途中。

监狱内的悲剧往往都在转瞬间发生。波基只需要在这一瞬间，使用事先藏好的钥匙打开手铐，跳过挡板，再抓住挡板用力朝薛的脑袋猛击，薛的脸便立刻撞向砖墙。

“白人荣耀！”波基大喊。我这才明白，原来是身处禁闭室的盖许运用自己的关系下令攻击薛，以报复他让自己的注射器遭监管人员没收。苏利攻击史密特警察，只不过是前奏，用来造成工作人员的混乱，让计划的第二部分得以顺利进行。而波基利用这个机会，执行白人监狱帮会下令的制裁，借以赢得自身地位。

这次事件过后六小时，艾尔玛回来完成替我抽血的工作。我被带到小房间，发现她还在为方才发生的事而颤抖，尽管她不会向我透露一字一句——除了薛被送往医院之外。

当我看见某样银色的物品正朝我眨眼时，我等艾尔玛把针头从皮肤里抽出来，然后把头夹在双膝之间。

“老兄，你还好吗？”艾尔玛问。

“只是觉得有点头晕。”我的手指在地板上摸索。

如果魔术师是运用双手耍妙计的第一高手，那囚犯应该可以名列第二。一回到牢房，我立刻拿出刚刚藏在狱服缝隙间的战利品。波基那把发亮的手铐钥匙非常小，套在一只马尼拉信封的扣环上。

我爬到床铺下方，移动宽松的砖块，里面藏着我贵重的财产。一只小小的卡纸盒内，有我的颜料瓶和棉花棒，还有日后用来萃取颜料的糖果——半包巧克力豆，一条彩色水果糖，几颗已经化掉的软糖。我拆开一颗吃起来像儿童用阿司匹林的橘色软糖，用大拇指按压中央的正方形，直到太妃糖变得软软的。我把手铐钥匙按进去，小心翼翼地把糖果捏回原状，再用原本的包装包回去。

我不喜欢被认为自己正利用一桩伤害薛的意外而得利，但我也是一位现实主义者。当薛的九条命都玩完，我独自被留在这里的那天，我需要所有能够获得的帮助。

玛吉

就算我不是薛·布尔能的紧急联络人，也能很快在这间医院里找到他。他是唯一有武装警察站在门外的病人。我瞥了警察一眼，再把注意力移回桌前的护士身上："他还好吗？发生什么事了？"

史密特警察被攻击后，迈可神父曾打电话来，告知我薛平安无事。然而在这个过程中，想必有什么事出了差错。我试图打电话给教士，他却没有接。我猜他应该也接到了通知，正在赶来的途中。

如果薛没有留在监狱的医院治疗，那么刚才的事态一定十分严重。出于花费和安全考虑，除非绝对必要，犯人极少会被带出监狱。再加上薛引来了监狱外界的重大关注。所以，今天的做法，想必生死攸关。

不过话又说回来，只要一与薛有关，每件事也许都会变得生死攸关。此刻的我，一想到他可能伤势严重就颤抖不止，但昨天一整天，我都在准备那些让处决变得简便的提议。

护士抬头看我："他刚出手术室。"

"手术？"

"是的，"身后传来语速很快的英式英语，"不对，刚刚进行的并不是阑尾切除术。"

我转过身，葛拉弗医生站在那里。

“你是唯一在这儿工作的医生吗？”

“有时的确会有这种感觉。很乐意回答你的问题。布尔能先生是我的病人。”

“他是我的委托人。”

葛拉弗医生看看护士和武装警察：“我们不妨去别处谈谈？”

我尾随他走出大厅，来到一间空无一人的家属等候室。当医生示意我坐下时，我的心马上沉了下去。医生只有在通知坏消息时，才会让人先坐下。

“布尔能先生会没事的。”葛拉弗医生说，“至少以这次手术来看。”

“什么手术？”

“对不起，我以为你知道。这是犯人斗殴事件。布尔能先生的颚骨窦遭受了严重的撞击。”

我等候他的详细解释。

“他的颚骨碎了。”葛拉弗医生说着身体前倾，用手抚摸我的脸。他的手指，从我眼窝下方的骨头轻掠至嘴巴。“这里，”他说，我停止了呼吸，“手术过程中，发生了一个伤心的插曲。我们一看见伤口，就明白必须采用静脉麻醉注射，而不是吸入式麻醉。布尔能先生一听见麻醉师说将进行硫喷妥钠注射时，立刻变得十分激动。”医生抬头看我，“他问，这是否在为处决演习。”

我试图想象薛的感受。受伤、疼痛又困惑，紧急被送往一处不熟悉的地方，进行一场仿佛处决序曲的手术。

“我想见他。”

“布鲁小姐，如果你能转告他，要是我早知道他的身份——我是指他的处境——就绝不允许麻醉师使用那种药剂，连静脉注射管都不会用。我真的很抱歉让他经历这种过程。”

我点点头站起来。

“还有一件事，”葛拉弗医生说，“我真的很敬佩你从事这样的工作。”

我往薛的房间走到一半时，才意识到，葛拉弗医生还记得我的名字。

在得到允许进病房见薛之前，我来来回回和监狱通了好几通电话。典狱长坚持，房内的警官必须留在原位。我走进房间，和监管人员打声招呼，坐在薛床铺边缘。他双眼黯淡，脸包了绷带，正在睡觉，看起来更年轻了。

我谋生工作的一部分，在于保护委托人的权益。我是有力的臂膀，为他们的利益奋战，如同为他们发声的代言人。我能体会美裔印第安男孩在学校被归为“红皮肤”队伍时心中的难堪和愤怒，我能理解那位只因身为威卡教徒就被辞退的热忱教师的感受。然而，薛却让我举棋不定。这毫无疑问将是我带进过法庭内最大的一件案子，而且正如我爸所指出的，多年来我已经很少如此热心工作了，这当中存在一种固有的矛盾。我越了解他，就越有把握替他赢得捐赠器官的胜算。而我越了解他，也会越难眼睁睁地看着他被处决。

我从皮包里拿出手机。警官的眼睛轻轻转向我：“你不应该在这儿使用……”

“喔，不要管我，”我心急地说。我不知是第几百遍拨电话给迈可神父，结果还是进入了语音信箱。“我不知道你人在哪儿，”我说，“但是，请立刻回电给我。”

我把自己对薛·布尔能的情绪透露给迈可神父，表达了：一，我的天分最好使用在法庭上；二，我的人际关系技巧早已生锈，使用前应该先上除锈剂。现在，迈可神父不知死活，薛住院，不论好坏与否，我人在这儿。

我凝视薛的双手。手腕的手铐与医院轮床的金属边缘铐在一起，短短的指甲很干净，手指细长。我实在难以想象，这些手指曾经盘绕着一把枪，两次扣下扳机。而且，十二位陪审团团员竟然还能想象出那幅画面。

我慢慢把手移向起球的棉毯，十指与薛的十指交握，我惊讶地发现，他的皮肤如此温暖。正当我想抽掉自己的手，他却将之紧紧握住。他的眼睛微微张开，一层蓝色的阴影在眼部的挫伤之间闪烁。“葛瑞丝，”他说，声音仿佛勾在荆棘上的棉花一样脆弱，“你来了。”

我不知道他把我当成了谁。“当然，我来了。”我说着，紧握他的手好几下。我向薛·布尔能露出微笑，假装是那个他现在需要我成为的人。

迈可

维杰·库德哈利医生的办公室内，摆满了印度的象头神雕像，它拥有大象的头和一个大腹便便的人身。我得搬开其中一尊雕像，才能够坐下。

“史密特先生实在幸运至极，”医生说，“只要再往左多四分之一英寸，他就回天乏术了。”

“关于这点……”我深呼吸一口气，“当时在监狱，有位医生宣告他已经死亡。”

“神父，我坦白跟你说，我根本不相信一个心理医生能在停车场找到自己的车子，更别说找到一个低血压病人的脉搏。正如他们所说，史密特先生的死亡报告，实在有点过度夸张。”

“可是他流了很多血……”

“颈部有很多组织破裂都会造成大出血。对外行人而言，一摊鲜血看起来可能很多，就算事实根本不是那样。”他耸耸肩，“我猜，今天发生的情况，应该是迷走神经性反应。史密特先生一看见血，便立刻昏厥。身体也因为失血，以昏厥作为应变。血压降低，造成迷走神经性反应，这两种途径都在试图停止失血，也都会导致四肢脉搏变得微弱。这正是心理医生无法找到脉搏的理由。”

“所以，”我脸色发红，“你并不认为史密特先生可能是……

呃……复活？”

“当然不。”他低声轻笑，“在医学院里，我曾见过被冻死的病人，简单来说，回暖之后复活。我曾见过停跳的心脏再度开始跳动。但是对于这些，也包括史密特先生的例子，我都不认为病人在恢复之前，是处于医学里的死亡状态。”

我的手机又开始震动。过去两小时，手机每十分钟就震动一次。我一来到医院，便遵循院方方针关掉了手机铃声。

“所以这起事件并无任何奇迹？”我说。

“也许以你的标准来看，确实没有……但我想，史密特先生的家人可能不同意。”

我向他道谢，把象头神雕像摆回椅子，离开库德哈利医生的办公室。等到我离开医院，打开手机，马上看见了五十二通留言。

马上回电，玛吉留言。薛出事了。哔。

你在哪儿？哔。

好，我猜你手机没开，可是你必须立刻回电。哔。

你他妈的在哪儿？哔。

我切断留言，马上打电话给她。

“玛吉·布鲁。”她小声回答。

“薛出什么事了？”

“他在医院。”

“什么？哪家医院？”

“康城。你人在哪儿？”

“我就在急诊处外面。”

“我的天！马上过来这里。他在五一四号房。”

我跑上阶梯，推挤着经过医生、护士、化验室人员和秘书身旁，仿佛此刻的速度能弥补薛需要我而我却不在身旁的事实。房门前的武装警察看看我的领圈——这是自由通行证，尤其在星期天下午——立刻让我入内。玛吉趴在床尾，脱掉的鞋子搁在一旁，双脚好好安置在椅下。她握着薛的手，我难以辨认眼前这位病人就是昨天与我交谈的男人。他的皮肤呈现尸骨的颜色，一边的头发被剃光，以便缝合伤口。他的鼻子看上去断了，用纱布包起来，鼻孔塞了棉花。

“上帝。”我倒抽一口气。

“据我了解，这是由一场短暂的监狱斗殴带来的。”玛吉说。

“那不可能。伤害事件发生时，我在场……”

“显然，你在第二幕开始前就离开了。”

我看向站在病房一角宛如哨兵的警官。

男人看着我，点头表示确认。

“我已经打电话到科因典狱长家，让他难堪了。”玛吉说，“他半个小时后会在监狱和我会面，商谈之后，会替薛安排额外的安全设施，直到处决为止。事实上他真正的意思是，‘我要怎么做，才能阻止你上法庭？’”她转向我，“你可以留在这儿陪薛吗？”

今天是星期天，我整个人彻底地迷失了。现在的我之于圣凯瑟琳教堂，应该处于非正式离职的状态。我一直清楚，没了上帝，自己将无所适从，然而我没料到，失去教堂的自己竟是如此茫然。这个时间，我通常刚结束弥撒，挂回祭袍，和华尔特神父一起和某位教友午餐。然后，我们会前往教友的家，一边喝几杯啤酒，一边收看职业棒球大联盟季前赛。宗教除了信仰，还让我属于某个共同体。

“我可以留下。”我回答。

“那我走了，”玛吉说，“反正他到现在还没真正清醒。护士说他可能会想小解，那得用那个磨人的玩意。”她指向一只长柄塑料壶，“我不知道你怎么想，但以我的薪水看，还不需要做这档事。”她停在门槛边，“我晚点打电话给你。把你该死的手机打开。”

等她离开后，我将一把椅子推向薛的床铺。我阅读解释如何升降床垫的塑料告示牌，查看电视频道表，然后又整整念完一遍《玫瑰经》，薛依然一动不动。

薛的病历表就夹在床铺边的金属板里。我跳过看不懂的语言——伤势、医疗和生命指数，瞥向纸张上方的病患名字：

I. M. Bourne

以萨亚·马太·布尔能。当初开庭时，我就知道这了个名字，不过我却忘记了，薛并不是他的天主教名。

“I. M. Bourne”我大声念出来，“听起来像特朗普集团会雇用的人。”

I am born.

这会不会是一种暗示，一块通向证据的拼图？

凡事都有两面。一个人眼中死囚的胡言乱语，在另一些人眼里会被认定为失传的福音。一个人判定的医学上的侥幸，在另一个人看来却是死而复生。我想到被治愈的路希尔斯、水变成酒，还有轻易就相信薛的跟随者。我想到一个三十三岁的男人，一个木匠，面对处决。我想到布鲁拉比的说法：每一代都有一个人拥有成为弥赛亚的潜力。

重点是，当你站在毋庸置疑的证据边缘时，请先看看另外一边有什么，然后迈开脚步，否则你哪里都到不了。我凝视薛，也许这是第一次，我没有看见他是谁，而是看见他可能是谁。

他仿佛感受得到我的目光，开始咳嗽，然后转过身。他只有一边眼睛能稍微睁开，另一边肿得紧闭着。“神父，”他焦急地说，声音依然因药物而不顺畅，“我在哪儿？”

“你受伤了。你会没事的，薛。”

房角的警官盯着我们。

“你可不可以让我们独处一下？我想私下为他祷告。”

警官迟疑了一下。他应该如此，因为不会有教士不习惯于人前祷告。他耸耸肩。“教士应该干不了什么大事，”他说，“你老板比我老板还大。”

人总是习惯把上帝人性化，像一个老板、一个拯救者、一名法官、一位父亲。没人会把他想成一个重大杀人犯。然而，如果你把外在的可能性陷阱扔到一旁——这是耶稣复活之后，每位门徒都必须做的事——也许一切都有可能。

警官一离开房间，薛畏缩起来。“我的脸……”他试着举起手触摸绷带，却发现手和床铐在一起。他开始用力拉扯挣扎。

“薛，”我坚决地说，“不要这样。”

“我很痛，我要止痛剂……”

“他们给你打了止痛剂，”我告诉他，“警官回来之前，我们只有几分钟时间，必须趁能讲话的时候讲。”

“我不想讲话。”

我不理他，身体前倾，停止呼吸。“告诉我，”我对他耳语，“告诉我，你是谁。”

薛的眼睛浮现出一股谨慎的盼望。他恐怕从未期望过被当成上帝。他非常平静，眼睛不曾脱离我的目光。

“告诉我你是谁。”

天主教里，有所谓的故意谎言和省略谎言。前者是彻底的谎话，后者则是拒绝事实。两者都是罪。

从我们见面的那一刻起，我就在对薛说谎。他相信我会帮助他捐赠心脏，却从不明白，我的心有多黑暗。若我自己没有以身作则，又怎能期盼他揭露自己的身份?

“你是对的，”我安静地说，“我有一件事还没告诉你……有关我成为教士之前的身份。”

“让我猜猜……一个祭坛男孩。”

“我是个大学生，主修数学。在成为陪审团一员之前，我从不去教堂。”

“什么陪审团？”

我迟疑了一会儿：“薛，就是判你死刑的陪审团。”

他盯着我好长一段时间，然后转过身：“出去。”

“薛……”

“操你妈的走开！”他用力打自己的手铐，使出全力猛拉，手上皮开肉绽。他发出的声音相当原始，世界在拥有秩序和光明之前，肯定充满这种声音。

一位护士跑进来，身边跟着站在外面的两位警官。“发生什么事了？”护士大喊。薛依然继续挣扎，枕头上的头左右激烈摆动。鼻子上的纱布开始被鲜血染红。

护士按下薛头部后方木板上的呼叫按钮，之后房间内一下挤满了人。一位医生向警官吼着“解开该死的手铐”，手铐刚一解开，薛就开始用力击打所有碰到的东西。一个助手趁乱把针筒刺进他的手臂。“把他带出去。”某人说。一位护士把我推出房间，我最后看见的影像是瘫软下来的薛，在那些迫切想救他的人身旁倒下。

琼

克莱尔赤裸裸地站在一面全身镜前，胸口用黑丝带作着记号，仿佛足球表面的花纹。我看着她松开蝴蝶结，解开丝带，把胸口打开一半，从肋骨的窟窿里解开一只小巧的黄铜搭扣，肋骨随即弹开。

里面的心脏安稳强壮地跳动着，很明显，那并不是她的心脏。克莱尔举起一只汤匙，开始切割器官，试图把它和血管分离。她的双颊逐渐苍白，露出濒死的眼神，却依然设法取出心脏。她把一团血淋淋的畸形肉团放在我张开的手掌里。“还回去。”她说。

我从噩梦中惊醒，汗水淋漓，心脏急跳。和吴医生谈完关于器官兼容性的问题后，我明白他确实有理。现在重要的并不是这颗心脏来自何处，而是能否到手。

但我还没告诉克莱尔，我们正在等候一位捐赠人的心脏。反正还没进行到合法诉讼程序。我不想在法官裁决之前给她希望，以防日后破灭。而且另一部分的我，知道自己不愿意告诉她事实。

装下这个男人心脏的，是她的胸膛。

冲了很久的淋浴，我心中依然无法除去这个关于克莱尔的噩梦，我知道我们俩必须谈谈这个我一直避免的话题。更衣后，我匆忙走到楼下，发现她坐在沙发上，一边看电视，一边吃麦片。“必须遛狗才行。”她心不在焉地说。

“克莱尔，”我说，“我得和你谈谈。”

“让我看完这个节目。”

我瞥了一下屏幕，那是《欢乐满屋》，这一集克莱尔已经看过好几遍了，连我都可以告诉你，杰斯从日本回来后，明白成为摇滚明星并不值得吹嘘。

“这你以前看过了。”我边说边关掉电视。

她双眼发亮，用手边的遥控器，再把电视打开。

也许是因为缺乏睡眠，也许是肩膀扛着迫切又沉重的负荷，我开始生气，着急地乱走，把墙上的有线电视连接线拔了出来。

“你吃错什么药了？”克莱尔哭叫，“简直像个臭婊子！”

我们都沉默了。克莱尔的粗话让我惊愕万分。她以前从来没这么叫过我，也从未和我吵过架。还回去。我想起克莱尔手里拿着心脏的影像。

“克莱尔，”我边后退边说，“对不起，我不是故意……”

克莱尔开始翻白眼，我立刻闭上了嘴。

我常常看见这一幕。她胸口的植入性心律去颤器正在激活，当克莱尔的心脏少跳一次或多跳一次，它就会自动去颤。她昏厥后，我马上抱住她，把她安置在沙发上，等待心脏重新启动，克莱尔苏醒过来。

这一次，她并没有及时醒来。

在前往医院的救护车上，我细数痛恨自己的原因：在我们之间挑起争端；未事先询问她的意见，就接受薛·布尔能捐赠心脏的提议；在快乐结局还没到来前，就把《欢乐满屋》关掉。

留在我身边。我无声地恳求，你可以一天二十四小时都看电视，我也会陪你一起看。不要放弃，我们已经快成功了。

尽管在抵达医院前，急救人员成功地让克莱尔的心脏再度跳动，吴医生的沉默却也让她明白，在一颗新的心脏抵达，或是自己的心脏用完前，医院将会是她的新家。我看着他替克莱尔检查，她在房间里的微弱光线下，很快就睡着了。

“琼，”他说，“我们去外面谈。”

他关上我们背后的门：“没什么好消息。”

我咬着唇，点点头。

“显然，植入性心律去颤器并未正常运作。除此之外，我们为她做检查，发现她排尿量减少，肌酐指数升高。琼，这是肾功能不足的征兆。现在，她不仅心脏将用尽，整个身体都在准备关机。”

我看着远方，一滴眼泪滑过脸庞。

“我不知道等法院同意捐赠心脏究竟要花多久。”医生说，“但克莱尔等不到诉讼结束。”

“我会打电话给律师，”我轻声说，“我还能做什么？”

吴医生碰碰我的手臂：“你应该想想如何道别。”

我环抱手臂，久久不能自已，直到吴医生消失在电梯里。我急忙穿过大厅，胡乱钻进一扇半开的门，无力地蹲下，为了释放内心的悲痛而高声痛哭。

我感到有一只手放在我肩膀上。泪眼婆娑中，我发现与薛·布尔能站在同一阵线的教士盯着我：“琼，还好吗？”

“不好，”我说，“不好，一切糟糕透顶，错误百出。”

我现在才看见之前跑进房间时没注意到的地方——房间前方长讲台上的黄金十字架、绣着大卫星的旗帜，另一面旗则绣着伊斯兰教的新月。这里是医院的教堂，一个让你做出最想要的请求的场所。

希望某人快死掉，让克莱尔尽快拥有他的心脏，这样想有错吗？

“你的女儿？”教士问。

我点头，无法正视他的双眼。

“可不可以……我是说，你介意我替她祷告吗？”

尽管我不想要他的帮助，也并未请求他的帮助，但这一次，我愿意把自己对上帝的感想先搁置在一旁，因为这样，克莱尔便可以得到所有她需要的帮助。于是，我点点头。

身旁，迈可神父的祷告飘向山坡和丘陵：“我们在天上的父，愿人都尊你的名为圣。愿你的国降临，愿你的旨意行在地上，如同行在天上。”

在我意识到自己在做什么之前，我的嘴唇跟着吐出言语，那是嘴边肌肉的记忆。我惊讶地发现，自己并不觉得祷告虚伪牵强。我反而得到了释放，仿佛把沉重的担子交给了另一个人。

“这一天给我们每日的面包，带领我们抵抗诱惑。原谅我们的罪过，正如我们原谅他人加在自己身上的罪过。”

这种感觉，仿佛下雪的夜晚，套上法兰绒睡衣；仿佛驶向高速公路出口之前，打开方向灯，然后明白，这条路会带你回家。

我看着迈可神父，和他一起同声说：“阿门。”

迈可

伊·弗莱彻，昔日电视上知名的无神论者，现今的学者，他住在新罕布什尔州的新迦南，在农庄一条肮脏的道路旁。那里的邮箱甚至都没有标号。我在整条街来回四遍，才驶入一条汽车专用道，敲响了他的门。透过开启的窗户，我听见莫扎特的音乐，却没人回应。

我把琼留在医院，对自己和薛的冲突依然胆战心惊。说来讽刺，正当我允许自己去想上帝可能就在我身边时，他却断然拒绝了我。我觉得整个世界都不对劲，开始质疑自己平日生活中的秩序，觉得自己的事业和期待都很诡异。

我拨了通电话，给一位经历过类似情况的人。

我再度敲门，这次，门把手自动在我的手下方转开："哈啰，有人在吗？"

"进来。"一个女人喊道。

我走进屋内，注意到里面摆放着殖民地时期风格的家具。墙上的一张照片是一个小女孩正在和比尔·克林顿握手。我随着音乐，来到厨房后的一间房，桌上有一间复杂至极的玩具屋，旁边摆放着少许木材、凿子和硅胶。玩具屋采用不比我大拇指指甲大多少的积木搭建，窗户装有迷你百叶窗，而且和真正的百叶窗一样，可以翻开引导光线。门廊部分搭着罗马柱。"不可思议。"我喃喃低语。一个躲在玩具屋后方的女人站了起来。

“喔，”她说，“谢谢。”她看着我，一脸恍然大悟的模样。我这才发现，她的双眼正盯着我的教士领圈。

“你在教会学校有糟糕的回忆？”

“不……只是，这里很久没有教士来访了。”站着的她，用屠夫穿的那种白围裙擦擦手。

“我是玛丽亚·弗莱彻。”她说。

“迈可·怀特。”

“迈可·怀特神父。”

我咧嘴笑。“已经被降级了。”我指指她的手工艺作品，“是你亲手做的？”

“呃，是。”

“我从没见过这么棒的玩意儿。”

“那好，”玛丽亚说，“这正是客户们在意的地方。”

我弯下腰，仔细观察一扇小小的门，门上的扣环是一个狮头。“你真是位艺术家。”我赞叹道。

“不尽然。与大张图画比起来，我只是对细节部分比较在行。”她把正在播放《魔笛》婉转旋律的音响关掉，“我丈夫叫我留意你的来访。而且……喔，糟了。”她的双眼，瞥向摆着一大堆积木的房间角落，“刚才你进来的时候，有没有遇见两个闹腾的小家伙？”

“没有……”

“不好了。”她走过我身边，跑进厨房，打开一扇餐柜门。双胞胎——我猜他们四岁大——弄得白色地毯上到处都是花生酱和果酱。

“喔，上帝。”当双胞胎的脸，如向日葵般转向玛丽亚时，她叹口气。

“你自己说我们可以用手指画画的。”其中一个男孩说。

“不是在地上画，也不是用食物画！”她瞥了我一眼，“我应该带你过去，可是……”

“可是你必须处理这个棘手的情况？”

她露出微笑。“我丈夫在谷仓，你继续往下走就到了。”她把两个男孩拉起来，指指水槽，“你们两个，”她说，“给我洗干净，然后找你们的老爸。”

我留下她替双胞胎洗手，自己走上通往谷仓的走廊。养小孩并不在我的计划之内。教士对上帝的爱是全方位的，因而会抹去正常人对家庭的渴望。我的父母、兄弟姐妹和孩子全都是耶稣。然而，假如《多马福音》无误，那我们应该与上帝相像，而不是丝毫不像。这样一来，对每个人而言，生养孩子应该是一种义务。毕竟上帝有一个儿子，并把他给了世人。任何一个有孩子离家读大学、成家立业的父母，都应该比我更了解上帝的这个部分。

我越来越靠近谷仓时，这时却听见非常邪恶的声音，仿佛有猫被肢解或小牛被宰割似的。我心慌意乱。弗莱彻会受伤吗？突然，大门打开，我发现他手上拿着一把小提琴，在看一个少女拉琴。

拉得太逊了。

她把小提琴从下巴边移开，安置在臀部的微妙曲线之间。

“我不懂，为什么要在谷仓练习。”

弗莱彻拔掉一对耳塞。“你说什么？”

她的双眼骨碌碌转动：“你到底有没有听我拉的曲子？”

弗莱彻停顿了一会儿。“你知道我爱你，对不对？”女孩点头。“那么，这么说好了，如果上帝今天刚好晃到附近，最后一段旋律可能直接让他跑回山上。”

“明天是乐团甄选，”她说，“我该怎么办？”

“换成长笛？”弗莱彻建议道，边用双臂环绕住女孩。他转身时，注意到了我。“啊。你一定是迈可·怀特。”他与我握手，接着介绍女孩，“这是我女儿，费丝。”

费丝也和我握手：“你有听到我拉琴吗？我真的如他所言，拉得很糟吗？”

我迟疑了一下，弗莱彻过来帮我解围。“宝贝，不要逼得教士非说谎不可，这样他得花一下午的时间告解才行。”他朝费丝笑笑，“我想，现在轮到你看管那对来自地狱的双胞胎了。”

“才不是，我记得很清楚，轮到你了。今天整个早上妈妈工作的时候，都是我在照看。”

“十元。”男人说。

“二十元。”费丝喊价。

“成交。”她把小提琴放回琴盒。“很高兴认识你。”她对我说，接着溜出谷仓，朝房子的方向走去。

“你有一个美满的家庭。”我向弗莱彻说。

他露出微笑：“外表是可以骗人的。花一个下午的时间与该隐和亚伯相处，就会对生育控制有全新的了解。”

“他们的名字是……”

“不是，”弗莱彻面带笑容，“不过，当玛丽亚没在听我说话时，我都这样偷偷地叫他们。回我的办公室吧。”

他带我走过发电机和铲雪机、两间废弃的马房，再穿过一扇松木门。我惊讶地发现，那里面是一间完整的房间，有很多窗户和两层楼的书柜。“我必须承认，”弗莱彻说，“我并没有很多来自天主教教会的电话号码。他们并不是我的书的主要读者群。”

我在一张高背的皮质安乐椅上坐下来："我能想象。"

"像你这样亲切的教士，到我这样一个煽动民众的人的办公室来做什么？我是不是可以等着在下期的《天主教倡讯》杂志里，阅读一篇你署名的羞辱评论？"

"不……这更像一件寻找事实的任务。"我正在想，自己应该对伊·弗莱彻坦承到什么地步。教友和教士之间的守密关系，正如病患和他的医生之间那样不可亵渎。然而，告诉弗莱彻所有薛说过的话，是否意味着打破两人之间的信任关系，就算这些话已经在两千年前被写在一本福音书内？

"你曾是一位无神论者。"我改变话题。

"是的，"弗莱彻微笑，"我在那部分挺有天分的。"

"然后发生了什么？"

"我遇见某人，这个人让我开始质疑先前所有对上帝的观点。"

"这，"我说，"正是为什么我会身在像你这样一个煽动民众的人的办公室里的原因。"

"也是认识更多灵知福音书的知识的好场所。"弗莱彻说。

"正是。"

"呃，那么，首先，你不应该如此称呼它们。'灵知'这个标签，是拒绝它的那群人创造出来的。我圈内的人称之为非教规福音书。'灵知'的字面意思是'知道的人'，但创造这个词的人，却认为它的信众假装博学。"

"我们在神学院学到的，大概就是这样。"

弗莱彻看着我。"神父，我问你一个问题。你认为宗教的用意是什么？"

我笑出来："哇，感谢老天，你选了一个简单的问题。"

“我是认真的……”

我仔细想了一下：“我认为，宗教带给人们一套相同的信仰准则，并让他们了解自己在乎的原因。”

弗莱彻点点头，好像这正是他预测的答案。“我想，当这个世界不按应有的方式运作时，例如，你的孩子死于白血病，或二十年辛苦工作后被解雇，那才是回答这些困难问题的好时机。也就是当坏事发生在好人身上，好事却发生在坏人身上的时候。有趣的是，不知为何，宗教停止寻找真诚的解答，开始沦于仪式化。每个人不再靠自身寻求答案，而是希腊正教教廷现身，告诉大家，‘做 x 、 y 和 z ，这样世界就会变得更好。’”

“呃，天主教已经存在两千年之久，”我回答，“做的肯定是好事。”

“你必须承认，它也做了不少坏事。”弗莱彻说。

任何有基本宗教认识或接受过初中教育的人，都知道天主教廷在政治与历史上的角色，更别提数世纪以来异教徒所遭受到的迫害。一个小学六年级的孩子都学过宗教审判。“这是一个团体，”我说，“当然，有时候统治者人选安排不当，掺杂了某些野心胜过信仰的人，但并不意味着必须全盘否定。不论上帝的仆人如何在教堂内搞砸事情，他的信息依然会设法越过困难而长存。”

弗莱彻的头歪向一边：“你对于基督教的诞生了解多少？”

“你要我从圣灵拜访玛丽亚，还是直接跳到东方的星辰……”

“那是耶稣的诞生。”弗莱彻说，“这是两码事。从历史上看，耶稣死后，人们并没有张开双臂欢迎他的跟随者。公元二世纪，这些人几乎都为了自己的信仰死去了。尽管如此，他们依然属于称呼自己为‘基督徒’的团体。每个小团体间都有差异，彼此并未统一整合。

其中之一就是所谓的灵知团体。对他们来说，身为基督徒是一个好的开始，但如果要真正顿悟，就必须得到秘密知识，即传说中的灵知。从信仰开始，于内部发展，灵知让他们二度受洗。托勒密称之为‘救赎’，当奴隶被合法释放时，也会用这个词。”

“所以，人们如何获得秘密知识？”

“困难自然存在。”弗莱彻说，“这不像身在教堂，你无法学习它。不是别人叫你去相信什么，而是靠自己去理解。你必须碰触内在的自我，了解人性与宿命，到时候你便能自然而然地领悟奥秘。如果你愿意去寻找，会发现每个人的内在都有神性，每个人追寻的道路也相互不同。”

“与其说是基督徒，听起来更像佛教徒。”

“他们称呼自己为基督徒。”弗莱彻纠正，“但当时里昂的主教爱任纽不同意。他在正统基督教主义和灵知主义之间看见三个很大的不同点。灵知派的文章，重点不在罪和悔改，而在幻觉和顿悟。它和希腊正教天主教廷不同，并不是加入就能身为成员，而是必须展现灵性的成熟，才能被接纳。而且灵知派的信徒，并不认为耶稣的复生只是字面涵义，这对主教而言，恐怕是最大的失误与阻碍。灵知派眼中的耶稣从来就不是真正的凡人，而只是以人的形象现身。他们不像天主教廷那样，不认为凡人和神性之间有着很大的鸿沟。对他们而言，耶稣并不是独一无二的拯救者，而是一位向导，帮助人们寻找个人的精神潜力。一旦达到顿悟的境地，你不是被基督赎回，而是成为基督。或者换言之，你和耶稣是平等的，和上帝是平等的。”

神学院把它视为异教的原因实在太简单不过。基督教的基准是只有一位唯一真神，他和凡人如此不同，因此唯一来到他身边的方式，就是通过耶稣。

“他们正是把教廷吓到屁滚尿流的最强大的异教徒。”

“而教廷本身也在经历身份危机。”弗莱彻说，“你应该记得爱任纽如何决定统整希腊正教的天主教廷——审判谁是真正的信徒，而谁不是。谁说的是上帝的话语，而谁说的……呃……只是一般的话语？”

弗莱彻在前方的便条纸上写下“上帝＝话语＝耶稣”，把它转过来给我看，“爱任纽讨论过这行字。他说，我们不可能具有神性，因为耶稣的生命和死亡和凡人相比，是如此与众不同。这一点成为希腊正教之基督主义的起源。只要不符合此等式，都是异端。如果你崇拜神的方式不对，你就出局。有点类似早年的真人秀。谁拥有基督信仰最纯粹的形式？他宣告那些为信仰之心添加创造力的人有罪，例如马可·奥勒留和他的追随者，他们讲述预言，描述一个身披希腊字母的女性神明。他宣告那些发誓只有一本福音书的团体有罪，比如只引据《马太福音》的伊便尼派，或是只研读《路加福音》的马吉安派。拥有过多经典的灵知派也一样糟糕。除此之外，爱任纽决定《马太》《马可》《路加》和《约翰福音》，就是人们必须相信的四福音书……”

“因为这四本福音书都叙述了耶稣的殉道……这正是教廷所需要的，如此一来，圣餐的存在才有意义。”

“正是。”弗莱彻说，“然后，爱任纽吸引其他所有正在试图决定哪一种基督教团体最适合自己的人民。他是这么说的：‘我们明白厘清什么是真实而什么不是，是一项艰巨的工作。所以我们让事情简单化，直接告诉你们，该信什么。’照做的人才是真正的基督徒，不照做的人则不是。爱任纽告诉人们该相信的事，多年后便成了《尼西亚信经》的基础。”

每个人都以半信半疑的态度看待历史，因为它是由赢家撰写的。尽管如此，大量不能否定的事实仍存在于其中。每位教士都清楚，我们在神学院学到的一切，都以天主教教条为主轴，而背后肯定存在一项无疑的事实。我一直认为，天主教廷是宗教适者生存的最佳范例。能超越时空留存的，必定是最真实、最有力量的信仰。但弗莱彻却说，最有力量的信念其实被抑制了，因为它们会危及希腊正教教廷的存在。它们必须被消灭的理由，其中一点便是，它们和希腊正教教廷一样，甚至更普及。

教廷之所以得以生存，继而开花结果，并不是因为它的信念最为明确有效，而是因为它是世界上第一波欺小的强权。

“那么，《新约圣经》的经典，只是从前的某些人必须做出的编辑决策罢了。”我说。

弗莱彻点点头：“不过，那些决定是根据什么而做出的呢？福音书并不是上帝的话语，甚至不是门徒记载上帝话语的第一手资料，充其量只是希腊正教教廷希望人们跟随信从，所使用的二手故事。”

“但是，假如爱任纽没有这么做，”我主张，“基督教可能根本不存在了。爱任纽做了一件非常重要的事，他统整一群分裂的信徒和信念。当你身在公元150年的罗马，只要你坦承基督是你的救主，你会立刻被逮捕。这时你自然会想确定，身边的人会不会到最后一刻突然改变主意，宣称相信其他的信仰。事实上，分辨谁是信仰人士，谁是狂人，在今天依然是重要的工作。无论阅读哪一份报纸，你都会看见愤怒、偏见和自我，理所当然被当成上帝的话语，并在上面绑一颗炸弹。”

“希腊正教教廷消除了这种风险，”弗莱彻同意道，“我们告诉你该读什么，不该读什么，所以你根本不用担心会犯错。问题在于，从开始这么做的那一刻起，人们就被分成了小团体。这些团体某些得到好处，某些则没有。某些福音书被挑选出来，某些则被藏在地底下好几千年。”他看着我，“在这当中，有组织的宗教不再与信念有关，而开始转变为谁拥有这种力量来维持信念。”弗莱彻撕下写着爱任纽等式的纸条，留下空白的纸板。他把纸张揉成一团，丢进垃圾桶。“你刚刚说，宗教的目的，在于结合人群。但真是如此吗？也许它正清楚地、有目的地企图让人彼此远离？”

我深深吸了一口气，然后开始告诉他所有我知道的关于薛・布尔能的事。

路希尔斯

我们当中没人睡得着，这并不是因为我们没去尝试。

群众总是善变的，而且他们的转换速度总是快到令人难以置信。那些在监狱外露营的人群——每晚在类似“弥赛亚先生：第二十三天”的倒数计时号召下，在本地新闻露面——不知怎么得到了薛因伤住院的消息。现在，那里除了彻夜不眠为薛祷告的人，还有一群人组成合唱团，认定这是一种征兆——薛之所以身受重伤，是因为上帝决定让他自食恶果。

由于某些原因，人群总在夜深之后变得更加嘈杂。张嘴辱骂、挑起争执、挥出拳头。国民警卫队在监狱外巡逻，维持秩序，但没人能让群众闭嘴。薛的拥护者高唱福音诗歌，用来淹没不信者“耶稣活！布尔能死”的歌声。即便戴着耳机，我还是听得见他们的声音，仿佛无法消失的头痛。

那晚收看十一点午夜新闻是十分超现实的经验。监狱外面群众的叫喊与电视的回声引起共鸣，事情确实在发生，但遥远得仿佛只是“似曾相识”。

“只有一个上帝！”人们吼道。

他们高举标语：

我的朋友是耶稣，不是撒旦。

让他为他的罪而死。

薛·布尔能不配获得荆棘冠冕。

背着枪的武装警卫把这些人和薛的忠诚拥护者分开，然后在公众意见分歧的两端公众之间的缝隙里来回走动。

“如你们所见，”记者说，“民众对薛·布尔能以及前所未闻的捐赠心脏一案的热度，已随着他的住院而减退。最近的民调显示，只有34%的新罕布什尔州居民依然认为，法院应准许布尔能成为器官捐赠人。16%的人认为他行的奇事有神性成分。这表示，84%的本州民众认同埃布尔加特·琼斯图斯教士，他本人今晚再度加入了我们。教士，你和你的会众已经待在这里将近一星期，对于今日公众意见的转向起了作用。对于布尔能的住院，你有什么看法呢？”

琼斯图斯教士仍然穿着那件绿色西装。

“本州99%的居民认为你应该烧了这套西装。”我大声说。

“贾尼丝，”教士回答，“在露天免下车教会‘上帝基督’，我们一直在替因监狱内斗事件而受伤的薛祷告，希望他早日康复。然而，我们是向唯一的真神耶稣基督祷告的。”

“对于那些依旧不认同的人，你有没有想要传达的信息？”

“有。”他靠近摄影机，“我早就告诉你了。”

记者拿回麦克风。“我们得到的消息来源指出，布尔能将于未来几小时内出院，但医生并未说明他的情形……”突然，两边群众传出吆喝，记者用一只手压住耳机，“这尚未得到确认，”她在一片喧嚣声中说，“但方才明显有一辆救护车开入了监狱的后门……”

画面的摄影机越过记者，捕捉到一个男人正在殴打一个身穿紫色长袖衣服的女人。武装警卫介入冲突，就在这时，两边阵营开始出现其他斗殴。分隔于双方阵营之间的警卫开始呼叫增援。摄影机又捕捉到一个青少年被人踩踏，一个男人被警卫的来复枪敲中头部，整个人倒在地上。

“开大灯。”一位监管人员透过扩音器说。这不是真的指开大灯，监狱里有几盏灯永远闪亮着。我拔下耳机，躺在床上聆听监狱砖墙外的骚动。

我这才明白，事情其实一直如此。某些人相信，某些人不相信，存在于他们之间的，就是枪。

我不是唯一受到打扰的人。知更鸟蝙蝠侠开始抗议，就算卡洛威尽力安抚也没用。

“干你妈的，让那只怪鸟闭嘴！”泰瑟斯吼。

“你才闭嘴，”卡洛威说，“去他妈的布尔能。希望他再也不会回到干你妈的I层。”

召唤立即应验了。I层的门打开，在半昏黄的光线中，六位警察护送薛回到他的牢房。他的脸缠着绷带，双眼乌青。一部分头皮剃得光秃秃的。他走过牢房时，没有看我们任何一个人。“嘿。”他行经我牢房前，我朝他低声打招呼，但薛没有回答。他仿佛一具僵尸在走路，也好似科幻电影里被疯狂科学家摘除大脑前叶的人。

五位警察离开，第六位警察站在薛牢房门外，那是薛个人专属的安全警卫。监管人员在场，我无法和薛说话。监管人员在场，让所有人都无法说话，就是这么回事。

我猜，大家太专注于他的归来，所以花了好一段时间才明白，此刻的安静并不只是缺少对话。知更鸟蝙蝠侠在卡洛威胸部的口袋内睡去。外面的该死的喧嚣也渐渐地消逝，只剩一片恬适的寂静。

玛吉

美国建立在宗教自由和政教分离的基础上。然而我还是要告诉你，其实我们并不比1770年的英国清教徒好到哪里去。一直以来，宗教和政治总是同床共枕。我们在法院做的第一件事，就是对《圣经》发誓；公立学校上课前，要先宣读美国国旗宣言，宣称我们是上帝的子民；货币上印着“我们相信上帝”的字眼。你可能认为，像我这样的美国民权自由联盟的律师，在原则上肯定会对这点展开猛烈反击，但我没有。我在浴室里的三十分钟，和开车前往联邦法院的二十分钟内，试着思索把宗教搀入法庭的最好方式。

我下定决心，要在不违反法官个人信仰的原则内这么办。

我在停车场打电话到尤松邦，接电话的人正是我妈。

“‘海格’这个姓听起来像哪里人？”

“你是说像海格将军？”

“对。”

“也许听起来像德国人。”

她沉思：“为什么？”

“我指的是宗教渊源。”

“你以为我是这种人？”我妈说，“以姓氏来评断他人？”

“我又不是谴责你。我只是想在进法官办公室前想清楚，这样我才能在面对本案主审法官时，适度调整自己的言语。”

“我认为，法官应该致力于公平无私。”

“没错。就像头戴冠冕的美国小姐致力于促进世界和平。”

“我不记得亚历山大·海格是不是犹太人。我知道你爸喜欢他，因为他支持以色列……”

“就算他是好了，那并不表示法官也是。‘海格’这个姓氏，不像‘欧麦利’或‘赫许哥维兹’那样容易猜。”

“顺便给你一点信息，你爸以前曾跟一个名叫芭芭拉·欧麦利的犹太女孩约过会。”我妈说。

“希望那是在他娶你之前……”

“很幽默。我只是想说，你的理论并不是无懈可击。”

“呃，犹太人很少有姓欧麦利的。”

我妈迟疑了片刻：“我记得她的祖父母把他们的姓氏合法地从‘梅耶’改了过来。”

我转了一下眼珠：“我得走了。不论信仰什么宗教，没有法官会喜欢迟到的律师。”

当我在监狱和科因典狱长讨论关于薛的保护时，我的秘书打电话来。海格法官想在隔天早上于联邦法庭和双方律师会面，仅仅在我递上诉讼状的四天后。我早该料到事情会火速进行。薛的处决日期早已确定，法庭必须把我们排在最紧急的时间表之内。

我转过角落，看见上诉法院的助理检察官戈登·葛林雷夫已经站在那里等了。我朝他点点头，感觉皮包内的手机震动了一下，有短信进来了。

用Google查询海格，天主教徒。亲一个，妈。

书记前来带我们进入海格的办公室时，我匆忙关掉了手机。

法官有一头稀薄的灰发，还有保持至今的跑者身材。我瞥了他的上衣领口一眼，那里只系了一条领带。据我所知，他可能戴着一条十字架项链、一颗犹太大卫星，或一串用来避开吸血鬼的大蒜。

“那么，小伙子和姑娘们，”他说，“谁能说明今天我们在这里的原因？”

“法官，”我回答，“我代表我的委托人薛·布尔能，控告新罕布什尔州的惩戒负责人。”

“是的，谢谢你，布鲁小姐，我已经一口气把你的诉状从头到尾读完了。我想说的是，布尔能先生迫在眉睫的处决已经变得像一出闹剧。为什么美国民权自由联盟要把这件事搞得更大、更严重呢？”

戈登·葛林雷夫清清喉咙。这个人的红色卷发和因过敏而通红的鼻子，总让我想到小丑波佐。“法官，他是一位试图拖延并更改命运的死刑犯。”

“他没有试图拖延任何事。”我辩解，“他只不过试着去弥补自己的罪过，相信这样的死法是得到救赎的唯一方式。只要死刑改为绞刑，他就会马上提议把处决日期改成明天。”

“布鲁小姐，现在是2008年。我们以毒药注射处决犯人，不会回头采用古时候的处决方式。”海格法官说。

我点头：“法官，我对您尊敬之至，但如果惩治机关认为毒药注射不可行，判决就得改用绞刑执行。”

“惩治机关对毒药注射并未有任何怀疑！”葛林雷夫说。

“当它和保护布尔能先生的合众国宪法修正第一条权利相互抵触时，就会有问题。他有权实践自己的宗教信仰，就算在监狱体制下也一样，一直到他的行刑过程。”

“你在胡扯什么？”葛林雷夫推翻我，“没有任何一种宗教宣称器官捐赠为其原则。某人把一些疯狂的准则放进自己的生存或死亡的原则内，这并不足以被认同为一种宗教原则。”

“老天，戈登，”我说，“谁死了把上帝留给你？”

“律师们，请冷静。”海格法官皱起嘴唇，陷入沉思，“这里有几个实际问题需要厘清。”他开始说，“首要的是，葛林雷夫先生，本州是否可能同意以绞刑代替毒药注射来处决布尔能先生？”

“绝对不可能，法官。因为他的判决，所有处决需要的设备都已经准备好了。”

海格法官点点头：“我们会把这一点放入审判。现在我们要处理的事，期限相当紧迫，这将会是一场相当快速的听证会。我们要假装没有开庭前的联邦侦查和简式判决，我们没时间办理这些。一个星期之内，我要你们把证人名单交出来，并在两星期后直接上法庭。”

戈登和我收拾东西，走出法官办公室，他说：“你知不知道，新罕布什尔州的纳税人花了多少钱在处决室上？”

“戈登，你自己去和州长讨论。”我说，“倘若新罕布什尔州比较有钱的城镇都把钱花在公众教育上，也许比较穷的城镇可以替未来的死刑犯集资。”

他环抱双手：“玛吉，美国民权自由联盟到底在搞什么？仅仅利用宗教作为后援？你无法让死刑被宣布不合乎宪法。”

我向他微笑。“只要它能帮我让死刑被宣判违宪，我就会这么做。戈登，我们两星期后见。”我说，然后大步离开，让他对我的背影干瞪眼。

我三次拿起电话拨号。只要线路一通，我就挂掉。

我办不到。

但我必须。我只有两星期的时间搜集证据。假如我将代表薛为捐赠心脏而战，那我需要彻底了解事情将如何进行，并且能在法庭上对此作出解释。

医院的总机一通，我就要求和葛拉弗医生的办公室通话。我把名字和电话号码留给一位秘书，清楚在他回我电话之前，可能得等上好一段时间。我可以好好利用这段时间，集结和他说话时所需的勇气。因此，当我一放下话筒，电话随即铃声大作之时，听见他声音的我十分惊讶。

“布鲁小姐，”他说，“我可以为你做什么？”

“你不应该这么快回电。”我脱口而出。

“喔，我很抱歉。我不应该对病人那么有效率。”

“我不是你的病人。”

“没错。你只是假装成病人。”他沉默了一下，然后说，“你刚刚打电话找我？”

“是的。你愿不愿意和我见面……是为了公事……”

“当然。”

“谈谈关于绞刑和器官捐赠。”

“有人需要我这么做，付我一角银币就成。”葛拉弗医生说，“我很乐意和你见面。当然，为了公事。”

“当然，”我倒抽一口气，“麻烦的是，我必须尽快与你见面。我委托人的案子将于两星期后开庭。”

“呃，那么，布鲁小姐，我七点去接你。”

“喔，不用了。我可以去医院。”

“没错，可是，我可不想在休假日在医院餐厅吃饭。”

“今天你休假？”他在休假日回电给我？“我们可以改天……”

“你刚刚不是说这件事越快越好吗？”

“呃，”我说，“对。”

“那么七点见。”

“太棒了。”我用法庭上才会用的悦耳声音说，“我很期待。”

“布鲁小姐。”

“怎么了？”

我屏住气息，等他说出本次会面的变数。别期待这次会面能超出表面涵义——两位专家交换工作经验。其实我可以询问其他医生的电话，就算他们的眼珠远不如无月之夜的柔光，或操一口如钓鱼钩奋力挣扎的口音。别自我迷惑和沉醉，以为这是一场正式的约会。

“我不知道你住在哪里。”

有人说黑色的衣服会让人看上去苗条，但是显然，那些衣服和挂在我衣橱内的不一样。我试穿自己最喜欢的黑色长裤，可那颗纽扣只有在停止呼吸时才不会爆开，不适合一整晚坐着用餐时穿；那件吊牌还没拆的黑色套头衫让我看起来有双下巴；在目录上看起来可爱的黑色针织披肩，会让胸罩肩带展露无遗；红色好了，我想。我将会显眼又动人。我试穿一件鲜红的丝织紧身衣，但那看起来会让人联想到内衣品牌“弗雷德里克的好莱坞”。我在披肩、羊毛衫、外套、运动上衣、A字裙、百褶裙和套装之中精挑细选，一件接一件衣服被我抛向地板，奥利佛则在衣服间跳跃，让自己不会突然被哪一件盖住。我试穿每一条裤子，确认我的屁股大得像土星。我走到浴室镜子前方。“事情是这样的，”我对自己说，“讨论处决一个人的最佳方式，并不需要你打扮得像珍妮弗·安妮斯顿。”

尽管我心想，那样可能有所帮助。

最后，我决定穿最喜欢的牛仔裤，配上一件我在亚洲商店用5块美金买来的浅绿色宽松外衣。尽管看起来并不完美，但穿着它总让我感觉舒适。我把头发盘成发髻，希望看起来有艺术气息与优雅风味，而不是凌乱或不合时宜。

门铃于七点整响起。我在镜子前瞥自己最后一眼。整身打扮随兴又一致，没花多少工夫。我打开门，结果发现葛拉弗医生一身西装领带。

“我可以换衣服，”我飞快地说，“我不知道我们要去正式的场所。不是说我完全不期待你带我去稍微正式的地方。我是说，我带我自己去，而你带你自己去，我们只是同车前往。”

“你看起来很美，”他说，“我永远都是这种装扮。”

“休假日也是？”

“呃，我是英国人。”他回答，给我一套解释。接下来，他解开领带，挂在门内的把手上。

“我大学的时候，有人这么做，就表示在……”我突然中断，想起这个举动的真正涵义——请勿入内，你的室友正在办事，“表示，呃，你正忙着准备考试。”

“真的？”葛拉弗医生说，“真奇怪。在牛津大学，这表示你的室友正在里面做爱。”

“我们该走了。”我飞快地说，希望他并未注意到我面红耳赤，或是我和一只兔子同住，又或者我的臀部如此巨大，恐怕塞不进他停在我家汽车专用道上的那辆小型运动车。

他为我打开车门，等我系好安全带才发动引擎。他加速时清了清嗓子。“有件事，我想在吃晚饭前先跟你说清楚，”他说，“我叫克里斯蒂安[①]。”

我瞪着他。他该不会是某种正统派教徒，除了本分外的对话，就只和相同信仰的人打交道？他该不会以为，我怀有某种私奔的欲望，而他正是我的彼岸？好啦。也许这个比喻与现实相距不远。

呃，没关系。因为薛的案子，无论吃饭、睡觉或是呼吸，都和宗教有关。现在的我，比之前尚未揭开这层面纱的自己，对宗教更有包容心。如果宗教对于葛拉弗如此根本，到了需要在谈话前先行坦承的程度，那我也可以表现得淋漓尽致。“我是无神论主义者，”我说，“但你知道，我爸是一位犹太祭司，如果你对这点有问题，我可以找别的医生和我讨论，我也会感激你不会试图开犹太医生的玩笑。”

我一口气畅所欲言。

“呃，”他边说边瞄我一眼，“你可以直接叫我克里斯。”

我确定“美国礼仪之母”艾米莉·博斯特没有谈论过这个主题。不过，我们一直等到吃完主菜，才开始谈论如何处决一个人，这似乎是比较谨慎周到的做法。

餐厅位于欧佛一幢老式殖民地时期风格建筑内部，脚下的地板如海洋般晃动，喧扰忙碌的厨房位于另一端。女主人沙哑又如蜜糖般流泻的嗓音，亲切地招呼医生的名字。

克里斯蒂安。

我们坐下来的房间只有六张桌子，摆着不甚协调的亚麻桌布和碗盘杯子。回收的酒瓶内点着蜡烛，墙上挂满各式大小尺寸形状的镜子，让我的个人形象照映于九层地狱，但我几乎没注意到。我喝水喝

---

① 英文中，“我叫克里斯蒂安”和“我是基督教徒”的说法相同，导致了玛吉下文的误会。——译注

酒，假装自己不想吃店内供应的新鲜奶油烤面包，以免影响之后的食欲，或是因讨论薛的处决而破坏食欲。

克里斯蒂安向我微笑："我总想着，有一天自己会被迫去想象，失去了心该怎么活下去。但我必须坦承，我从来没有想过，这一天竟会如此真实。"

侍者端着我们的餐点到来。整份菜单满是令人雀跃的料理——越南鱼汤、蜗牛形状的肉馅水饺、西班牙香肠点心。前菜的描述都让我口水直流：手工制作的，以洋蓟菜心、烤茄子、什锦奶酪、香甜的烤红椒和黄椒为佐料的新鲜意大利欧芹通心粉，淋上晒干的番茄奶油酱；无骨鸡肉薄片、新鲜菠菜、阿西亚格奶酪、甜洋葱圈和烟熏五香火腿薄片依次排列，佐以意大利宽面条和马色拉白葡萄酒番茄酱；烤无骨鸭胸薄片佐以晒干的樱桃制成的樱桃酱和菰米薄煎饼。

我大胆期望，自己也许能成功地让克里斯蒂安以为我的腰围不如看起来那么宽大。我刻意勉强吞咽，只点一盘开胃菜。我满心盼望，克里斯蒂安会点小火炖煮的小羊腿或者牛排薯条，这样我就可以假装尝尝看。然而，当我撒谎解释自己并不是很饿的时候，他表示一盘开胃菜对他也已足够。

"据我的推断，"克里斯蒂安说，"被施以绞刑的犯人，脊骨将会断裂，导致呼吸立即停止。"

我尽力去理解他的解释："你的意思是，他的脖子会断裂，因而停止呼吸？"

"正是。"

"这样算脑死亡吗？"

隔壁桌的情侣朝我瞥了一眼，我立刻明白自己讲得太大声了。某些人不喜欢把死亡和晚餐混在一起。

“呃，不尽然。造成脑缺氧引起反射停止，还需要一段时间……这正是用来检查脑干功能的方法。问题在于，你们不能让他的绞刑持续过久，否则他的心脏会停止跳动，他便会失去捐赠者的资格。”

“那应该怎么做？”

“你必须让本州同意，只要呼吸一停止，便把身体从索套上解下，接着立刻为他插管，保护心脏，然后再进行脑死亡测试。”

“替他插管，并不等于复活他，对吧？”

“是的。只不过是替一个脑死亡的人接上仪器，这样才能保护器官。不过，一旦脊骨断裂、组织缺氧，不管你为他的系统输入多少氧气，脑部都不会再有任何功能。”

我点点头：“那么你如何判定脑死亡？”

“有好几种方法。可以先做身体测试，确认已无眼角膜反射、自发性呼吸和呕吐反射，十二小时后再测试一遍。不过这一次的情况可谓分秒必争，我会建议进行经颅多普勒测试，用超声波测试流经大脑底部的血流。如果十分钟之内没有血流行经，便可判定脑死亡。”

我想象薛·布尔能，一个无法将单词串连成句、指甲咬个不停、因使用梳子导致荨麻疹、总是一头纠结的乱发的人被带往绞刑台。我想象他脖子被周围的套索束紧，顿时感到自己的后脑毛发直竖。

“真残忍。”我放下叉子，温和地说。

克里斯蒂安沉默片刻。“我在费城担任住院医生时，第一次必须向一位母亲宣告她的孩子死亡。他是帮派枪战下的受害者，八岁。他只是到街角的杂货店买瓶牛奶，错误的时间、错误的地方。我永远不会忘记，当我告诉那位母亲，我们对她儿子束手无策之时，她眼中流露出来的眼神。当一个孩子被杀害时，会有两个人同时死去。唯一的不同在于，母亲必须活下去。”他抬头看我，“这对布尔能先生确实残忍。但是在最初之时，这对琼·尼尔森同样残忍。”

椅子上的我没有采取任何行动。问题就出在这里。一个受过良好教育、极度迷人的牛津大学毕业生，却摇身一变成为右翼保守派分子，想法和身份大相径庭。

“那么，你赞成死刑？”我试着维持正常的腔调问。

“我认为，若只停留在理论层面，唱高调很简单。”克里斯蒂安说，“身为医生，是否认为杀人是对的？不。我重申一次，我还没有孩子。如果今天我说，等自己有了孩子，依然会保持如今的看法，我想我是在说谎。”

我也没有孩子。依照我受欢迎的程度来看，恐怕永远都不会有孩子。而我唯一一次与琼·尼尔森照面，是在恢复性司法会谈时。当时的她内心满是愤怒，我连正视她都感到困难。我不知道怀胎十月的感觉，不知道自己的身体为孩子腾出空间的滋味。我不知道抱着婴儿哼唱摇篮曲、哄他入睡的感受。但我知道身为女儿的感觉。

我妈和我并不是永远都在吵架。我还记得，自己曾希望变得跟她一样迷人。我试穿她的高跟鞋，把她的薄缎衣当成无袖洋装套在身上，膜拜她充满奥秘的化妆包。她曾经是我长大后想成为的人。

想在这世界找到爱、遇见某人，让你觉得自己的存在的确有意义，实在是天杀的难事。我猜想，一个孩子正是这种爱最纯粹的表现形式。孩子，是不用你刻意去寻找、无须证明任何事、无须担心失去的爱。

这正是为何，当人们失去孩子时，伤痛会如此锥心刺骨。

我突然想打电话给我妈。我想打电话给琼·尼尔森。今天是自恐龙在地球漫步以来，我的第一次约会。一次只是纯粹公事的晚餐上，我却感到泪水即将溃堤。

“玛吉，”克里斯蒂安向前倾声，“你还好吗？”说完，他把手放在我的手上。

停止所有自发性呼吸，之前他这么说。

侍者出现在桌旁：“愿你们还吃得下甜点。”

我有的是空间。我的开胃菜不过是一块大拇指大小的蟹肉饼。然而，我感受到克里斯蒂安的肌肤传来的温度，那就像蜡烛尖端的温热。要让剩下的我跟着融化，只不过是时间问题。

“喔，我不行，”我说，“我吃得太饱了。”

“好，”克里斯蒂安一边说，一边把手从我的手上挪开，“那么我想，买单吧。”

他的表情变得不太一样，嗓音多了一丝先前并没有的冷漠。

“怎么了？”

他一脸不感兴趣地摇摇头，但我知道原因是死刑。

“你认为，我身在错误的一方。”

“我并不认为有正确错误之分。”克里斯蒂安说，“不是这个原因。”

“那我做错了什么？”

侍者悄悄靠近桌旁，把账单塞在皮革夹之间。克里斯蒂安把它拿过去：“我的前任女友是波士顿芭蕾舞团的领舞。”

“喔，”我虚弱地说，“她一定很……”美丽，高雅，纤瘦。

每一样都是我没有的。

“每次我们外出用餐，我老觉得自己有……暴食症……因为我胃口一向很好，而她连一样该死的东西都不吃。我以为……呃，或希望……你会不同。”

“我爱死巧克力了。”我脱口而出，“还有苹果馅饼、南瓜派、慕斯和提拉米苏。如果不是认为这么做会让自己看起来像一头猪，我恐怕早就把菜单里的每一样东西都吃光。我只是试着……”我的声音开始拖延。

“你以为我在寻找什么？”

我专注地盯着大腿上的餐巾。搞砸一场甚至不算是真正约会的约会，全都是我的错。

“如果我所寻找的，”克里斯蒂安问，“就是你呢？”

当克里斯蒂安召回侍者时，我缓缓抬起头。

“跟我们介绍一下甜点。”他说。

“我们有焦糖布丁、新鲜蓝莓馅饼、温热的桃子千层饼佐以自制冰淇淋和焦糖酱，而我个人的最爱，”侍者说，“是法国巧克力吐司，加上一片薄薄的胡桃面皮，佐以薄荷冰淇淋和自制覆盆子酱。”

“我们该吃哪一样？”克里斯蒂安问。

我转向侍者。“也许，我们应该先跳回主菜。”我一边说，一边露出微笑。

第五章

琼

尽管面临死亡的威胁，然而在克莱尔最终度过这场让我们再度回到医院的发作并苏醒后，我还是没告诉她新心脏的事。我道歉了不下数百遍，无论在她发烧的时候，还是在她稍微有精神的时候。我们会确认一位法官让捐赠得以进行，只要将这个程序往后拖延，我就能说服我自己，克莱尔会在拥有这颗心脏之前，和我多在一起一个小时、一天、一星期。

克莱尔越来越低落，不只是身体，还有心灵。吴医生每天都告诉我她的情况稳定，但我看得出变化。她不要我念《青少年人物》杂志给她听，也不想看电视。她只是躺在那儿，瞪着眼前的墙壁。

“克莱尔，”有天下午我说道，“想玩牌吗？”

“不想。”

“拼字游戏？”

“不，谢了。”她转过身，“我累了。”

我把她脸上的头发轻轻拨开：“宝贝，我知道。”

“不，”她说，“我是说，我厌倦了，妈。我不想再继续这么下去了。”

“我们可以去散步。我是说，我可以推你的轮椅去散步。这样，你就不用一直待在床上……”

“我会死在这里。你和我一样清楚。与其身上接着这一堆有的没的，为什么我不能死在自己家里？”

我盯着她。这句话不该从一个孩子口中说出来。那个曾经相信童话、鬼魂和各种不可能事物的孩子到哪儿去了？但我们很快能解决这个问题，我明白要是继续下去，就必须告诉她那颗可能来到的心脏。

还有，那颗心脏是谁的。

“我想睡在自己的床上，”克莱尔说，“而不是这张铺着愚蠢塑料床单和有一块每次我头一动就发出爆裂声的枕头的床。我想吃肉糜卷，而不是装在蓝色塑料杯里的鸡汤和果冻。”

“你最讨厌我煮肉糜卷。”

“我知道，但我想在你煮肉糜卷的时候发脾气。”她沉重地往床上一摔，看着我，“我想直接从瓶子里喝橙汁喝个过瘾。我想丢网球给我的狗，让它去捡。”

我迟疑了一会儿。“也许我可以和吴医生说说看，”我说，“我们可以用自己的床单和枕头，我打赌……”

克莱尔眼睛里的某样东西变得幽暗。“算了。”她说，这时我才明白，就在我有机会救她之前，她已经开始死去。

当天下午，克莱尔睡着后，我把她托付给了轮班的护士。一个星期以来，我首次离开医院。我讶异地发现世界发生了巨大的改变。空气中有霜的味道，耳语冬天的降临。树叶开始变色，首先是枫科植物，它们如火焰明亮的尖端点燃其余的树木。我的车子突然变得陌生，仿佛自己正开着一辆出租车。最令人惊愕的是，通向州立监狱的路已经被执勤交警变更了路线。我在圆锥形路障之间，缓慢移动，目瞪口呆地凝视被警方带开的民众。

薛·布尔能会在地狱里被活活烧死。

我读了其中一块标语。

另一面旗帜则写着：

撒旦活着，就在I层活动。

克莱尔还小的时候，她一起床，就会把卧室窗户的百叶窗拉起。一看见太阳的光芒，她便会变得气喘吁吁。是我的关系吗？

现在，我看着这些前兆，不禁揣想，当你极度相信一件事的时候，就表示它真的就会发生吗？你的想法能改变他人的心吗？

我专注地盯着前方，经过监狱大门，继续开往家的方向。但我的车却别有意图。它往右转，接着左转，然后开进了伊丽莎白和寇克所埋葬的墓园。

我停车后，开始走向他们的坟墓，在一棵白蜡树下，微风吹来，树叶有如金币，闪闪发光。我跪在草地上，手指滑过墓碑上的字母：

挚爱的女儿

珍爱的丈夫

寇克在我们结婚一年后买了这块小土地。当时我说“真可怕”，他只是耸耸肩。他每天都会看到殡葬业者和死人。“事情就是如此。”他这么说，“如果你愿意，这里也会有你的位置。”

他并不想强迫我，他不知道我会不会想葬在第一任丈夫身旁。尽管这只是微不足道的体贴，却让我明白，自己为什么会爱这个人。“我想和你在一起。”我这么对他说，“我想身在心所在的地方。”

谋杀案后，我会梦游。次日早晨，我会发现自己身在花园小屋，手上握着一把铲子，或是在车库中，脸颊贴着铲子的金属表面。潜意识中的自己计划与他们相会，只有在清醒时感受到体内的克莱尔在踢我，方才明白自己必须留下来。

她会是下一个葬在这里的人吗？当事情一旦发生，还有什么可以阻止我将先前的意图贯彻到底，阻止我让全家在一地重聚的念头？

我俯卧在草地上一分钟，把脸贴在墓碑边缘的短苔藓上，假装自己和丈夫脸颊贴着脸颊。我感觉到缠绕于指间的蒲公英，假装自己正握着女儿的手。

医院的电梯内，一只旅行箱开始自行在地板上移动。我蹲下来，拉开上方的拉链。“乖孩子。”我说，轻拍了几下唐德力的头。我前往邻居家接狗，他们实在很好心，愿意在克莱尔生病时扮演唐德力的养父母。唐德力在车上睡着了，现在它警觉心十足，不明白我为何要把它关在行李箱里。电梯门一开，我举起箱子，走向靠近克莱尔房间的护士柜台。我试着如往常般微笑：“一切还好吗？”

“她睡得跟婴儿一样熟。”

就在这时，唐德力吠了一声。

护士的眼睛瞥向我，我假装打了一个喷嚏。“哇，”我摇摇头说，“是花粉吗？”

在她来得及回答前，我匆忙走进克莱尔的房间，关上身后的门。然后打开箱子，唐德力有如火箭般冲出来。它在房间跑了一圈，几乎撞翻了克莱尔的点滴架。

这正是不准狗进入医院的原因之一。但如果克莱尔想要日常，那她就该得到日常。我双手环抱唐德力，把它抱到克莱尔床上，它开始嗅闻棉毯，并舔她的手。

她的双眼焦急地张开，一看见狗，脸上立刻露出一抹笑容。“它不能来这里。”她悄悄地说，双手埋进狗脖子的软毛之间。

“你要去告密吗？”

克莱尔移动身体，改成坐姿，好让狗蜷缩在大腿上。她替小狗的耳朵搔痒，小狗则试图咬从克莱尔长睡衣中露出来的连接心脏监视器的管线。

“我们时间不多，”我迅速地说，“谁都马上会……”

这时候，一名护士拿着电子温度计入内。“醒来啰，小姐，”她一眼就看见床上的狗，“那东西在这里做什么？”

我看看克莱尔，再看看护士。“探访。”我回答。

“尼尔森太太，即使是院方的狗，如果没有疫苗接种证明书，粪便检验显示没有寄生虫的证明书，都不允许进入病房内……”

“我只是试着让克莱尔开心点。我发誓不会让狗跑出病房。”

“我给你们五分钟，”护士说，“但你必须答应我，在移植手术前，都不会再带它到医院来。”

紧抓着狗不放的克莱尔往上看一眼。“移植？”她反复地问，“什么移植？”

“那只是理论上的说法。”我飞快地说。

“吴医生不会替理论上的移植手术安排时间。”护士说。

克莱尔瞥向我。“妈？”她声音内的困惑开始流露出来。

护士转身离开。“我在算时间。”她一说完，便离开了。

“真的吗？”克莱尔问，“有一颗心脏准备给我吗？”

“我们尚未确定。问题就在这儿……”

“永远都会有问题，”克莱尔说，“我是说，已经有多少心脏，到最后都不如吴医生期盼得好？”

“呃，这一颗……它尚未准备好被移植。现在还在使用中。”

克莱尔浅笑：“你打算做什么？杀人吗？”

我没回答。

“捐赠人病得很重，很老？如果他病重或衰老，又怎么能捐赠心脏呢？”

“甜心，”我说，“我们必须等捐赠人被处决。”

克莱尔一点都不笨。我看着她把这则新信息和先前在电视上看见的拼凑在一起。她把唐德力抱得更紧。

“休想，”她安静地说，“我不接受杀了我爸和我姐的男人的心脏。”

“他想把它给你。算他送的。”

“病态，”克莱尔说，“你也病态。”她挣扎地想起身，却被各式各样的管线束缚在床上。

“连吴医生都说，他的心脏和你的身体简直是不可思议的吻合。我不能说不。”

“那我呢？我不能说不吗？”

“克莱尔，宝贝，你也清楚，不是每天都会有捐赠人出现。我必须这么做。”

“那么别做，”她请求道，“告诉他们，我不想要他那颗愚蠢的心脏。”

我跌坐在医院病床的边缘。“那只是一块肌肉。你不会变得跟他一样。”我停顿了一下，“再说，这是他欠我们的。”

“他不欠我们任何东西！你为什么就是不懂？”她的双眸充满了泪水，“妈，你不能把分数到处加加减减。你必须从头来过。”

她的监视器开始发出警告。她的脉搏加快，心脏抽动过度。唐德力开始吠叫。

“克莱尔，你必须冷静下来……”

“这跟他无关，”克莱尔说，“也跟我也无关。而是跟你有关。你必须从伊丽莎白的事件中得到补偿。你需要让他为自己的所作所为付出代价。但我和这件事的关联在哪儿？”

护士仿佛一只大白鸟般冲进房间，焦急地看着克莱尔。“这里发生什么事了？”她边说，边检查机械、管子和点滴。

“没事。”我们不约而同地说。

护士慎重地看了我一眼：“我强烈建议你把那只狗带走，让克莱尔休息。”

我把唐德力抱过来，费力地把挣扎的它再度放入行李箱。“好好考虑一下。”我哀求。

漠视我的克莱尔凑近箱子，拍拍小狗。“再见。”她悄悄地说。

迈可

我回到了圣凯瑟琳教堂。我跟华尔特神父说，自己之前看得不够清楚，而上帝已经打开我的双眼，让我看见事实。

我只是忘记提及，上帝就坐在离我们教堂三英里外的I层，等候这星期将开始的紧急审判。

每天晚上，我连续念诵三次《玫瑰经》，忏悔自己向华尔特神父说谎。但我必须在那里才行。我必须利用时间做些有建设性的事，而这些时间已经无法和薛一起度过。自从我在医院向他坦承，自己曾身为判决他的陪审团一员，他便拒绝见我。

一部分的我了解他的反应，那只需想象自己被亲信背叛的滋味。然而，另一部分的我每天花数小时，试图理解为何神性的原谅迟迟未到来。倘若《多马福音》可信，那么，不管我们之间隔了多少时间和空间，我们都不会真正分离。人性和神性，只是一枚铜板的两面。

每天中午，我都会告诉华尔特神父，自己要前往杜撰的某对夫妻家，劝他们放弃离婚。事实上，我骑着哈雷摩托前往监狱，穿过人群入内，试图见薛。

就在穿过金属探测门之后，怀泰克警察奉命陪我到I层。

“嘿，神父。你来是要义卖女童子军的饼干吗？”

“你知道的，”我回答，“今天有什么兴奋的事情发生吗？”

“让我想想。乔伊·克斯因为腹泻，让医生看诊。”

“哇，”我说，“抱歉，我错过了这个。”

我穿上防弹衣，怀泰克进入I层，通知薛我的来访。不到五秒，他就一脸怯懦地走回来。“今天不行，神父，”他说，“抱歉。”

“我会再试试看。”我回答，但我们都知道那不可能。我们已经没有时间了。薛的审判，明天开庭。

我把监狱抛在身后，走向摩托车。撇开谦虚，我可以说是最亲近薛的门徒，这也验证了从过去的错误学到教训一说。耶稣被钉在十字架后，他的跟随者四下逃散，除了抹大拉的玛利亚和她母亲以外。所以，就算薛没在法庭里认出我，我还是会在那儿。我会为他作证。

我坐在摩托车上许久，不知道该何去何从。

我并不是故意要在开庭前几天给玛吉找麻烦。真相是，假如薛不想要我再担任他的精神辅导员，我就没有理由不告诉玛吉自己曾身为判决薛的陪审团成员。过去一星期以来，我试着联络她好几次，但她不在办公室，也不在家，而且完全不接电话。然后，她突然打电话来找我。“马上给我过来，”她说，“你得给我好好解释。”

二十分钟后，我已经坐在美国民权自由联盟的办公室。“今天我和薛见了面，”玛吉说，“他说，你对他说谎。”

我点点头：“他有说明事情的原委吗？”

“没有。他只说，我应该听你亲口说。”她交叉双臂，“他还说，他不想让你替他作证。”

“好极了，”我含糊地说，“我不怪他。”

“你真的是教士吗？”

我瞥了她一眼：“我当然是……”

“那么，我不在乎你说了什么谎。”玛吉说，“等我们赢了薛的案子之后，你就能卸下灵魂重担了。”

“事情没那么简单……”

“有，神父。你是唯一能替薛作证的关键人，你的领圈让你具有很高的可信度。我不在乎你和薛之间的争吵，也不在乎夜晚的你是否化身为变装皇后，更不在乎你的秘密是否多到延续一生，只是开庭前，什么都不要问、不要说，好吗？我在乎的，只是你戴着领圈，走上证人台，让薛的事听起来可信。如果你走人，整件案子就几乎不用再谈了。这样说，够简单明了吗？”

如果玛吉没错，我的证词是唯一能帮助薛的事物，那现在，又怎能告诉她某件可能搞砸案子的事呢？如果你为了帮助某人而自我退缩，这种疏忽的罪是可以被谅解的。我无法将生命还给薛，但至少我可以确定，这样的死是他所要的。

也许这样，便足以让他原谅我。

“上法庭之前，有点惊恐或者退缩，那是正常的。”误解我沉默原因的玛吉说。

我理应以薛的精神指导身份出席，并以通俗的话语来解释，为何把自己的心脏捐赠给克莱尔·尼尔森是薛的宗教信念之一。让一位教士这么说，是玛吉的神来之笔。谈到信仰，谁会不相信一位神职人员的话？

“你无需担心交叉质询，”玛吉说下去，“你在交叉质询所说的话是否愚弄了天主教教廷，一点都不重要。你可以告诉法官，天主教徒相信救赎只能通过耶稣基督而来，而薛相信捐赠器官对于救赎而言是必要的。这完全是实话，而且我能向你保证，当你这么说的时候，天花板的灯绝对不会立即碎裂。”

我急促地抬起头。“我不能向法庭说，薛将找到耶稣。”我说，“我认为他很可能是耶稣。”

她眨眨眼：“你认为什么？”

言语自动从我口中散落，正如我一直想象的人们将话含在舌尖的情景。在没有反应过来前，那些杂乱的事实已经脱离了嘴巴。“道理完全可证。年龄，职业，身为死囚，奇迹。还有心脏捐赠，可以说是为了我们的罪而献上自己。他给予最不重要的部分——肉体，为了得到完整的精神。”

“喔，该死，这比失去勇气还糟糕，”玛吉喃喃自语，“你疯了。”

“玛吉，他能说出基督死后两百年才写的福音书，一本大多数人甚至不知其存在的福音书。逐字不漏。”

“我听过他说的话，老实说，实在难以理解。昨天，在我替他的证言提纲要时，你知道他在做什么吗？玩井字游戏，和自己。”

“你必须体会字里行间的涵义。”

“是，对。那我打赌，你将小甜甜布兰妮的唱片倒着听时，会听见‘和我上床吧，我没那么年轻’。看在上帝的份上，你是一个天主教教士。圣父、圣子和圣灵呢？我不记得薛属于三位一体之一。”

“那些在监狱外露营的人又怎么说？他们也全都疯了吗？”

“他们想让薛治疗孩子的自闭症，或彻底治愈丈夫的阿尔茨海默症。他们是为了自己才身在其中。”玛吉说，“这些相信薛·布尔能是弥赛亚的人如此绝望，甚至能在一瓶两升的百事可乐中找到救赎。”

“或是通过心脏移植？”我反击，“你为本案准备的法律理念都建立在个人信仰之上。你怎么能如此直截了当地说我错了呢？”

“因为这和对错无关，只和生死有关。薛的生死。只要能替他赢得这场官司，任何该说的话我都会说，这是我的工作。这应该也是你的工作。这和救赎无关，也和薛以前如何或者未来如何无关，而是和他现在如何有关。他是一个即将被处决的重大谋杀犯，除非我能为他做点什么。对我而言，他是流浪汉、伊丽莎白女王或耶稣基督，都无关紧要，只有我们为他赢得官司才重要，这样，他才能照自己的意愿而死。你得走上那该死的证人台，向《圣经》发誓。既然你已经在I层找到耶稣，也许，他现在和你再也没有任何关联。如果在我质询你的时候，要是因为你说的话听起来像个疯子，反而把薛的官司搞砸，那么，我会让你接下来的日子痛不欲生。”玛吉说完，面红耳赤，上气不接下气。“这本老福音书，”她说，“逐字不漏？”

我点点头。

“你怎么发现的？”

“从你爸那边。”我说。

玛吉双颊泛红。“我可不会把一个教士和一个犹太祭司一起送上证人台上。法官可能会以为这是等着看一场拳击。”

我抬起头来看她：“我有个主意。”

玛吉

I层外的律师会见室里，薛爬到椅子上和苍蝇说话。“左边，”他把头伸向排气孔，激励道，“加油，你办得到。”

埋首于笔记之中的我抬起头来：“它们是宠物？”

“不是。”薛一边说一边从椅子上下来。他左半边头发打了结，说得好听一点，他看起来是心不在焉，难听一点，则是像精神失常。我思量该如何说服他在明天面对法官之前，让我替他梳梳头。

苍蝇正在兜圈子飞。

“我有一只兔子宠物。”我说。

“上星期抵达I层前，我曾有过宠物。”薛说，随即又摇摇头，“不是上星期，是昨天。我不记得了。”

“不要……”

“它叫什么名字？”

“什么？”

“兔子。”

“奥利佛。”我一边说一边掏口袋，拿出一样预备给薛的东西，“我带了一样礼物给你。”

他向我微笑，尖锐的双眼突然变得专注有神。“我希望是一把钥匙。”

“不是。”我把一个奶油布丁递给他，“我猜，你在监狱里没有什么好吃的东西。”

他撕下铝箔，舔舔布丁，然后小心翼翼地把它收进胸前口袋。“里面有奶油吗？”

“我不知道。”

“威士忌呢？”

我微笑：“应该没有。”

“可惜。”

我看着他吃下第一口。“明天是个大日子。”我说。

随着迈可的信仰危机显露，我联络了他推荐的证人，一位名叫伊·弗莱彻的学者。我隐约记得，这个人曾经主持过一档节目，于节目中走访各地，揭穿类似有人宣称在烤吐司机上看见圣母玛利亚的事件真相。一开始我认为，把这个人放上证人台，肯定会输掉官司，但他居然拥有普林斯顿大学神学院的博士学位。把一位前无神论者放上证人台，肯定有某些价值。倘若弗莱彻最终信服上帝存在的事实，不论那是耶稣、安拉、耶和华、薛或其他，那任何人肯定都能。

薛吃完布丁，把空杯递还给我。“我也需要铝箔纸。”我说。我最不想看见的一件事，就是在几天后，薛利用铝箔纸制造一样工具伤害自己或其他人。他温顺地从口袋里拿出来交给我：“你真的知道明天会发生什么，对吧？”

“你不知道吗？”

“呃，关于开庭，”我开始说，“你需要做的，就是坐着耐心聆听。你听到的绝大部分内容可能对你没什么意义。”

他往上瞥：“你紧张吗？”

没错，我很紧张，不只因为这是一桩受到高度关注的死刑案，也是一件也许会但也许不会找到宪法漏洞的案件。我居住的国家中，85%的居民自称基督徒，约有半数的人定期前往教堂聚会。宗教对一个普通美国人而言，并不个人化，而是与信仰人士的团体有关。我正试图把整件案子的重点转到这上面。

“薛，”我说，“你知道，也许我们会输。”

薛轻蔑地点点头：“她人在哪儿？”

“谁？”

“小女孩。需要心脏的那位。”

“她在医院。”

“那我们得快一点。”他说。

我缓缓地吐出一口气。“好。那我最好想象狭路相逢的情形。”

我起身召唤监管人员，准备离开会见室，但薛的声音将我唤回。“别忘记道歉。”他说。

“向谁？”

不过这时候，薛再次站在椅子上，专注于其他事情。当我仔细一看，七只苍蝇接连飞快地降落于他张开的手掌心上方。

我五岁时，最想要的是一棵圣诞树。所有朋友家中都有一棵，而我们在夜晚点燃的犹太烛台要逊色许多。我爸说，我们有八样礼物，但我朋友得到的礼物，如果把放在树下的全都算进去，远比这多得多。某个寒冷的星期日下午，我妈告诉我爸，我们两人要去电影院。但实际上，她把我带到了购物中心。我们和头发绑着丝带、身穿特制花边洋装的小女孩一起排队，这样，我就能坐在圣诞老人的大腿上，告诉他我想要漂亮的小马。我握着一根棒棒糖，母女两人走向架设了十五棵圣诞树的展示会场。白色的圣诞树挂上玻璃球，人造的香脂冷杉树上挂着红玻璃珠和蝴蝶结。其中一棵圣诞树的顶端有一串圣诞铃铛，还有当作装饰品而到处点缀的迪斯尼卡通人物。“像这样。”我妈说。然后两人在百货公司的正中央，凝视闪闪发光的灯光秀。我心想，那是我所见过最美的景象。“我不会跟爸爸说。”我保证，但她却说没关系。“这和信仰无关。”我妈解释，“这些只是装饰品，可以只欣赏包装纸，而不把装在盒子里的东西取出来。”

离开薛后，我坐在车里，打电话给在尤松邦的妈妈。“嗨，”她一接起电话，我便问，“你在做什么？”

电话的另一头沉寂片刻：“玛吉，发生什么事了？”

“没事。只是想打电话给你。”

“发生什么事？你受伤了吗？”

“我不能只是想打电话给我妈吗？”

“你可以，”她说，“但你不会这么做。”

呃，这是不容争辩的事实。我深呼吸一口气，然后切入重点。“你还记得小时候带我去看圣诞树的事吗？”

“别告诉我你改变了信仰。你爸会疯掉。”

“我没有改变信仰。”我说，我妈松了口气，“我只是突然想起这件事，就这样。”

“所以，你是为了这事而打电话给我？”

“不是，”我说，“我打电话来道歉。”

“为什么？”我妈笑了出来，“你又没做错什么。”

这时，我想起两人躺在百货公司的地板上，凝视闪亮的圣诞树，直到安全警卫出现在我们头顶上方。“只要再给她几分钟就好。”我妈如此哀求。也许这就是母亲的工作，无论什么事，永远为她的孩子多争取一些时间，就算她必须做一件不愿做的事，就算这要她必须向他人弯腰低头。

“是，”我回答，“我知道。”

“渴望宗教自由并不新鲜，”薛·布尔能的审判开庭，站在海德法官面前的我说，“其中一件最有名的案子发生在两百多年前。它并不是发生在我们国家，因为当时尚未有国家存在。一群人胆敢持有和当下现况不同的信仰理念，却发现自己被迫适应英国教廷的政策。他们选择离开，跨越海洋，来到一个未知的地方。相比之下，清教徒热爱宗教自由，却只把自由保留给自己，并迫害信仰不一样的人。这也正是美国这个新国家的创建者，决定以宗教自由作为国家的基石，终结宗教间互不宽容的确切原因。”

这是一场没有陪审团的审判，必须说服的人只有法官，但法庭依旧人满为患。有法官事前同意出席的全美四大新闻网记者、受害人的权益律师、支持和反对死刑的阵营。在场唯一支持薛的人——也是我第一位证人——就是坐在原告桌后方的迈可神父。

坐在我旁边的薛，戴着连接至同一条铁链的手铐和脚镣。“感谢起草《宪法》的祖先，这个国家的每个人都有行使自身宗教的自由，即使是新罕布什尔州的死囚也一样。国会甚至曾通过一条相关法令，宗教用地和收容人员法，保证每一位受刑人在不妨碍监狱他人的安全，不影响监狱的运作之下，有权崇拜任何他喜欢的信仰。然而，薛·布尔能行使自身宗教的宪法权利，却被新罕布什尔州否决。”

我抬头看看法官。“薛·布尔能，不是穆斯林或现世人道主义者。他的信仰体系不是你脑中能条列出来的世界性信仰。这组信仰体系包括了对薛而言的救赎，取决于他是否能在被处决之后，把心脏捐给受害人的妹妹……假设，本州采用毒药注射作为行刑方法，那这个心愿将不可能实现。”

我往前走：“薛·布尔能是因本州有史以来最令人发指的罪案而被判刑的。他针对判决的上诉都被驳回，但他今天并不是对此提出异议，他知道自己即将死去。他所要求的，只是这个国家的法律被正视，让每个人无论何地、何时、何种情况下，都有权行使宗教自由的权利。若本州同意改为绞刑，并施行捐赠器官的措施，其他受刑人的安全也不会被妨碍，监狱的运作更不会因此受到影响。这能为薛·布尔能的人生带来意义重大的结局，他能拯救一个小女孩的生命，并在此过程中拯救自己的灵魂。”

我走回位置坐下来，瞥了薛一眼。他前方有一本便条纸。他在上方涂鸦，画下一名海盗，肩膀上站着一只鹦鹉。

被告席一方，戈登·葛林雷夫坐在新罕布什尔州惩治理事长身旁。他是一个发色和肤色都像红萝卜的男人。葛林雷夫用铅笔在桌上敲两下。“布鲁女士提到了这个国家的先父。托马斯·杰斐逊曾在1789年的一封信中提到：‘要创造一堵政教分离的墙。’他解释了《合众国宪法》修正案的第一条，尤其是关于宗教的条款。他的话已被最高法院使用过很多次了。自1971年起，最高法院开始采用莱蒙试验，说明一条不违宪的法律，必须拥有世俗的理由，并且不妨碍也不促进某宗教，也不会助长政府和宗教的关联性。最后一点颇富兴味，布鲁女士推崇这个国家的先父和其崇高的政教分离政策……然而，却同时要求在庭上将两者结合。”

他起身向前走。“如果您把她的要求当真，”葛林雷夫说，“您将发现，她真正要求的是通过宗教相关的法律漏洞，来粉饰拥有合法约束力的判决。那会发生什么？一位被判刑的毒贩要求推翻判决，因为海洛因帮助他达到涅槃？如果一个杀人犯坚持囚室的门该面向麦加圣地呢？”葛林雷夫摇头，“美国民权自由联盟之所以会提出这纸诉状，并不是因为它明确且棘手，而是为了炒作本州六十九年来的第一次死刑。”他以双手挥向聚集在场的听众，“而你们，正是此事件不断发酵的最好证明。”

葛林雷夫瞥了薛一眼。“没有人看轻死刑，更别说新罕布什尔州惩治委员会的全员。薛·布尔能一案的判决，是以毒药注射方式执行的死刑。本州准备如此实践，也包含了所有相关单位的尊严和敬意。

“让我们看看事实。无论布鲁女士说了什么，今天并没有一个有组织的宗教提出以捐赠器官来延续死后的生命。根据报告，薛·布尔能在寄养家庭长大，并非在某种宗教的熏陶下成长，不能说是环境造就了他器官捐赠的意念。如果他宣称改信了某个以器官捐赠为教条的宗教，那我能在法庭上大声宣布，这肯定是胡言乱语。”葛林雷夫摊开双手，“法官，我们知道您会仔细聆听证言，然而，惩治委员会的存在，并不是用来顺从某个一时兴起而走过这扇门的被误导的受刑人，尤其是那个犯下野兽行径，杀害两位新罕布什尔州市民——一个孩子和一个警察的凶手。别让布鲁女士和美国民权自由联盟把一桩大事变成一场闹剧。请允许本州以尽可能文明和专业的方法，执行之前由法庭宣判的刑罚。”

我瞄向薛。他在便条纸上加上自己名字的缩写，和澳大利亚摇滚乐团AC/DC的标志。

法官推推鼻梁上的眼镜，然后看看我。“布鲁女士，”他说，“你可以传唤第一位证人了。”

迈可

被传唤后，我走向证人台时，目光紧紧锁住了薛的目光。他沉寂空虚地回瞪我。书记官手握《圣经》走过来："以上帝为证，你发誓只陈述事实，全部的事实，除了事实之外一概不提？"

《圣经》的漆黑皮革封面有着精美的漆木花纹，因千万位发下同一誓言之人的手掌而显得温热。我想到自己常常只要手握《圣经》就会内心安逸。《圣经》是宗教人士的精神慰藉。以前，我认为里面包含着所有问题的答案，可如今我却不禁疑惑，正确的问题是否曾被提出。所以，上帝，请你帮助我。

玛吉稍微紧握身体前方的双手："请说出你的姓名和地址，以作记录。"

"迈可·怀特，"我清清喉咙说道，"康城繁华街3422号。"

"你的职业？"

"我是圣凯瑟琳教堂的教士。"

"请问一个人如何成为教士？"玛吉问。

"进入神学院研习数年，在过渡期成为一名助手，在一位更有经验的教区教士的引导下，学习各项细节，最后会被任命成为教士。"

"神父，你是多久前被任命的？"

"两年前。"我说。

直到现在，我都记得任命典礼当天，我父母在教会的座席观礼。他们的脸孔闪亮得仿佛喉咙口装满了星辰。那时的我如此确信，自己受到了召唤，去侍奉耶稣基督。我错了吗？还是说，在这一种真理之外，还有其他真理，事情就是这么简单？

“神父，你除了在圣凯瑟琳教堂的工作之外，是否也是一位名叫薛·布尔能的囚犯的精神指导？”

“是的。”

“薛今天是否在法庭内？”

“是的。”

“事实上，”玛吉说，“他是本案的原告，就坐在我身边，不是吗？”

“是的。”我朝正看着桌底的薛微笑。

“在你受训成为教士的期间，是否曾和教民谈过宗教信念？”

“当然。”

“身为教士，帮助他人和上帝亲近，是否是你的工作之一？”

“是的。”

“加深他们对上帝的信心？”

“当然。”

她转向法官：“庭上，我提议将迈可神父视为精神辅导和宗教理念的专家。”

反方辩护律师喊了起来。“反对。”他说，“尊敬的法官，迈可神父难道会是犹太教、卫理公会教派或伊斯兰教的专家吗？”

“同意，”法官说，“迈可神父不得以宗教专家的身份，在天主教教义之外的领域作证，不过必须考虑其精神辅导员的身份。”

我搞不懂这代表什么，不过从脸色来看，反方辩护律师也被搞得晕头转向。

“监狱的精神辅导员是什么角色？”玛吉问。

“和想找个朋友谈话或一起祷告的囚犯见面。”我解释道，“你接受他们的咨询，提供他们灵修的方向，类似一名外派的教士。”

“你是如何被选为精神辅导员的？”

“圣凯瑟琳——我的教区——收到来自州立监狱的请求。”

“神父，薛是天主教徒吗？”

“他的其中一位养母让他受洗成为了天主教徒，所以在教廷的眼中，他是。然而，他并不认为自己是天主教徒。”

“这究竟怎么说？你是教士，而他不是天主教徒，那你怎能成为他的精神辅导员？”

“我的工作不是向他传道，而是聆听。”

“你第一次遇见薛，是什么时候？”玛吉问。

“今年的三月八日。”我说，“自那时起，我每星期来看他一到两次。”

“薛有否提到，想把心脏捐给一位被害人的妹妹，克莱尔·尼尔森？”

“那是我们谈到的首要话题。”我回答。

“自此之后，你大约和薛谈过几次关于移植的想法？”

“也许有二十五到三十次。”

玛吉点点头：“今天在场的某些人认为，薛想捐赠器官，只是为了给自己多争取一些活命的时间，和宗教完全无关。你同意吗？”

“反对，”反方辩护律师说，“纯属臆测。”

法官摇摇头：“反对无效。”

“如果你让他捐赠心脏，他愿意今天就死。他要的不是时间，而是一种让移植得以实行的处决方式。"

"让我来扮演魔鬼的律师。"玛吉说，"我们都知道，捐赠器官是一种无私的行为，但这和救赎有什么关系？是否有其他事实来说服你，这不只是薛自身的利他行为，而是属于他信仰的一部分？"

"是的，"我说，"薛表达想法的方式听起来像一则古怪的谜语：'如果你们在自己里面生出那件东西，那件你们拥有的东西会救你。如果你们自己里面没有那件东西，那么那件你们没有的东西会杀了你。'我稍后发现，薛的说法并无新意，只是引用了某位重要人士的话。"

"谁，神父？"

我看着法官："耶稣基督。"

"我没有要再问的了。"玛吉说完，坐回薛身边。

戈登·葛林雷夫深锁眉头，看着我："神父，原谅我的无知。这出自《旧约》或《新约》？"

"两者皆非，"我回答，"这出自《多马福音》。"

这个回答打断了律师的思绪："所有福音书不都出自圣经吗？"

"反对，"玛吉喊，"迈可神父不能回答。他不是宗教专家。"

"你刚刚才提议他是专家。"葛林雷夫说。

玛吉耸耸肩："那你刚刚就不该反对。"

"我换个方式问，"葛林雷夫说，"布尔能先生引用了某段实非出自《圣经》的话，你却宣称这是他受宗教启迪的证据？"

"是的，"我说，"正是。"

"那么，薛信仰的究竟是什么宗教？"葛林雷夫问。

"他没有为他的宗教贴上标签。"

"你之前说，他不是实际上的天主教徒。那他算犹太教徒吗？"

“不是。”

“穆斯林？”

“不是。”

“佛教徒？”

“不。”我说。

“神父，布尔能先生是否信仰一种法庭熟知的组织性宗教？”

我迟疑了片刻：“确实信仰的宗教并不存在于任何正式组织。”

“类似什么？布尔能主义？”

“反对，”玛吉打断，“如果薛无法称呼他的宗教，我们一定要给予称呼？”

“同意。”海德法官说。

“让我说清楚，”葛林雷夫说，“薛·布尔能信仰一种无法称呼的宗教，引用一段并非出自《圣经》的福音书。那他想成为器官捐赠者的欲望是来自宗教救赎的理念吗？神父，难道你不觉得这太牵强了吗？”

他似乎并未期待我会给出答案。他说完后便转身而去，但我并不打算轻易让他走开。“葛林雷夫先生，”我说，“人生有很多经验，是我们无法称呼的。”

“什么意思？”

“例如孩子的出生、家属的死亡，或是坠入爱河。我们希望语言能包含自己想表达的涵义，却也知道它们不可能包含那么多欢喜、悲伤或惊奇。寻求上帝也是如此，你必须亲身体会，却很难向他人描述这种感觉。”我说，“这听起来太过天马行空，而且他确实是他信仰的宗教的唯一成员，这个宗教也没有名称。但是……我相信他。”我凝视薛，直到他看着我为止，“我相信。”

琼

克莱尔清醒的时间越来越少。即便如此，我们也不再谈论那颗为她准备的心脏，也不问她是否接受。我知道她不想。因此，我们讨论无关紧要的小事，比如她最喜欢的真人秀节目里谁又被投票出局，互联网如何运作，或者提醒魏洛比太太一天喂唐德力两次而不是三次，因为它正在减肥。克莱尔睡着的时候，我握着她的手，向她叙述我梦想中的未来。我告诉她，我们两人将去巴厘岛旅行，在海岸边的小茅屋住一个月。当她驾船时，我要在船尾练习赤脚滑水，然后两人交换。我们要去攀登卡塔丁山、打耳洞、学习制作巧克力。我想象她从无意识的砂石海底往上游，游着游着，突然冲出水面，跋涉水流，来到我等候的岸边。

某天下午，克莱尔因药物作用而持续小睡，我便学习起大象的知识。那天早上，我走到医院楼下的自助餐厅买咖啡，路过过去两星期来都会经过的地方——银行、书店、旅行社。然而那天，我第一次不由自主地被橱窗里的一张海报深深吸引，上面写着：体验非洲。

我一入内，留守旅行社的无聊女大学生正和男朋友电话传情。与其亲自向我介绍旅游目的地，她只想用一本传单打发我。“我们讲到哪儿了？”我离开办公室时，听见她再度拿起电话，发出一阵痴笑，“用你的牙齿？”

回到克莱尔房间，我注视铺着松软白亚麻床单、罩着蚊帐、床铺仿佛海洋一般宽大的房间照片。设置在室外的淋浴间暴露在灌木林中，你会像动物一样赤裸。吉普车驾驶员和森林管理员露出洁白闪亮的微笑。

还有，喔，动物——豹子和身上华丽的斑点，眼珠宛如琥珀的母狮，还有把树干猛拉出地面的巨型大象。

你知道吗，传单上写着：

大象的社会跟我们很相近？

它们是母系社会，经常迁徙，怀胎长达二十二个月？

它们能跨越五十公里之内的距离相互沟通？

前来探寻野生的神奇大象，杜利区……

“你在读什么？”克莱尔瞥见传单，她的声音有点模糊不清。

“有关狩猎旅行的信息，”我说，“也许我们之后可以参加。”

“我不会接受那颗愚蠢的心脏。”克莱尔说完便转向另一边，再度闭上眼睛。

我决定，在克莱尔醒来时，告诉她大象的故事。那个国家里的母女肩并肩，和她们的阿姨及姐妹一同行走多年。还有，大象既不是右撇子，也不是左撇子。我还要告诉她，它们是如何在离家多年后找到回家之路的。

我不会告诉克莱尔下面的部分：大象能知道自己死期将近，然后寻找一块天然河床，安安静静地躺下等死。其他大象会埋葬死者，为之悲伤哀痛。自然学家曾经见过一头母象拖着死去的小象走了几英里，不断用象鼻抚摸它，不愿意也做不到让它死去。

玛吉

没人想让伊·弗莱彻作证，包括我在内。

几天前，我和法官开了一场紧急会议，请求把弗莱彻以宗教历史专家的身份加入我的证人名单，我还以为戈登·葛林雷夫会在法官办公室当场血管爆裂。“哈啰？”他说，“第二十六条C的规定？”

他讲的是民事诉讼法的联邦条款，其中说明，开庭前三十天就必须提出证人，除非是法庭的安排。我巴望的正是最后一条规定。“法官，”我说，“我们只有两星期的时间准备这场官司，我们两人都不可能在开庭三十天前列出证人名单。”

“你不要因为刚好误打误撞碰上一位专家，就决定把他偷渡进来。”葛林雷夫说。

众所周知，联邦法庭的法官们总是试图让自己负责的案件变得中规中矩。如果海德法官允许弗莱彻作证，那等于让情况变得棘手。葛林雷夫会为质询做准备，恐怕还会想雇用一个伪专家，延后整场官司。而我们都知道这不可能发生，因为我们有最严格的期限。不过，迈可神父确实没错，伊·弗莱彻的书和我试图为薛一案钓取胜利的鱼钩吻合如此巧妙，如果不去尝试，就会成为耻辱。更棒的是，它会提供给我最缺少的一项元素——历史先例。

反正，对于试图在最后一秒加入一位新证人，我早就告诉自己，海德法官肯定会公开羞辱我。然而，他只是低头看看那个名字。“弗莱彻，”他喃喃道，仿佛这个词语是用锐利的石头做的，“伊·弗莱彻？”

“是的，法官。”

“他是不是以前主持过电视节目？”

我倒抽一口气：“我想是的。”

“我会被人指责。”法官说。这口吻不像在说“我想要他的签名”，而比较像“他就如一列我无法控制的脱轨火车。”

好消息是，我得到了许可，同意这位专家证人出席。坏消息是，海德法官并不喜欢他。他脑中对于这位证人的认识是一位曾经的无神论作秀人士。可我希望他被视为一名正经可信的历史学家。葛林雷夫气坏了，他只有几天时间来搞清楚近来弗来彻在做什么。法官以好奇的心态看待他，而我只希望案子不会在未来十分钟之内自动销毁。

“布鲁女士，在我们开始以前，”法官说，“我有几个问题想问弗莱彻博士。”

他点点头：“请便，法官。”

“一个十年前还是无神主义者的男人，如何说服法庭，今天他是一个宗教专家？”

“法官，”我突然插嘴，“我打算以弗莱彻博士的文凭来证实这一点。”

“我不是在问你，布鲁女士。”他说。

然而，伊·弗莱彻大气不喘、不慌不忙。“法官，你知道人们是怎么说的。罪人只要痛改前非，就能成为圣人。”他咧嘴一笑，懒散迟缓的笑容让我想起一只阳光下的猫，“我想，寻求上帝有如看见鬼魅，你可以怀疑，直到某天和你认为不存在的事物打照面为止。”

“所以，你现在是一个有信仰的人？”法官问。

“我只是重视心灵。”弗莱彻纠正，“我确信这其中有差别，只是这无足轻重又无凭无据。因此，我会拥有普林斯顿和哈佛的文凭、三本荣登《纽约时报》非小说类的畅销书、四十二篇关于世界宗教起源的文章，并在六处不同宗教信仰的市议会担任顾问，包括本州的行政机关单位。”

法官一边点头，一边做笔记。葛林雷夫则忙着查证弗莱彻的文凭。“我最好从海德法官停顿的地方接手，”我说，开始直接质询，“一位无神论者开始对宗教产生兴趣，可以说非常罕见。你的状况，是否就像有天早上醒来突然找到了耶稣？”

“那不像你用吸尘器吸沙发底下的软垫，突然发现神就在那里。我的兴趣是以历史为出发点的。这些日子以来，人们的表现，仿佛信念可以凭空冒出来。当你对信仰失望时，再从政治、经济、社会角度去看事情缘起时的状态，这会改变你思考的方向。”

“弗莱彻博士，人一定要身在某个团体，才算拥有信仰吗？”

“宗教可以个人化，过去也曾经是个人化的。1945年，人们在埃及发现了五十二卷被标为福音书的文章，且它们不属于今天《圣经》的一部分。当中某些话语，对于曾上过星期天主日学校的人，皆耳熟能详，还有一些则非常怪异。它们被断定为二世纪的产物，比《新约圣经》的福音书晚了三十至八十年。它们属于一支称为灵知派基督徒的团体。这是从希腊正教天主教廷中分裂出来的一支，相信真正的宗教启蒙，是指一场个人的探求，从而更深层地认识自我。并非认识自身的社会经济条件或职业，而是更深切的核心。”

“等等，”我说，“耶稣死后，基督徒的种类不止一种？”

“喔，当时可以说，有数十种不同的派别。”

“他们都有自己的《圣经》？”

“他们有自己的《福音书》，”弗莱彻纠正，“《新约圣经》，尤其是《马太》《马可》《路加》和《约翰福音》，是希腊教廷决定支持的内容。灵知派基督徒则偏爱类似《多马福音》《真理福音书》，以及《玛丽·马德莲福音书》的文本。”

“这些福音书也都讲到耶稣？”

“是的，只是它们描述的耶稣并不是你在《圣经》里认识的那一位。那位耶稣和他前来拯救的人类大不相同。但是《多马福音》——在奈格汉马帝城的发现中，是我个人的最爱——说明耶稣是一位向导，帮助你发掘自身与上帝的共同点。所以，灵知派基督徒可以预期，自己获得救赎的道路将与他人不同。”

“比如将你的心脏捐赠给需要的人……”

“正是。”弗莱彻说。

“哇！”我假装哑口无言，“星期天的主日学校怎么没教这玩意儿？”

“因为希腊正教天主教廷觉得自己的地位被灵知派威胁。他们声称这些福音书为异端，所以奈格汉马帝的文章被藏了两千年之久。”

“怀特神父说，薛·布尔能引用了《多马福音》的内容。你想，他会是在哪里翻到这篇文章的呢？”

“也许他读过我的书。”弗莱彻大声笑着说，整个法庭的人也笑了起来。

“博士，以你的意见来看，一种只有一个人相信并跟从的信仰，依然算数吗？”

“每一个人都可以拥有一种宗教，”他说，“他不能拥有一个宗教团体，但在我看来，薛·布尔能的做法，和两千年前的灵知派基督徒相近。他并不是第一个宣称无法给自己信仰名称的人。他也不是第一个找到一条不同于公众熟知的救赎之路的人。而他，肯定也不是第一个不信任肉身的人。他想把身体献出去，作为寻找自身神性的一种手段。他没有一座白色尖塔的教堂，或一间围绕他的六角星圣殿，但这并不意味着他的信念没有价值。”

我向他微笑。弗莱彻的言语让人容易理解，而且有趣，听起来也不像一个左翼疯子。也许这只是我自己的想法。我听见海德法官沉重的发言，宣布休庭，隔天继续开庭。

路希尔斯

开庭第一天，当薛从法庭回来时，我正在画画。他一副混乱又孤僻的模样，就像我们大部分人上法庭后的反应。我一整天都在画肖像画，对最后的成果颇为满意。当薛被护卫着经过我房门时，我瞥向他，却没开口跟他说话。最好等他自己想说时，再加入比较好。

不到二十分钟，整个I层回荡起低沉又冗长的恸哭。一开始，我还以为薛在哭，想把一整天的压力发泄出来，后来我才发现，声音是从卡洛威·李斯的囚房传出来的。“拜托。”他呻吟着，用拳头敲打着囚房门，“布尔能，”他大喊，“布尔能，我需要你的帮忙。”

“让我静一静。”薛说。

“兄弟，是小鸟的事。我没办法让它清醒。”

知更鸟蝙蝠侠靠着土司皮和少许燕麦片，在I层存活了数个星期，这本身就已经是一桩奇迹，更别提它还曾侥幸逃过死亡。

“帮它人工呼吸。”乔伊·克斯提议。

“你不能他妈的帮一只鸟人工呼吸吧，”卡洛威着急地说，“它们有鸟喙。”

我把代替刷子用来画画的工具放下——那是一卷卫生纸——把我的镜子伸出门外，对好角度，这样我才能看清楚。卡洛威正在抚摸躺在粗大手掌心内一动不动的小鸟。

“薛，”他哀求，“拜托。”

薛的囚房没有传出任何回答。“把它钓给我。”我拿着钓线蹲下来说。我担心小鸟会不会太大，穿不过下方狭窄的门缝。但卡洛威用手帕把它包起来，上方用细绳捆好，甩出一个长弧形，将这轻小的物体钓过走道。我把钓线和卡洛威的钓线缠在一起，轻轻把小鸟钓向自己。

我无法克制自己不打开手帕偷看。蝙蝠侠的眼皮发紫皱缩，尾巴的羽毛如扇子般四散。鸟爪末端的指甲如大头针般锐利。当我触摸指甲时，小鸟连一丝抽动的迹象都没有。我将食指置于鸟翼下方——鸟类心脏的位置是否和我们一样——什么都感觉不到。

“薛，”我安静地说，“我知道你很累。我也知道你忙着你自己的事。但是拜托，看一下就好。”

五分钟过去了，久到足以让我放弃。我再度用手帕包好小鸟，绑在钓线末端，放置在卡洛威得以取回的走道。就在他的线和我的线交缠之前，传出另一声“嗖嗖”声。薛拦截了小鸟。

我从镜中看见薛从手帕内取出蝙蝠侠，手握着它。他用手指抚摸小鸟的头，小心翼翼地用另一只手覆盖鸟身，仿佛捧着一颗星星。我屏住呼吸，等待微弱的振翅或羽毛轻晃，甚至细微的吱吱叫声。但没多久，薛只是重新把小鸟包了起来。

“嘿！”卡洛威也在一旁观看，“你什么都没做！”

“让我静一静。”薛重复道。空气突然变得如扁桃仁般苦涩，叫人难以忍受。我看着卡洛威钓回死鸟，以及我们所有人的希望。

玛吉

戈登·葛林雷夫站起来时，膝盖喀喀作响。“你曾在研究时，研习并比较过世界宗教？”他问弗莱彻。

“是的。”

“不同的宗教是否对器官捐赠都采取某种特定的立场？”

“是的，”弗莱彻说，“天主教只认同死后进行的移植。你不能在移植过程中误杀捐赠人。他们完全支持器官捐赠，犹太教徒和穆斯林也是。佛教徒和印度教徒则相信，器官捐赠是一种个人自觉的方法，而且对于富有同情心的举动怀着高度的敬意。”

“这些宗教里，是否有哪一种要求人们捐赠器官，作为得到救赎的方式？”

“没有。”弗莱彻说。

“今天还有灵知派基督徒的聚会吗？”

“没有，”弗莱彻说，“这支教派已经死了。”

“怎么会？”

“当一群人的信仰体系不听信教廷，认为与接受教规相比，更应该继续提出问题时，便很难组成一个团体。另一方面，希腊正教天主教廷解释了成为团体一员的步骤——承认信条、受洗、礼拜、服从教士。而且他们的耶稣是任何凡夫俗子都能认同的人——被生下来，拥有一位过度保护的母亲，受苦后死去。这比起灵知派的耶稣，更容易被宣扬，毕竟这位耶稣从来不曾真正身为人类。而灵知派的凋零，”弗莱彻说，“则是来自政治因素。公元312年的康斯坦丁，罗马的皇帝在天空看见十字架，于是改信天主教。天主教廷成为了神圣罗马帝国的一部分，而拥有灵知派文章和信仰的人，都被处以死刑。”

“我们可以说，这一千五百年来，根本没人信仰灵知派基督教吗？”葛林雷夫说。

“不全然。灵知派信仰的某些成分得以在其他宗教中幸存。例如，灵知派认为，关于上帝的事实无法用言语描述，和大家所知道的上帝不同。这听起来非常类似犹太教的神秘论，我们能在其中发现上帝被描述成能量流、阳性和阴性，两者结合后汇为神圣泉源。他们还说，上帝同时是所有声音的来源。佛教的得道和灵知派的想法十分相近，我们活在一片遗忘的土地，但是当我们依然身为世界的一部分时，精神是可以被唤醒的。”

“但薛・布尔能不可能是不存在的宗教的教徒，不是吗？”

弗莱彻迟疑片刻。“据我了解，捐赠心脏是薛・布尔能试图学习自己是谁、想变成谁，以及他和别人之间如何联结在一起的方法。灵知派会认同，他是在寻找自身最接近神性的那一部分。”弗莱彻抬头往上看，“灵知派基督徒会告诉你，死囚和我们的共通点其实多过不同点。而且正如布鲁女士的建议，他还有东西想给予这个世界。”

“是啊，不管是什么。”葛林雷夫挑眉道，“你是否曾见过薛・布尔能？”

“事实上，”弗莱彻说，“没有。”

“所以，正如你所知，他根本没什么宗教信仰。这一切，都可能是用来拖延处决的大计划，是不是？”

“我和他的精神辅导员谈过话。”

律师嘲笑道：“某个男人信仰千年前已灭绝的宗教。这一切听起来是不是太莫名其妙了？薛·布尔能可以编造这一切，不是吗？”

弗莱彻露出微笑：“很多人对于耶稣，也是这么想的。”

“弗莱彻博士，”葛林雷夫说，“你是要告诉法庭，薛·布尔能是弥赛亚？”

弗莱彻摇摇头：“那是你说的，不是我。”

“那你的继女怎么说？”葛林雷夫问，“你们这些人的共性，就是爱把上帝扯进州立监狱、小学和自助洗衣店吗？”

“反对，”我说，“并不是我的证人在接受审判。”

葛林雷夫耸耸肩：“他讨论基督教历史的能力……”

“驳回。”海德法官说。

弗莱彻眯起眼睛：“我女儿看见的、没看见的，都和薛·布尔能要求捐赠心脏一事无关。”

“第一次遇见她时，你认为她是骗子吗？”

“我越和她谈话，就越……”

“第一次遇见她时，”葛林雷夫打断，“你认为她是骗子吗？”

“是的。”弗莱彻同意。

“然而，在没有任何个人接触的情况下，你就愿意在法庭作证，说明布尔能先生捐赠器官的要求合乎你对宗教的模糊定义。”葛林雷夫瞄他一眼，“以你的情况来看，真是江山易改，本性难移。”

“反对！”

“我收回。”葛林雷夫开始走回座位，但又转了回去，“最后一个问题，弗莱彻博士，关于你的女儿。当她发现自己处于宗教媒体的中心，当时的她才七岁大，是吗？”

“是的。”

“你知道那位被薛·布尔能杀害的小女孩，当时也才七岁吗？”

弗莱彻的下巴肌肉抽动了一下：“不，我不知道。”

“如果今天是你的继女被杀害，你认为自己会怎么去想上帝？”

我跳起来：“反对！”

“反对有效。”法官回答。

弗莱彻停顿片刻：“我认为这种悲剧足以测试每个人的信心。”

戈登·葛林雷夫收回咄咄逼人的语气。“那么，这不叫信心，”他说，“而是朝令夕改。”

迈可

中午休庭时间，我前往拘留室探望薛。他坐在靠近门闩的地板上，一名美军高级军官坐在外面的凳子上。薛拿着铅笔和一张碎纸片，一副在进行采访的模样。

“H？”将官说，薛摇摇头。

“M？”

薛在纸上潦草地写字：“都市人，我胜利在望啰。”

军官倒抽一口气：“K。”

薛露齿微笑。“我赢了。”他再度于纸上乱写，然后把纸片穿过栅栏。这时我才发现，那是“刽子手”游戏，这一轮薛是刽子手。

军官皱着眉，不悦地盯着纸片：“Szygszyg，根本就不是一个真正的单词。”

“开始玩的时候，你又没说一定要挑真正的单词。”薛反驳，然后注意到站在门边的我。

“我是薛的精神辅导员。”我告诉军官，“我们可以私下谈一会儿吗？”

“没问题。我也要去厕所。”他站起身，把空出来的凳子让给我，然后朝门外走去。

“你好吗？”我安静地说。

薛走向牢房后方，躺在金属床上，面对墙壁。

“薛，我想跟你谈谈。”

“你想说，不见得就表示我想听。”

我整个人沉在凳子里。“我是陪审团里最后一个投死刑票的。”我温和地说，“当时，判决之所以花那么长的时间才做出，原因就是我。其他陪审团团员在那之后依然说服我，那是最好的判决，但我并不好受，在精神上不断地担惊受怕。然后有一天，我走入一间教堂，开始祷告。越是祷告，我就越不再惶恐。”我膝盖之间的双手相互紧握，“我认为，那是来自上帝的启示。”

依然背对我的薛大声呼着气。

“现在我仍旧相信那是上帝的启示。他把我带回你的生命。”

薛躺回床上，一只手臂盖住双眼。“别欺骗自己了，”他说，“那只是把你带回我的死亡。”

我冲进男厕所，伊·弗莱彻正站在一个小便池前方，我还希望厕所空无一人。薛的言论是一桩赤裸裸的事实，让我反胃至极，我什么也没说就冲出拘留室，推开一间隔间，跪下来狂呕。

无论我怎么欺骗自己，无论为了补偿过去的罪说什么，结果都一样。这是我生命中第二次，自身所有的行动都将以薛·布尔能的死作为终结。

弗莱彻推开隔间的门，把手放在我肩膀上：“神父，你还好吗？”

我擦擦嘴，缓缓起身。“我还好，”我说，然后摇摇头，“不，事实上糟透了。”

我走到洗手台前，打开水龙头用水冲脸，弗莱彻则于一旁观看：

“你要不要坐下来？”

我用他递来的卫生纸擦干脸。突然之间，我想让另一个人一起背负我的重担。伊·弗莱彻是一位能解开两千年前秘密的人，他肯定能替我保守秘密。

“我曾是审判他的陪审团一员。”我蒙在褐色再生卫生纸里低声呢喃。

“你开玩笑吗？”

不，当然不，我想。我和弗莱彻四目交会。“我是判决薛·布尔能死刑的陪审团成员。那是我成为教士之前的事。”

弗莱彻吹出一声漫长低沉的口哨：“他知情吗？”

“我几天前告诉他了。”

“律师呢？”

我摇摇头：“我一直不停地想，犹大出卖耶稣之后的滋味想必就是如此。”

弗莱彻欲言又止：“其实，我之前读过一本最近出土的灵知派福音书——《犹大福音书》，当中极少提及背叛。这本福音书把犹大描绘成耶稣的知己。他是耶稣唯一信任的人，让需要发生的事去发生。”

“即使那是种协助自杀的行为也罢。”我说，“我确定犹大在那之后肯定觉得自己是人渣。我是说，他后来自杀了。”

“那么，”弗莱彻说，“事情便是如此。”

“如果你是我，你会怎么做？”我问，“你会贯彻到底，帮助薛捐赠心脏吗？”

“我想，那全看你帮助他的理由为何。”弗莱彻慢条斯理地说，“是为了救他，就像你在证人台所说的，还是，你想救的人其实是自己？”他摇摇头，“如果人们对这类问题都有答案，那就不需要宗教了。神父，祝你好运。”

我走回厕所，盖起马桶盖坐下来。我从口袋里拿出《玫瑰经》，低喃祷告中的熟悉话语。它们如此甘甜，我好像在吃糖果。寻求上帝的恩赐，不像找出遗失的钥匙，也不像1940年代的月历性感女郎早已被遗忘的姓名，而是类似于太阳射破早晨的阴云，或是你在柔软床垫上沉陷的感觉。除非你自己承认迷失，否则就无法找到上帝的恩赐。

联邦法院的厕所，也许不是寻找上帝恩赐的最佳场所，但那也不表示，不可能办得到。

寻找上帝的恩赐。

寻找葛瑞丝[①]。

如果薛自愿奉献出他的心脏，那我能做的是，至少确定某个人会记得他。某人，一个不曾像我一样宣判他的人。

就在这个时候，我决定去寻找薛的妹妹。

① 英语中，“恩赐”与人名“葛瑞丝”是同一个单词。——译注

琼

为你的孩子挑选埋葬时要穿的衣服，并不是件容易的事。谋杀案过后，葬礼执行长要我好好想想。他提议挑选一件能够代表一个漂亮小女孩的衣服，比如一件美丽的小洋装，最好是露背的。他要我带一张她的照片来，这样他能按照她脸颊自然的肤色、肤质以及发型来为她上妆。

我想对他说，伊丽莎白讨厌洋装。她宁可穿一件没有纽扣的裤子，因为扣子绑手绑脚，要不就是去年的万圣节服装，或是她圣诞节收到的医生服。几天前我发现，她正为一条发育过度、仿佛新生儿的黄瓜“开刀”。我想告诉他，伊丽莎白根本没有发型，因为头发没办法长得够长，更别说绑辫子或是烫卷发。而且，之所以不想让他帮她化妆，是因为我未曾经历过这样的夜晚：准备进城度过一个高雅的夜晚前，和女儿共处在闻起来有粉扑味的浴室，让她试涂眼影、睫毛膏和口红。

葬礼执行长告诉我，如果能准备一张桌子，摆上对伊丽莎白具有特殊意义的纪念品，则会更好。放上小动物玩偶、全家度假的照片或巧克力豆饼干，播放她喜欢的音乐。让学校的同学留言给她，最后用小丝绸包好，放进棺材。

我想告诉他，他告诉我的这些关于如何营造一场有意义的葬礼的行为，反而只会让它变得毫无意义吗？伊丽莎白本来就该得到一场烟火表演、一个天使诗班，甚至值得世界为她倒转。

最后，我帮伊丽莎白穿上一件芭蕾舞裙。每次我们去杂货店买菜时，她都想穿这件衣服，只是每次出发前，我都会叫她换掉。我第一次让葬礼执行长替她化妆。我给了她一只玩具狗、她的继父，以及我大部分的心。

那不是一场开棺的葬礼，但是在我们前往墓地前，执行长打开棺盖，准备作最后的调整。一瞬间，我推开了他。“让我来。”我说。

寇克穿着制服，就像每一位执勤身亡的警察一样。他看起来跟过去没什么两样，除了绕着手指的那圈白痕，就是之前戴戒指的地方。现在，我把它穿上链子，戴在了脖子上。

伊丽莎白看起来如同天使般美好，头发用合适的缎带绑起来。她的手臂环抱着继父的腰。

我走近棺材，用手触摸女儿的脸颊，开始不停地发颤。我依然期待脸颊会是温热的，而不是这种虚假的冰冷。我把她头发上的缎带扯掉，轻轻抬起她的头，再把头发朝脸颊两侧拨开。我把左边的袖子往下拉四分之一英寸，这样，才能和右边的袖子对称。

我希望你喜欢，葬礼执行长说。

这一点都不像伊丽莎白，一点也不像，因为她看起来太完美了。我女儿应该是乱糟糟的，衣服没穿好，两边袜子不一样，追青蛙把双手搞得脏兮兮，手腕上戴着自己用珠子串成的手镯。

然而，一旦不该发生的事发生在这世界上时，你会发现，自己的所作所为都和内心所想的截然相反。所以，我只是点点头，看着他密封这世上我最爱的两个人。

如今，我发现自己又处在十一年前的相同处境里，站在我女儿房间中央，挑选她的衣服。我在上衣、裙子、衬衣，柔软如法兰绒的牛仔裤，以及一件还残留着上次穿时留下的苹果园香味的服装中，细细挑选。我选了一对闪亮的黑色护胫和一件印着圣诞铃铛的长袖T恤，这是克莱尔在“慵懒星期天”里的穿着。当外面下雪，除了阅读星期天的报纸，将脸颊贴在因火炉而温热的墙壁小寐以外，就无所事事的星期天。我挑了一套内衣。正前方印着“星期六”几个字，但我在抽屉里找不到印有其他日子的内衣。就在寻找时，我发现一张用红色丝质大手帕包起来的照片。那是一个小巧的椭圆银色相框，刚开始，我以为是克莱尔的婴儿照，后来才发现，那是伊丽莎白。

这张相片过去的存放地点，是已无人弹奏、积了一堆灰尘的钢琴上方。之所以没有注意到照片不见的事实，是因为，我已经重新学会如何活下去。

那正是为什么我把衣服收好，全部放进购物袋，准备带去医院。我真心地希望，这套衣服不是用来埋葬我女儿，而是用来带她回家的。

路希尔斯

这些夜晚以来，我睡得很香。我不再因为盗汗、腹泻或发烧而疼痛难耐。盖许·维泰勒仍然在禁闭室，他的粗言粗语不会吵醒我。那位偶尔派来保护薛的临时警官会在I层徘徊，脚上穿着软底靴，慢吞吞地在走廊里来来去去。

我睡得非常熟，当隔壁房内的对话把我吵醒时，我吓了一跳。

“至少你可以让我解释一下吧？”薛问，“如果有另一种方法呢？”

我等着听他到底在跟谁对话，但却没有传出任何回复。

“薛，”我说，“你还好吗？”

“我试着捐出我的心脏，”我听见他说，“看看现在事情变得怎样。”薛一脚踢向墙壁，房中某样沉重的物品跌落地面，“我知道你想要什么，但你知不知道我想要什么。”

“薛？”

他的声音细如游丝：“天父？”

“是我，路希尔斯。”

沉静片刻：“你在听我的对话。”

这怎能算是对话，只不过是你一个人在房里独白罢了。

“我不是故意的……你吵醒了我。”

“你为什么在睡觉？”薛问。

“因为现在是凌晨三点。”我回答，“你不也应该在睡觉吗？”

“我也应该这么做，”薛重复一遍，“是的。”

什么东西砰然跌落的声音突然传出，我知道薛跌倒了。上次这样正是他癫痫发作的时候。我爬到床下，取出镜子。“薛，”我呼唤，“薛？”

透过镜子反射，我看见了他。他跪在囚房前方，双臂大大地张开。他的头低垂着，全身汗水淋漓，透过走廊昏黄的红灯看来，有如一滴滴血珠。

“走开。”他说，于是我从门下的金属板收回镜子，还他隐私。

就在我把镜子藏回原位时，无意间瞥见了自己的脸。我的皮肤和薛一样，看起来红红的。但这并未阻止我发现额头上再度裂开的熟悉红疮。那是一道疮疤、一颗斑点，一场即将到来的风暴。

迈可

薛的最后一位养母瑞娜塔·勒杜，是一位住在新罕布什尔州伯利恒的天主教徒。这座薛度过青少年时光的小镇的名字并没有逃过我的目光。我戴着神父领结，举止稳重庄严，准备使出浑身解数。任何必要的话我都会说，好查出葛瑞丝身上究竟发生了什么。

然而，事情不费吹灰之力。瑞娜塔邀请我入内用茶，当我告知她有一位教友托我传达信息给葛瑞丝的时候，她只是写下地址递给我。“我们依然保持联络，”她简单地说，“葛瑞丝是个好女孩。”

我无法克制自己，十分渴望知道她对薛的想法。“她是不是有位哥哥？”

“那男孩，”瑞娜塔说，“该在地狱里被活活烧死。”

如果以为瑞娜塔没听说过薛被判死刑的事，那就实在荒谬至极。即使伯利恒算是乡下，消息也应该传到了这里。我先前以为，身为他的养母，对他也许至少怀着些许怜悯。毕竟这个被她拉扯大的孩子锒铛入狱，长大后更成了杀人犯。

“是，”我说，“那好。”

二十分钟后，我来到葛瑞丝家，希望得到比较好的接待。粉红色的房子装着灰色百叶窗，汽车专用道尽头有一块刻着“一百三十一号”的石头作为门牌。然而，帷幔收得好好的，车库门也紧闭着。门廊没有垂吊任何植物，更没有一扇敞开的门利于通风，信箱上没有任何提示主人外出的字条。没有一丝有人在家的迹象。

我下车，按了两次门铃。

我可以留一张字条，请她回电给我。然而，这只会浪费更多时间。薛没剩多少时间了。可如果我只能这么做，那也只好如此。

就在这时，大门打开一条细缝。“什么事？”里面传出低语。

我试着往房子内探看，只看见一片漆黑。“请问葛瑞丝·布尔能是不是住在这儿？”

迟疑片刻后：“我就是。”

“我是迈可·怀特神父。我受教区的教友之托前来转达信息。”

一只纤细的手伸出来。“你可以交给我。”葛瑞丝说。

“不好意思，我是不是可以入内叨扰一会儿，借用你的厕所？这一路从康城开车过来挺远的……”

她迟疑了一下。假如我是她，肯定也会迟疑，如果有陌生男子出现在门口，而我是一个独居女人，就算对方戴着神父领结也一样。但葛瑞丝打开大门站到一旁，让我入内。一头瀑布般的黑长发盖住了她的脸。然而，我却捕捉到她意味深长的一瞥和一抹红唇，就算是第一眼也看得出来，她是一个美女。我猜，她会不会患有社交恐惧症，极度害羞。是谁伤她伤得那么深，让她如此惧怕全世界？

我在想，那会不会是薛。

“葛瑞丝，”我说，握住她的手，“很高兴认识你。”

她抬起下巴，黑发朝两侧滑开。葛瑞丝·布尔能的左脸完全毁容，凹陷不平，如一片火山熔岩覆盖在肌肤上，缝缝补补地覆盖着往昔的一片蔓延性烧伤。

“呸。”她说。

“我……对不起。我不是故意……”

“每个人都会看，”葛瑞丝平静地说，“那些试图不看的人也一样。”

有一场火灾，薛曾经说过。我不想谈这件事。

“我很抱歉。”

“你已经说过了。厕所从这边走下去。”

我一只手放在她臂膀上。那里也有结疤的移植皮肤：“葛瑞丝，这条信息来自你哥哥。”

她惊吓地从我身边退开一步：“你认识薛？”

“葛瑞丝，他要见你。他就快要被处死了。”

“他说了我什么？”

“不多，”我坦承，“但你是他唯一的家人。”

“你知道火灾的事吗？”葛瑞丝问。

“知道。那是他进少年监狱的原因。”

“他有告诉你我们的继父死于这场火灾吗？”

这一次，轮到我惊愕了。少年犯罪记录是不公开的，所以当谋杀案开庭时，我并不知道薛以前被判罪的原因。我当初提及这场火灾时，我想到的是纵火。但罪名其实可能包括无意杀人和过失杀人。现在我完全明白了瑞娜塔·勒杜打从内心里痛恨薛的原因。

葛瑞丝专注地凝视着我：“他要求见我吗？”

“其实他不知道我人在这儿。”

她转开身子，但就在这之前，我看见她开始哭泣：“他不要我出席他的审判？”

“也许他不希望你看到那些。”

“你什么都不知道。”她用双手掩住脸。

“葛瑞丝，”我说，“跟我回去。去见他。”

“我不行，”她啜泣道，“我不行。你不懂。”

我开始了解到，薛放了这把让她毁容的火。“这更是见他一面的理由。在还不算太迟之前，原谅他。”

“原谅他？原谅他？”葛瑞丝不解其意地模仿着我，“不论我说什么，都无法改变已经发生的事。你无法让生命重来。”她的眼神转向别处，“我想……我只是……你应该离开。”

那是对我下的逐客令。我点头接受。

“厕所在右手边第二扇门。”

那是我为了入内使用的借口。我从玄关往下走，来到一间充满一股叫人无法抵抗的玫瑰芳香的浴室。墙上有专门用来挂卫生纸的小挂钩，其中一个挂着卷筒卫生纸，另一个则挂着湿纸巾。浴帘上印着玫瑰花图案，整片墙都装饰着带框的画，基本都是花朵的图案，除了一张不知画着龙还是蜥蜴的儿童画。这房间感觉像是住着一名上了年纪，不知道自己养了几只猫的老太太。这种感觉叫人窒息。葛瑞丝·布尔能正慢慢地让自己窒息而死。

如果薛知道他妹妹原谅了他，那么，就算他不被允许捐赠心脏，也足以平静地死去。现在看来难以说服葛瑞丝，但我可以继续尝试。我可以设法拿到她的电话号码，打电话给她，直到赢得她的信任。

我滑动镜子，打开后方的医药柜，试图寻找一张有葛瑞丝电话号码的处方笺，这样就能抄下号码。柜子里有化妆水、乳液、去角质霜、牙膏、牙线棒和除臭剂，还有一罐标签上方印着葛瑞丝电话号码的安眠药瓶。我用笔把号码写在掌心，再把药瓶放回一个小巧的锡铅合金相框旁。照片上的两个小孩坐在桌旁。葛瑞丝坐在一张高椅上，身前摆着一杯牛奶，薛正俯身专注地画画，不知在画龙还是蜥蜴。

他开怀大笑的样子让人不禁去想，这孩子嘴巴痛不痛。

每个囚犯都是某人的孩子。每个受害者也是如此。

我走出浴室，递给葛瑞丝一张印着我的名字和电话号码的名片，然后向她道谢："如果你改变心意的话。"

"需要改变心意的绝不会是我。"葛瑞丝说完便关上了门。我听见门闩上锁，前方窗户的窗帘沙沙作响。我不停地想着那张被仔细裱上框挂在浴室内的恐龙图画。"给葛西"，图画的左上角这么写着。

我一路开到克劳福德峡谷方才明白，为何薛小时候的那张照片让我牵挂不已。照片中的他，右手握着一支笔。但在监狱里头，不管是吃东西还是写字，他都是个地地道道的左撇子。

一个人的一生能有如此彻底的转变吗？或者，薛身上所有的改变，从惯用手到那些奇闻轶事，再到引用《多马福音》的能力，可能是从某种……附身而来？这听起来很像某些难看的科幻电影，但那并非不可能。倘若先知能被圣灵附身，为什么一个杀人犯不行？

也许事情其实更简单。我们会塑造自己将来想要成为的样子。或者说，薛刻意改变了写字的惯用手。此外，他行使奇迹，是为了补偿那桩夺走两条人命的案件，还有恐怖的火灾夺去的一条人命和另一个人的人生。就算是《圣经》，对于八岁到三十三岁之间的耶稣也没有任何记录，这项巧合让我咋舌。如果耶稣做了什么恐怖的事呢？如果往后他的表现只是为了弥补之前犯下的错呢？

你可以犯下一桩可憎的罪行，然后用接下来的余生，真心地尝试去弥补这一切。

没有人比我更清楚这一点。

玛吉

我把薛·布尔能以证人身份放上台前所做的最后一次对话，进行得似乎不如预期顺利。我在联邦法庭的拘留室提醒他法庭内可能会发生的事。薛不太会处理身上承受的压力。他可能会变得激烈好辩，也可能像个球似的缩在桌子下方。不管哪一种，法官都会认为他疯了。这千万不能发生。

“所以，当执行官带你抵达位置后，”我事先向他说明，“他们会给你一本《圣经》。”

“我不需要。”

“好。但他们需要你向《圣经》发誓。”

“我想向漫画发誓，”薛回答，“或是一本《花花公子》。”

“你必须向《圣经》发誓，”我说，“在我们得以改变游戏规则之前，必须先照他们的规矩玩。”

一位执行官前来通知我即将开庭。“只要记住，”我向薛说，“专注在我身上。法庭内其他的人事物都不重要。只有我们两人在聊天。”

他点点头，但我看得出来，他很恐慌，其他人也一样看得出来。我看着他被带入法庭，他被铐住的脚踝、手腕和一条铁链相连。当他颤抖地坐在我身边时，链子也跟着嘎嘎作响。他的头缩在两肩内，口中低喃着只有我才听得见的话语。他正在骂那位带他进法庭的执行官，不过幸运的是，人们看到他嘴唇安静地翻动，可能会以为他正在祷告。

我一让他站上证人台，静默的帷幔便覆盖了在场所有人。*你和我们不同*。在死寂中，人们仿佛这么说着。*你永远也不会*。*这时候，无须问我任何问题，我就有答案*。*无论多少怜悯，皆无法洗去一位杀人犯手中的污点*。

我走到薛前方，待他与我四目交会。专注，我向他打唇语。他点点头，抓住证人台前方的栏杆，铁链叮当作响。

该死。我忘记告诉他，把双手放在大腿上。这只会提醒法官和在场人士，他是一位重大罪犯。

“薛，”我问，“你为什么想捐赠心脏？”

他直视我。好孩子。“我必须救她。”

“谁？”

“克莱尔·尼尔森。”

“呃，”我说，“你并不是世上唯一能救克莱尔的人。还有其他的心脏捐赠者。”

“我是夺走她最多东西的人，”薛说，和我们事前练习的如出一辙，“我也该还她最多。”

“这和洗净你的良心有关吗？”我问。

薛摇摇头：“这和去除罪孽有关。”

一直到现在，我心想，还可以。他听起来十分理性，条理清楚，而且够冷静。

“玛吉，”薛这时候问道，“可不可以结束了？”

我坚定地微笑：“还没，薛。我们还有几个问题。”

“这些问题都是狗屁。”

法庭后方传来一声叹息，可能是那种会用保护套把《圣经》包起来的深色头发女士，在更年期来临前都不会不小心骂脏话。

“薛，”我说，“我们在法庭里不使用这种语言。记得吗？”

“为什么这里被称为法庭？”他问，“又不是网球场或篮球场，也不是玩游戏的地方。或者你们是在玩游戏，所以有赢家和输家。除了三分球多强或发球有多快以外，一点关系也没有。”

“布鲁女士，”法官说，“控制一下你的证人。”

如果薛不闭嘴，我就准备自己走过去，用手捂住他的嘴。

“薛，说说你小时候的宗教教育。”我坚决地说。

“宗教是一种祭礼。你不能选择自己的宗教。你的父母要你信什么，你就信什么。那不是教养，只是洗脑罢了。当一位婴儿受洗，让人把水倒在头上的时候，他不能说，‘嘿，老兄，我比较想当印度教徒。’他行吗？”

“薛，我知道对你而言不容易，我也知道身在这里让人困惑，”我说，“但，我需要你好好聆听我的问题，然后再回答。你小时候去过教堂吗？”

“有时候。其他时候我什么地方也不去，只是乖乖地躲在衣橱，这样我才不会被养父或另外一个孩子揍。我的养父总是试图用手里的金属梳子控制每一个人。没错，那的确控制了我们，一路控制到我们背上。这个国家的领养看护系统根本就是一则笑话，它应该被称为‘领养不看护’，除了能得到津贴……”

“薛！”我的眼神严厉地警告他，“你相信上帝吗？”

这个问题似乎让他冷静了下来。“我认识上帝。”薛说。

“告诉我，你怎么认识的。”

“每个人内心深处都有一个小小的上帝，也有一个小小的魔鬼。你的生命如何，单看你倾向哪一边。”

“上帝像什么？”

“数学，”薛说，“一则等式。当你抛掉一切，得到的不是零，而是无穷无尽。”

“薛，上帝住在哪里？”

他向前屈身，举起戴手铐的手，金属叮当作响。他指指自己的心：“这里。”

“你说，小时候曾经去教堂。今天你所相信的上帝，和你在教堂学到的上帝，是同一位吗？”

薛耸耸肩：“不管你走的路是哪一条，风景都一样。”

我几乎百分之百确定，以前曾经听过这句话，那是在我唯一参加过的一堂热瑜伽课上，当时的我还没决定自己的身体并不是被造来做某些弯曲动作的。我很惊讶葛林雷夫竟未提出反对，之后我明白了其中的缘由。薛说得越多，就显得越疯狂。当一个人像在妄想时，很难将他对宗教的诉求当真。薛正在挖一个大到足以埋葬我们两人的坟墓。

“薛，假如法官命令你必须以毒药注射的方式处决，这样你便无法捐赠心脏，这会让上帝失望吗？”我问。

“那会让我失望。所以，对，那会让上帝失望。”

“那么，好，”我说，“把你的心脏给克莱尔·尼尔森，上帝会高兴吗？”

这时，他向我微笑。那种微笑就像壁画上的圣人脸孔，让人们希望知道他们的秘诀。“我的终结，”薛说，“是她的开始。”

我还有几个问题，不过老实说，我被薛说出的话吓坏了。他讲的话已经如同谜语。“谢谢你。”我说着，然后坐了下来。

“我有个问题，布尔能先生，”海格法官说，“关于发生在监狱的奇异事件，有很多不同的说法。你认为自己能行使奇迹吗？”

薛看着他：“你觉得呢？”

“很抱歉，法庭不是这样运作的。我不被允许回答你的任何问题，但你必须回答我的问题。所以，”法官说，“你相信自己能行使奇迹吗？”

“我只做我应该做的事。你想怎么称呼它都行。”

法官摇摇头：“葛林雷夫先生，换你质询证人。”

法庭内，一个男人突然站起来，拉开夹克，露出以数字“3:16”装饰的T恤。他以嘶哑的声音大吼道：“上帝爱世界，所以把他的独生子……”说时迟那时快，两位法警走过来，用力把他拖开，拉着他走过通道，新闻摄影机跟着转动，拍下他们的一举一动。“他的独生子！”男人喊，“唯一的！你会下地狱，等他们灌满你的静脉……”法庭的门在他身后砰然关上，现场一片肃静。

这男人竟然能进入法庭，真叫人印象深刻。毕竟现场设有法警驻守的关卡和金属探测门。不过，男人的武器是自身对正义的狂热。当下的我一时很难决定，究竟是他还是薛，看起来更糟。

“是的。”戈登·葛林雷夫站起来，“那么，”他走向薛，那双铐着铁链的手，再度搁在证人台栅栏边缘，“你是唯一支持自身宗教的人？”

“不。”

“不是？”

“我并不属于某种宗教。世界七零八落，就是因为宗教。看看刚刚被强制驱离的男人，那就是宗教干的好事。它只会纠正和指责，还会引起战争。它让国家分裂，更是让偏见滋生壮大的培养皿。宗教跟神圣无关，”薛说，“充其量只是比你神圣罢了。”

原告桌旁的我闭上眼睛。我们可以说，薛已经为自己输掉了这场官司。我顶多可用一场自取其辱的质询作为收场。“反对，”我柔弱地说，“这不算回答。”

“反对无效。”法官说，“布鲁女士，他现在不是你的证人。”

嘴巴咕哝不已的薛现在安静多了：“宗教在干什么？它在沙滩上画一条粗线，然后说：‘如果你不照我的方式做，你就出局。’”

他没有大吼，也没有失去控制，却不属于控制之内。他的手举到脖子边，开始乱抓，胸前的铁链令他极度烦躁。“这些话，”他说，“好像在切割我的喉咙。”

“法官，”我内心警觉到即将席卷而来的状况，立即发言，“我们可否休息一下？”

薛开始前后摇摆。

“十五分钟。”海格法官说，法警上前，准备押薛回拘禁室。受惊的薛缩成一团，举起手臂自卫。随后我们看见，绑在他身上的铁链——因为安全考虑而铐在手腕、脚踝和腰部，在作证时不断发出刺耳声响的铁链——哗啦 声，全部落在地面，仿佛它们只是迷雾，而非实质存在的物体。

第六章

玛吉

薛两手叉腰站在原地，看起来就跟我们一样，惊讶于突然获得的自由。那一瞬间，大家处于不可置信的状态下，接着一阵惊慌打破了法庭内的死寂。走廊里惊叫声此起彼落，一名法警把法官拖下座位，护送他回办公室，另一名则拔出武器，朝薛大喊要他高举双手。僵在原地的薛乖乖地任凭法警扭倒自己，铐上手铐。“住手！”身后的迈可神父大喊，“他并不知道发生了什么事！”当法警把薛的头生硬地抵向木地板时，薛带着一脸吓坏的表情，抬头看我们。

我猛然转向教士：“他妈的到底发生了什么？他从耶稣变成了胡迪尼？”

“他就是会做这种事情。”迈可神父说。是我的错觉吗？我的确从他声音里听到一丝满意之情。“我早试着告诉过你了。”

“让我告诉你，”我吼回去，“我们的朋友薛刚刚为自己赢得了一张通往毒药注射轮床的单程票，除非我们其中一人能说服他，好好去向海格法官解释刚才的事件。”

“你是他的律师。”迈可说。

“你是他的精神辅导。”

“记不记得我跟你说过，薛不肯跟我说话？”

我眨眨眼：“我们可不可以别再假装小学生，而是做好各自的工作？”

他的目光朝周围扫射，我立刻知道，不论这段对话如何发展，都不会让人愉快。

现在，法庭空荡荡的。我必须去见薛，试着在他脑袋里放进单一整合的思绪，直到他能再度站上证人台为止。现在的我没时间听迈可神父忏悔。

“我是判薛死刑的陪审团一员。”教士说。

从青少年时期以来，我妈有一个妙招。如果我说了让她想①尖叫，②用力打我，或③两者皆是的事情，她就会数到十。开口回答以前，她的嘴唇会无声地蠕动。我可以感觉自己的嘴巴正在数数，内心带着一丝沮丧。到最后，我竟然成了我妈。

“就这样？”我问。

“还不够吗？”

“只想确定一下。”我的心跳得厉害。没有事先告知葛林雷夫这件事，很可能会惹来不少麻烦。然而我事先也不知情。

“你等了这么久才说出来，是否有什么特殊原因？”我问。

“不要问，不要说。”他不解其意地模仿我，“一开始我以为，只要帮助薛明白救赎，再告诉你事情真相也不迟，但最后却是薛告诉了我救赎的意义。而且你说过，我的作证十分关键，所以我以为你不知情或许比较好。我以为这不至于把官司搞砸到哪里去……”

我举起手打断他。“你赞成吗？”我问，“死刑？”

教士开口之前迟疑了一会儿：“以前我赞成。”

我应该告诉葛林雷夫。就算迈可神父的证词会从记录中被删除，也无法让法官忘记听到过的话。伤害已经造成了。然而，现在我还有更重要的事情得处理。“我得走了。”

拘留室里的薛仍旧十分不安，紧闭的双眼极度紧绷。“薛，”我说，“我是玛吉。看着我。”

“我不行，”他哭着说，“叫他们把声音关小一点。”

房间很安静，收音机也没开，一点声音也没有。我瞥了法警一眼，他只是耸耸肩。

“薛，”我走向栏杆，以命令的口吻说道，“张开你该死的眼睛。”

一边紧闭的眼睛稍稍打开，然后是另一边。

“告诉我，你是怎么办到的。”

“办到什么？”

“刚刚的魔术表演。”

他摇摇头：“我什么都没做。”

“你设法解开了手铐。”我说，“你怎么弄的？偷打一枚钥匙，然后藏在衣服缝隙里？”

“我没有钥匙。我没有解开它们。”

严格说来，事实的确如此。我刚刚看见的，是紧扣的手铐哗啦一声掉落地面，薛的双手随之恢复自由。他肯定能把锁松开，再用力折断，但如此一来，就会发出噪音，我们每个人都会听见。

我们却什么也没听见。

“我什么都没做。”薛重申。

我不知道在哪里曾经读到过，魔术师学会让肩膀错位，得以逃脱绑紧的紧身衣，也许这就是薛的秘密。也许他能弯曲拇指关节，重新替指骨排位，无须任何聪明才智就可以滑出金属装置。“好，无论什么都行。”我沉重地说，“薛，事情是这样的。我不知道你是魔术师还是弥赛亚。我对于救赎、奇迹，或任何迈可神父以及伊·弗莱彻所说的事物，一概不甚了解。我甚至不知道自己是否相信上帝，但我确确实实清楚的，是法律。现在，法庭内的每一个人都认为你是语无伦次的疯子。你必须去挽救这个情况。”我瞥向薛，看见他全神贯注地看着我，眼神清楚聪颖。“你只有一次机会，”我缓慢地说，“和那位即将决定你怎么死，以及克莱尔·尼尔森是否能活下去的男人再一次谈话的机会。你准备告诉他什么？”

六年级时，我曾经让学校最受欢迎的女生在数学小考时抄我的考卷作弊。“你知道吗，”她事后说，“你并不是那么不上道。”我中午和她同桌吃饭，并在某个光荣的星期六，被邀请和她的黄金女伴们一起逛街。她们在百货公司用香水喷手腕，试穿根本没有我尺寸的昂贵牛仔裤。我跟她们说，来月经整个人膨胀时，我根本不买牛仔裤。这是一句天大的谎言。然而，其中一位女孩提议为我示范如何在厕所催吐，好甩掉多出来的五磅。我在药妆店被人做了个造型，可根本没打算买任何化妆品。望着镜中的自己，我发现自己一点也不像那个在镜中回看我的女孩。若成为她们想要的样子，我将失去自我。

看着薛再度站上证人台，我回想起六年级时，曾有那么一瞬间，想到自己将身为热门女孩团体的一分子并受人欢迎，以及由此赢来的刺激感。肃静的法庭等候另一次爆发，薛却一脸老实，安静地不发一言。他被铸上三层锁链，一跛一跛地走到证人台，什么人也不看，只是简单地等候我向他提出事前练习过的问题。我在想，究竟要将他重新塑造成一个可信的原告，还是那个他已经成为的人。

“薛，”我说，“你想对法庭说什么？”

他抬头看着天花板，仿佛等待话语如雪花般飘落。“主耶和华的灵在我身上。耶和华授以我圣职，叫我传递好信息给谦卑的人。”他喃喃地说。

“阿门。”法庭内，一个女人说。

我得承认，当自己告诉薛，这是最后一次试图动摇法庭的机会时，内心设想的状况和这句话大有出入。对我而言，宗教经文听起来就和薛之前针对组织性宗教的激烈言论一样疯狂。但是，也许薛比我聪明，因为他的引言让法官皱起嘴唇：“布尔能先生，这出自《圣经》吗？”

“我不知道，”薛回答，“我不记得它出自何处。”

一架小巧的纸飞机袭击我的肩头，掉在我的大腿上。我打开纸片，看见迈可神父潦草的笔迹。“是的，法官，”我迅速地说，“这的确出自《圣经》。”

“执行官，”海格法官说，“给我一本《圣经》。”他的手指开始翻阅半透明的书页：“布鲁女士，你是否知道这出自何处？”

我不知道薛·布尔能什么时候，或者到底有没有读过经文。这段引文可能出自教士口中，也可能出自上帝，也许是薛在整本《旧约圣经》中唯一知道的话。然而不知怎么的，他挑起了海格法官的兴趣，让他不再忽视我委托人的坦白率直，还去一页页查证《圣经》，仿佛那是以盲人的点字书写的。

我站起来，以迈可神父的引证作为装备。“法官，那出自《以赛亚书》。”我说。

中午休庭期间，我开车回到办公室。那并不是因为我有不可亵渎的职业道德。尽管严格来说，我有另外十六件案子与薛的案子同步进行，但老板已发出许可，我大可以把它们丢进身后的火炉。我只是需要完全脱离审讯片刻。当我穿过门口，美国民权自由联盟办公室的秘书傻眼地看着我："你不是应该……"

"没错。"我急着说，走过档案间的迷阵，来到办公桌前。

我不知道薛的突发言词将如何影响法官。在被告一方尚未让证人出席前，我不知道自己是不是已经输了这场官司。但我知道，自己三个星期都没有睡好觉，奥利佛的兔子饲料也只剩浅浅的一层，而且今天一整天真的糟透了，什么都不对劲。我双手用力揉搓脸颊，然后才发现自己正在把睫毛膏弄糊掉。

我叹了口气，瞥向桌上堆积如山的文件。当我不再像以往那般勤奋工作时，文件数量便开始持续增长。有一桩已被排入最高法院的上诉案，由一个头发极短的年轻人的律师提出。年轻人用白色油漆在老板的汽车专用道写下"毛巾头"三个字。老板是一间巴基斯坦杂货店店主，因为年轻人在工作期间喝醉酒而开除了他。那里还有一些有关1954年麦卡锡时代，美国国旗宣言为何会有"上帝之下"字眼的研究资料。另外还有一堆信件，寄信人希望我为他们争取权益。他的灵魂在绝望中摇摆，苛责美国民权自由联盟将去教会聚会的白种基督徒视作右翼保守分子。

一封信滑过我的手，掉落在大腿上。那是一只普通的信封，上方印着新罕布什尔州州立监狱典狱长的办公室地址。我拆开信封，拿出一张才刚印刷出炉、水印仍旧清晰的白纸。

那是一张请求出席以赛亚·布尔能的处决的邀请函。来宾名单包括检察总长、州长、原先负责薛一案的律师、我、迈可神父和几个我不认识的名字。法律规定，处决时，受刑人和被害人双方都要有一定人数出席。有点类似筹划一场婚礼，上面还有一组确认出席名单的电话号码。

距离薛预定的死亡时间还有十五天。

我是被告首要的，也是唯一的证人。惩治理事长是一位名叫乔伊·林奇的男人，他身材削瘦修长，幽默感就如同头皮上的头发一样，全都浪费掉了。我敢肯定，他接受这份工作时，从未想过自己将会面对新罕布什尔州半个多世纪以来的第一场死刑处决。

“林奇理事长，”助理检察总长说，“为了薛·布尔能的处决，设备都准备好了吗？”

“如你所知，”林奇说，“对于布尔能受刑人的死刑，新罕布什尔州并不具备足够的设备。我们本来希望能在泰瑞豪特执行处决，后来发现这并不可行。为了达到目的，我们必须盖一间毒药注射室，如今它占据了州立监狱以往作为运动场的一块角落。”

“你是否能向我们详细解释一下，这些费用包括了什么？”

理事长开始念一张明细表：“本案的建筑费，39100美元。毒药注射轮床，830美元。毒药注射相关设备，费用是684美元。除此之外，人事费，包括工作人员会议、训练以及参加说明会的费用，总共是48846美元。最初的补助为1361美元，化学药剂426美元。执行处决的场地还进行了几项外部设施的改善，比如证人区的直立式窗帘、处决室的光源开关、一面单向染色镜、空调设备、紧急发电机、一只无线麦克风和观看区的扩音器，以及一台单插座电话分机，一共是14669美元。”

“理事长，你做了不少算数题。根据计算，估计已经为薛·布尔能的处决花了多少钱？”

“105916美元。”

“理事长，”葛林雷夫问，“如果法庭同意薛·布尔能改处绞刑，新罕布什尔州是否有一座可以使用的绞刑台？”

“早就没了。”林奇回答。

“那么，倘若必须建一座新的绞刑台，这对新罕布什尔州的纳税人而言，算是一项额外的花费。这样的假设对吗？”

“正是。”

“建一座绞刑台，有什么特别的需求？”

理事长点点头：“一处至少架设在九英尺高位置的九英尺横梁，受刑人上方至少有三英尺的间隙。活门至少需要开启三英尺，才能确保适当的间隙。我们必须找到适当的方法来开启活门，并在开启之后使其不至于过度摇晃，还需要让绞刑绳索束紧的机关。”

短短几句话内，戈登·葛林雷夫已经把这桩官司从与心灵相关的宗教自由层面，重新转向薛无可避免、迫在眉睫的死刑。我瞥了薛一眼。双手紧铐的他，脸色苍白得如同一张白纸。

“刚刚提及的建筑材料费，不少于7500美元，”理事长说，“而且，还有一项控制肉体的投资。”

“是什么？”葛林雷夫问。

“一条连向两边手腕的腰带，以三千磅高强度尼龙制成，以及另一条用相同材质做成的腿部控制带。这样，在受刑人身体不听使唤的情况下，可以让警官把受刑人带上绞刑台。还有一顶兜帽，和一台机器刽子手。”

“不能只用一条绳索吗？”

“如果你谈的是处决人类，那就不行，”理事长说，“这套设备有两个纵向孔，悬挂一个U型钢铁钳，绑上一条绳索，就像一个活套，由一条三十英尺长的绳索拧结而成……”

对他们在薛·布尔能死刑构思上费的时间和精力，连我都感到印象深刻。“你做了很多研究。”葛林雷夫说。

林奇耸耸肩："没有人想处决别人。我的工作，就是让他尽可能拥有该有的尊严。"

"林奇理事长，购买并安装这些设备，大概要花费多少？"

"将近一万美元。"

"而你说，新罕布什尔州为了薛·布尔能的死刑，已经投资超过十万美元？"

"正是。"

"如果现在，为了布尔能先生所谓的宗教偏好，在这节骨眼上要求你建一座绞刑台，对整个惩治系统而言，是不是一种负担？"

理事长长吐一口气："并不是负担那么简单。处决日期迫在眉睫，天杀的，根本不可能办得到。"

"为什么？"

"法律要我们以毒药注射处决布尔能先生，经过这么久的准备，现在我们终于有了能力。如果要我在最后一分钟随便地盖一座绞刑台，不论是以个人或者职业的观点，我都觉得不妥当。"

"玛吉，"薛低喃，"我想，我要吐了。"

我摇摇头："吞下去。"

他把头靠在桌上。运气好的话，会有善良的人以为他在哭呢！

"如果法庭命令你盖一座绞刑台，"葛林雷夫问，"布尔能先生的处决将会延期多久？"

"大约半年至一年。"理事长说。

"受刑人布尔能，将活过预定处决的时间整整一年？"

"是的。"

"为什么这么久？"

"葛林雷夫先生，你谈的是在运作中的惩治系统内进行的工程，在一组工作人员进入大门开始工作前，必须先完成背景确认的工作。他们从外部带入的工具可能会造成安全威胁，我们需要警力站岗，来监督他们，确保他们不会进入不安全的区域。我们还必须确认，他们不会试图把违禁品传给受刑人。所以，倘若我们必须从头来过，对惩治制度来说，确实是一种负担。”

“谢谢你，理事长。”葛林雷夫说，“我问完了。”

我从位置上站起来，走向理事长：“你预估建一座绞刑台的花费大约是一万美元？”

“是的。”

“所以，吊死薛·布尔能的花费、只是毒药注射的十分之一。”

“正确来说，”理事长回答，“应该是110%。布鲁女士，又不是在百货商场购买一间附带保证书的毒药注射室。我不能把已经盖好的东西退回去。”

“呃，不论如何，你都必须盖这间毒药注射室，不是吗？”

“如果受刑人布尔能不是以这种方式来处决的话，就不用。”

“然而，惩治机关并没有任何毒药注射室可供其他死囚使用。”

“布鲁女士，”理事长说，“新罕布什尔州没有其他的死囚。”

提出未来可能会有其他死囚并非明智之举。没人会接受这种说法。“以绞刑处决薛·布尔能会影响监狱内其他囚犯的安全吗？”

“不会。以现在的程序来看，不会。”

“是否会侵犯到现场警官的安全？”

“不会。”

“而且，以人事层面来看，绞刑比毒药注射所需的人力来得少，对吧？”

“是的。”理事长说。

“所以，改变薛的处决方式，并不会牵扯任何安全性的问题。不论对工作人员，或对其他囚犯来说，都一样。唯一可以认为是惩治机关负担的，没错，正是用建一座绞刑台不到一万美元的花费。”

这时候，法官捕捉到理事长的目光：“你有这笔预算吗？”

“我不知道，”林奇说，“预算总是很紧。”

“法官，我这里有一份惩治机关预算复印件，可申请为证据。”我把它递给葛林雷夫、海格法官，最后是林奇理事长。

“理事长，这看起来很熟悉吧？”

“没错。”

“可以请你大声念出划线的那一行吗？”

林奇调整一下鼻梁上的眼镜。“死刑补助，”他说，“9880美元。”

“补助是指什么？”

“化学药剂，”理事长说，“以及其他伴随而来的需要。”

我敢肯定，这是他从预算中捏造出来的一条款项。“根据你自身的证词，化学药剂只花了426美元。”

“我们不知道还会有什么额外需要，”林奇说，“警方封锁、交通指挥、医药补助、额外的人事费……这是将近七十年来的第一次处决。我们的预算很保守，这样才不会在需要的时候发现短缺。”

“如果这笔钱无论如何都要花在薛·布尔能的处决上，那么，用来买硫喷妥纳，或是盖一座绞刑台，又有什么差别呢？”

“呃，”林奇结结巴巴地说，“全部还是不够一万美元。”

“没错，”我同意，“你只少了120美元。告诉我，这和一个人的灵魂同价吗？”

琼

有人曾经对我说，生下女儿，正是把那双自己临死当天紧握的手的主人带到世上。伊丽莎白刚出生的那些日子里，我会凝神看着那些迷你手指头，一片片宛如娇小贝壳的指甲床，更对她紧握自己食指的力量感到讶异。我不禁揣想，数年之后，就会换成我握得这么用力。

比自己孩子活得久并不寻常，好比看见一只白化的蝴蝶、一片血红的湖泊，或一栋正在坍塌的摩天大楼。我已经经历过一次，现在我只求自己千万不要再次经历。

克莱尔和我正在玩红心大战。一组史奴比人物牌摊在桌上，我玩牌的策略和配对无关，只是尽可能搜集最多的查理·布朗。

“妈，”克莱尔说，“认真玩。”

我抬头看她：“你在说什么？”

“你在作弊。你这么做会输。”她把剩下的牌洗一洗，翻开最上面那张，“你认为它们为什么被称作梅花[1]？”

“我不知道。”

“是想让你加入其中吗？”

克莱尔后方的心电图屏幕显示，衰弱的心脏正“扑通扑通”地稳

① 英文中，纸牌的梅花叫做“club”，这个词也有“俱乐部”的意思。——译注

定跳动。这样的时刻常叫人难以置信，因为她病得非常重。我见证着她努力移动双腿前往厕所的模样，看见她变得如此瘦弱，这副模样，实在叫人望而却步。

“你还记不记得，你编出来的那个秘密会社？”我问，“就是在篱笆后面见面的那个。”

克莱尔摇摇头：“我从来没有啊！”

“你当然有，”我说，“那时候你还很小，所以会忘记。当时的你非常坚持，谁可以、谁不可以成为俱乐部的一员。你有一枚‘取消’图章和一块印泥，你把它盖在我的手背。我想告诉你晚餐准备好了，都得先说出密码才行。”

房间另一端的皮包内，手机铃声大作。我以最快的速度拿出手机。医院严禁用手机，如果被护士逮到，肯定得面对一张难看的臭脸。

“喂？”

“琼，我是玛吉·布鲁。”

我停止呼吸。去年，克莱尔在学校学到，大脑有一整块区域专门掌管人的自发行为，比如消化与吸入氧气，听来极富革命性的聪慧。然而，这些系统很可能会因最简单的事情而失常，比如一见钟情、暴力行为，或者你不想听见的话。

“我还没有任何正式的消息，”玛吉说，“但也许你想知道，明天早上开始结辩。看法官用多少时间来深思熟虑，之后我们就会知道，克莱尔是否以及何时能得到这颗心脏。”言谈间弥漫着一股沉闷欲裂的气息，“不管怎样，处决都会在十五天后执行。”

“谢谢你。”我说完，合上手机的折叠盖。二十四小时之内，我就会知道克莱尔将是生还是死。

“是谁？”克莱尔问。

我把手机滑进夹克口袋。“是干洗店，”我说，“可以去拿我们冬天的外套了。”

克莱尔瞪着我。她知道我在说谎。尽管我们的游戏还没结束，她却把扑克牌收好。“我不想玩了。”她说。

“喔，好。”

她侧躺，脸孔背对我。“我没有图章和印泥，”克莱尔低喃，“我从来没有一个秘密俱乐部，你想的是伊丽莎白。”

“我没有在想……”脱口而出后，我突然闭上嘴。我可以清楚描绘出寇克和我站在浴室水槽边的画面，两人一边笑，一边搓揉被赐予的短暂印记。我们心想，没了这代表信任的记号，明天早餐时，女儿还会不会跟我们说话。克莱尔根本不可能把她爸爸加入自己的秘密世界。她不曾见过他。

“我早跟你说了。”克莱尔说。

路希尔斯

这段时间薛不常在I层，只要他一在，不是被带去会议室，就是去护理室。他回来的时候，会向我叙述医生为他进行的心理测验，他们如何轻敲手肘的凹陷处，如何检查他的血管等等。我猜，对他们而言，大日子来临前的细节确认相当重要。这样，当全世界观看的时候，他们才不会显得笨拙可笑。

他们让薛来回往返做身体检查的真正原因，是把他带出他的小窝，以便好好演练。八月时，他们已经练习过数次。当典狱长领着一小队监管人员前往刚完工的毒药注射室时，身在演练牢笼里的人正是我。我看着他们的保护头盔。“各位，我们必须弄清楚，受害一方的见证人从我的办公室前往处决室需要花多少时间。我们不能让他们和受刑一方的见证人正面撞上。”

现在，处决室完工了，他们却有更多细节需要再三检查确认。通往州长办公室的电话线通不通，轮床的皮带是否够安全。已经有两次，只要薛一在护理室，一群警官——自愿加入处决任务的特别行刑队——便立刻抵达I层。我从来没见过他们中任何一位。我想，不让十一年来每天端早餐来的男人成为行刑队一员，也算是人道。而且，如果你从未和受刑人谈过话，就像谈到爱国者队是否将卫冕“超级碗”，那么，推进灌满药剂的针筒的动作，想必会比较容易。

这一次，薛不想前往护理室。他挑起争端，说自己很累，没有剩下的血可以再让他们抽。当然，他没有选择的余地，警官拖着又踢又叫的他。最后，薛同意上铐，才得以离开I层。离开后十五分钟，特别行刑队现身。他们把一位警官安置在牢房内，当成薛的替身，然后其中一位监管人员启动秒表。“开始。”他说。

老实说，我不知道差错是如何发生的。这正是演练的重点所在，为疏漏预留空间。然而，不知怎么搞的，当特别行刑队护送假的薛踏出牢房时，正如平日演练的一部分，真正的薛再度进入I层。那一瞬间，他们迟疑地站在门口，彼此瞪视着。

薛瞪着自己的替身，直到怀泰克警察再度将他拖出I层。他依然伸长脖子，试图看看自己的未来将通往何处。

半夜时，警官前来带薛。薛的头不断反复重击牢房墙壁，口中含糊不清地滔滔不绝。通常，我绝对会听到一切，因为我时常是第一个发现薛沮丧不已的人。但是这次，我却睡到不省人事。当警官戴着圆形眼罩和盾牌抵达，俨如一群黑蟑螂围绕他时，我才清醒。

“你们要把他带去哪儿？”我大喊，这些词句却生硬地把我的喉咙切成碎片。我联想到预演，却不禁揣想，真正上场的时刻是否已经到来。

其中一位警官转向我。他人很好，尽管过去六年来，我每星期都会见到他，但那一瞬间，我却想不起他的名字。“没事的，路希尔斯。”他说，“我们只是把他带去观察房，以免他伤害自己。”

他们离开后，我躺回床上，用掌心按住额头。我发着高烧。一群鱼正在我的血管内游动。

以前有一次，亚当背着我偷腥。我把他的衬衫送往洗衣店时，在口袋里发现一张字条。对象叫盖利，还有一组电话号码。我问他怎么回事，他说那只是一夜情，某晚的酒会之后，在他工作的那间艺廊。盖利是其中一位艺术家，一个使用巴黎灰泥建造迷你城市的男人。这次展出的是纽约市。他向我说明克莱斯勒大厦楼顶的装置艺术细节和一片片用手工扣在公园大道树上的树叶。我想象亚当和盖利肩并肩驻足于中央公园，手臂互相环抱，宛如哥斯拉一般畸形怪异。

那是意外，亚当说。当下那一分钟，知道还有人对我有兴趣，实在叫人兴奋不已。

看着亚当迷蒙的绿眼睛和巧克力色肌肤，我简直不敢想象，有人会对他没兴趣。当我们走在街上，不论同性恋或异性恋，我总看到人们回头。

一切都不对劲，他说，因为那个人不是你。

我肯定天真得可以，才会相信一个人可以拿着一样剧毒的东西，只要收好，就不会再被伤害。就在亚当背叛我的事件发生之后，我肯定学乖了。然而，类似嫉妒、愤怒和不忠的事情并不会消失。它们有如眼镜蛇般静静等候，在最意想不到的时候攻击你。

我低下头，看着双手，看着已经开始融合到一起的卡波西比瘤，它们让我的皮肤和亚当的一样黑，仿佛对我的惩罚是让我变得像他。

“拜托别这么做。”我低喃。我是在恳求早已开始的事情能够停止。我在祷告，却不记得在跟谁祷告。

玛吉

法庭因周末而散会后，我顺道前往女厕所。我坐在马桶上时，一只麦克风突然从隔壁厕所的金属墙下方蛇行而入。“我是福克斯新闻的埃拉·维戴蒙，”一个女人说，“我想请问，对于白宫针对布尔能一案和政教分离的正式声明，你是否有话要说？”

对于白宫发表的正式声明，我根本不知情。我们竟然引来如此大的关注，使我不禁猛烈颤抖。我开始考虑声明的大致内容，以及它恐怕帮不上忙的事实。这时候，我才想起，自己仍在厕所。

“是啊，我确实有话要说。”我激动地说。

我可不想被埃拉·维戴蒙，或者在法庭阶梯前蠕动的近百位记者埋伏。我退至律师-委托人会议室，锁上门，拿出笔记本，开始撰写星期一的结辩稿，希望完成时，记者们会转移焦点到别的大案上。

当我再度套上高跟鞋，收拾笔记时，已经很晚了。法庭已经熄灯，我可以听见远处管理员在为地板打蜡。我走过大厅，通过沉睡的金属探测器，深深吸了口气之后，打开门。

夜已深，大部分媒体都早已收工。然而隔着一段距离，我看见一位固执的记者手握麦克风，呼唤着我的名字。我强硬地走过去。“不予置评。”我咕哝着，然后发现他不是记者，手中拿的也不是麦克风。

“也该是时候了。”克里斯蒂安说，然后递给我一朵玫瑰。

迈可

“你是他的精神辅导员，”科因典狱长凌晨三点时打电话给我，“去给他一点建议。”

我试图向典狱长解释，薛和我最近不怎么说话。但就在我有机会开口前，他已经挂上电话。我叹了口气，挣脱温暖的床，朝监狱出发。监管人员没有把我带往I层，而是引导我走向别处。“他被移到了另一个地方。”警官解释。

“为什么？又有人伤害他吗？”

“不是，这次是他自己干的好事。”他一说完，我们正好站在薛的牢房前，我立刻明白了。

他脸上的大部分布满瘀伤，指关节被摩擦到可见血肉，左太阳穴在缓缓滴血。尽管身在牢房内，他的手腕、脚踝仍被戴上镣铐和铁链。

“你们为什么没请医生？”我问。

“他在这里，前后已经三次了。”监管人员说，“这个家伙总是把绷带扯下来。这正是我们替他上铐的原因。”

“如果我答应你，他不会再做出……天知道刚刚在做什么……”

“猛力用头撞墙？”

“没错。如果我向你保证，你是不是可以解开他的手铐？”我转向薛，他故意避开我，“薛，”我说，“这样如何？”

他没有任何反应，我也不知道该怎么说服薛停止伤害自己。不过监管人员让他走向牢房门口，解开他的手铐和脚镣，那条铁链被留了下来。“以防万一。”他说完之后，便离开了。

“薛，”我问，“你为什么这么做？”

“操你妈的，不要靠近我。”

“我知道你害怕，也知道你生气。”我说，“我不怪你。”

“但我猜，事情变得不一样了。因为以前，你曾有一次确实怪过我。你，还有另外十一个人。”薛往前一步，“那个小房间里的情形如何？你们是不是坐在一起，讨论一个怪物怎么会做出那些恐怖的事？你是否曾经想过，你们并没有得到完整的故事情节？”

“那你为什么不说出来？”我脱口而出，“薛，你什么都没告诉我们。只有原告解释案件发生前后的情况，我们从琼那里听来的。你甚至没有站出来，请我们手下留情。”

“我和一个死去的警察之间，谁会相信我说的话？”他说，“我自己的律师都不相信。他一直不停地说，我们该如何利用我多舛的童年来拯救我，而不是我对事情经过的说法。他说，我看起来不像陪审团会相信的那种人。他根本不在乎我，他只想在晚间新闻里现身五秒钟。他有一种策略。呃，你知道那是什么吗？首先，他告诉陪审团我并没有杀人，到了判决的时候又说：‘好，他有杀人，但你们不该判他死刑。’或许你也同意，一开始被判无罪根本就是谎言。”

我盯着他，极度晕眩。当年重大谋杀罪开庭期间，我没想过，这些事竟在薛的脑中纷乱不止。他之所以没有起身要求从宽判刑，是因为这么做就等于间接承认犯罪。现在，当我回头重看当时的情形，的确觉得，被告辩护律师在审判和量刑两个阶段，改变了方针和说辞。这种改变让他们不管说什么，都只会让人更加难以相信。

薛呢？他只是顶着一头没洗的乱发坐在那儿，眼神中尽是茫然若失。他的沉默——当时的我解读成骄傲或羞愧——也许只是一种体认，明白了世界在面对像他这种人的时候，是不会按照常规运作的。我和另外十一位陪审员一样，在判决尚未出炉前，就已经评断了他。哪种人才会成为双尸案的法庭主角？若起诉人没有正当理由，又怎么会随便请求死刑？

我成为他的精神辅导员后，他便不停地告诉我，过去发生的事，现在已经无关紧要，我总以为他指的是自己不会为过去的所作所为付出责任。但他的意思是，尽管他是无辜的，也依然是死路一条。

那场审判，我在场，也听闻了所有证词。要是认为薛也许不该被判处死刑，根本就是无知又可笑。

然而再一次，奇迹降临。

“但是，薛，”我迅速地说，“我听见了证词，我看到你做了什么。”

“我什么都没做。”他垂下头，“我把工具留在了房里。敲门时没人应门，我才进去想取回工具……然后，我看见了她。”

我感到反胃：“伊丽莎白。”

“她以前常和我一起玩互相瞪眼的游戏，谁先笑谁就输了。每次我都赢她，然后有一天，我们互瞪时，她举起我的螺丝刀——我不知道她拿了工具——到处乱挥，就像一个疯子拿着刀乱耍。我大笑一声。‘我赢了。’她说。她的确赢了，百分之百赢了我。”他的脸扭曲了，“我永远不会想伤害她。那天，当我走进去时，她和他在一起，他没穿裤子。而她……她在哭……他应该是她的父亲。”他举起手臂遮住脸，仿佛在阻止自己回忆这段往事，“她抬头看我，好像我们在玩互瞪游戏一样，然后她露出微笑。这一次并不是因为她输了，而是因为，她知道她会赢，因为我在那儿，我可以救她。我一生都被人家当成窝囊废，好像什么事都做不好，但是她……她相信我，”薛说，“而我想——上帝，我想相信她。”

他深呼吸一口气。“我一把抓住她，往楼上冲，冲进那间我刚完工的房间。我锁上门，对她说，我们在这儿很安全。可是这时候，枪声响起，整扇门被踹开，他走进来用枪指着我。”

我试着去想当时薛的感受。容易困惑又无力沟通的他，突然被一把枪指着脸。

要是换成我，也会恐慌啊！

“外面有警车的声音，”薛说，“是他把他们叫来的。他说，他们是来抓我的，没有警察会相信从我这种怪物的嘴里讲出来的故事。她在尖叫‘不要开枪、不要开枪’。而他说‘伊丽莎白，来这里’。我冲上去抢枪，让他无法伤害她，我们扭打成一团，手上都握着枪。枪声响起，再度响起。”他吞下口水，“我抓住她，到处都是血，我身上、她身上。他不停呼唤她的名字，但她不肯看他。她看着我，好像我们在玩两人游戏。她瞪着我，但这次并不是游戏……之后，尽管她眼睛张开，却已经不再看我。尽管我还没笑出来，游戏却结束了。”他捂着嘴，哽咽地说不出话，“我没有笑。”

“薛。”我温柔地说。

他抬头看我：“她死了比较好。”

我口干舌燥，彻底说不出话来。记得薛在恢复性司法会谈时，向琼·尼尔森说了同一句话，她激动地哭着冲出房间。倘若我们把薛的话独立看待，如果他真的相信死亡对继父魔掌折磨下的伊丽莎白而言是一种祝福呢？

某件事、某块记忆的碎片，阻碍了我的思绪。“她的内裤，”我说，“在你的口袋里。”

薛瞪着我，好像我是白痴。“呃，那是因为，事情发生得太快，她根本没机会再穿上它。”

我日积月累认识的薛，是一个能用手中的画笔缝合敞开伤口的人，也是一个发现盘子里的土豆泥比昨天更黄时会崩溃的男人。这样的薛，根本看不出警察在自己身上找出小女孩的内裤会有可疑之处。对他而言，抓住伊丽莎白的当下，并拿起内裤，是天经地义的事。那只是为了保护她的羞耻心。

“你告诉我，枪击是一场意外？”

“我从来没说自己有罪。”他回答。

那些忽视薛行使的奇迹的学者总是很快指出，如果上帝回到世界，他不会选择成为一个杀人犯。但如果他不是呢？如果整个情况都被误解，薛并没有故意杀害伊丽莎白·尼尔森和她的继父，反而是在试图救她脱离魔掌呢？

薛要为了他人的罪而死。

再一次。

“现在不是好时机。”玛吉一开门，劈头就说。

“事态紧急。”

“报警吧，或拿起你的红色电话直接打给上帝。我明天早上打电话给你。”她开始关门，而我一脚伸了进去。

“没事吧？”一位语带英式口音的男人站在玛吉身边，玛吉瞬间羞红了脸。

“迈可神父，”她说，“这位是克里斯蒂安·葛拉弗。”

他朝我伸出手：“神父，我听了很多关于你的事。”

我倒不希望他听到我的事。我是说，假如玛吉正在约会，那肯定有其他更好的聊天话题。

“那么，”克里斯蒂安友善地问，“哪里发生了火灾？”

一阵热度从脖子背后升起。我听见轻柔的背景音乐，男人手持半杯红酒。没有火灾，只是我方才在一团火焰上倒了一桶沙。

“我很抱歉，我不是故意的……”我往后退，“祝你们有个美好的夜晚。”

我听见身后的门关上，却没有马上走到摩托车旁，只是坐在前方的台阶上。我第一次遇见薛的时候告诉他，如果上帝与你同在，你就不会寂寞，但那并不完全真实。你不能和上帝下棋，他曾这么说过。你也不能在星期五晚上带上帝去电影院。我知道，自己平常会用上帝来填满同伴的位置，而他的存在远远超过我的需要。然而那并不意味着，自己不会偶尔感到那块已被截去的空洞。

门又打开，玛吉从暗淡的光线中走出来。她光着脚，肩膀披着那件必胜外套。

“对不起，”我说，“我不是故意破坏你的夜晚。”

“没关系。我早该知道得更清楚，全世界都准备和我作对。”她坐在旁边，“怎么了？”

黑暗中的月光照耀她的侧脸，美得如同任何一位文艺复兴时代的夫人。深深被震撼的我，想到上帝挑选了玛利亚孕育他的儿子，就像今天选择了一位像玛吉这样的人，一位自愿背负世界重担的人，即便那不该属于她。

“是薛，”我说，“我想，他是清白的。”

玛吉

我听完薛·布尔能告诉教士的话，并未特别吃惊。

我吃惊的是，教士竟如此无法自拔——鱼钩、钓线、铅锤。

“现在该讨论的，再也不是如何保护薛的权益。”迈可说，“或是让他用自己的方式死去。我们谈的是一个无辜的人将被处死。”

我们移驾到客厅，而克里斯蒂安，呃，坐在沙发的另一头，假装玩报纸上的数独游戏，实际上聆听着我们的字字句句。他是那位走出来邀请我回到自己家的人。我一心只想打破迈可神父那热情又正义的泡沫，然而他尚未抵达之前的桥段。

那时，克里斯蒂安的手在我背部游移，解释取出胆囊应该切开的位置——总之，这比听起来的要兴奋太多了。

“他是一个重大杀人犯，”我说，“在还没学会走路之前，就已经会说谎了。”

“也许，他从来就不该被判刑。”迈可说。

“你是认为他有罪的陪审团一员！”

克里斯蒂安猛然抬头：“你是吗？”

“欢迎来到我的生活。”我叹口气，“神父，当时你坐了好几天聆听证词。你看见了第一手证据。”

“我知道。但那是在他告诉我，他回去后正好撞见寇克·尼尔森正在侵犯继女之前。他试图从寇克手中抢枪，子弹连发了好几次。”

这时候，克里斯蒂安向前倾：“那么，他看起来比较像英雄，不是吗？”

“要是他仍然杀了自己试图拯救的女孩，就不算英雄。”我说，“而且为什么，请告诉我，他没有把这么重要的信息提供给自己的辩护律师？”

“他说曾经尝试着告诉律师，但律师并不认为有用。”

“呃，老天，”我说，“那不是很有意义吗？”

“玛吉，你认识薛。他看起来不像一个清爽的美国大男孩，也不可能变成那样。当别人发现他时，他手中握着一把冒烟的枪，前方躺着死去的警察和小女孩。就算他说的是事实，又有谁会听？谁看起来更容易被认为是一个恋童癖？一个英雄警察，完美的一家之主，还是一个在别人家工作的流浪汉？薛在走进法庭之前，就被判了刑。”

“为什么他要替别人的罪付出代价？”我争论道，“为什么这十一年来，他从不告诉任何人？”

他摇摇头。“我不知道答案。但我希望他活得够久，好让我能找出答案。”迈可神父瞥了我一眼，“是你说，法律系统不一定在每个人身上都见效。那是一桩意外，过失杀人，而不是谋杀。”

“如果我错了，请纠正我。”克里斯蒂安插嘴道，“若是过失杀人，就不会被判死刑，对吧？”

我叹气：“我们有新证据吗？”

迈可神父想了想：“是他亲口告诉我的。”

“我们有任何新证据吗？”我重复道。

他抬起头。“观察房外有监视摄像机。”迈可说，“那一定被录下来了，对吧？”

“那充其量只是一卷他向你说故事的录像带。”我解释，“假如你告诉我，精液化验结果指向寇克·尼尔森，那就不一样……”

“你是美国自由民权联盟律师。你肯定可以做点什么……”

“法律上来说，我们什么都不能做。除非出现新的法庭证据，否则就不能重审他的案子。”

“打电话给州长呢？”克里斯蒂安建议。

我们两人的头不约而同转向他。

“呃，电视不都这么演吗？还有约翰·葛里逊的小说？”

“为什么你这么了解美国法律系统？”我问。

他耸耸肩：“我以前很迷《洛城法网》里的派对女郎。”

我叹了口气，走到餐桌旁。皮包仿佛变形虫，缓慢而吃力地穿过桌子。我挖出手机，拨了一组号码。“你最好有正当的理由。”老板在电话另一头发牢骚。

“抱歉，陆夫斯。我知道现在很晚了……”

“切入重点。”

“为了薛·布尔能，我需要打电话给弗林。”我说。

“弗林？州长马克·弗林？你还没得到海格的判决，为什么现在就想报废你最后一次上诉？”

“薛·布尔能的精神辅导员强烈地认为他可能被误解了。”我一抬头，看见克里斯蒂安和迈可都专注地看着我。

“我们有任何新证据吗？”

我闭上眼睛：“呃，没有。但这真的很重要，陆夫斯。”

过了一会儿，我挂掉电话，把随便写在餐巾纸上的号码塞到迈可手中。“这是州长的手机，打电话给他。”

“为什么是我？”

“因为，”我说，“他是天主教徒。”

“我得离开。”我告诉克里斯蒂安，“州长要我们现在立刻去他的办公室。”

“如果每一回，女人用这种借口，我就能得到一镑金币……”他说着，然后，仿佛那是世界上再自然也不过的事一般，他吻了我。

好啦，那是飞快的一吻，还是那种让人轻飘飘的，仿佛电影结束之前的那种吻，并且在一位教士面前发生。不过，这个举止看起来如此自然，仿佛克里斯蒂安和我多年来已经习惯于在一句话的结尾，整个世界仍然悬挂在句点之间时亲吻。

这正是事情不对劲的地方。“所以，”我说，“也许我们明天聚聚？”

“接下来四十八小时，我得在医院待命。”他说，“星期一？”

可是星期一我又要去法庭。

“要不然，”克里斯蒂安说，“我再打电话给你。”

我和迈可神父约在州政府前会合。我要他先回家，穿得尽可能像个神父。他来我家时穿的牛仔裤和扣结领上衣，不会替我们赢得任何优势。现在我正在停车场等他，重新回想自己和克里斯蒂安对话的每组音节，然后忍不住担心起来。每个人都知道，当男人说再打电话的时候，真正指的是他不会再打来。他只想要尽快开溜。也许那个吻，正是之后整条对话线的前兆。也许我有大蒜味口臭，也许他已经花了够多时间与我相处，清楚我并不是他想要的人。

这时候，迈可神父骑摩托车进入停车场。我内心暗自决定，如果薛·布尔能搞砸了自犹太人于沙漠流浪以来，我可能拥有的第一段男女关系，我会亲自处决他。

对于陆夫斯希望我单独会见弗林州长，我感到讶异。他认为迈可神父应该是个会在谈话时主动运用策略的人，则更叫我吃惊。不过，弗林生来不是新英格兰人，而是一个空降的南方男孩，他不拘小节，以为我去找他是为了请求审判之后的缓刑。所以上上之策是，在他松懈时来个出其不意，攻其不备。他建议我与其让律师提出要求，还不如让一个神职人员来开口会更恰当。在不到两分钟的寒暄里，迈可神父已经发现，弗林州长曾于去年圣诞节在圣凯瑟琳教堂听他讲道。

一位安全警卫引领我们进入州政府，在通过金属探测门后，带我们前往州长办公室。过了下班时间的州政府显得古怪阴森，我们匆忙上楼梯的脚步声听来仿若枪声。来到顶层，我转向迈可。“千万不要鲁莽行事，”我低语，“我们只有一次机会。”

州长坐在办公桌前。“请进，”他边说边站起来，“很高兴再见到你，迈可神父。”

“谢谢，”教士说，“我很荣幸你还记得我。”

“嘿，你的讲道没有让我睡着，只有极少数的教士才办得到。你也是圣凯瑟琳教堂的青少年团体辅导，对吧？一年前，我大学室友的孩子惹了麻烦，然后他加入了你的团体。乔·卡西雅顿？”

“乔伊，”迈可神父说，“他是个好孩子。”

州长转向我：“你一定是……”

“玛吉·布鲁，”我一说完，便伸出手，“薛·布尔能的辩护律师。”我从未如此靠近州长。我不合常理地想，电视上的他看起来似乎比较高。

“喔，对，”州长说，“那位默默无闻的薛·布尔能。”

“如果你是实践派的天主教徒，”迈可向州长说，“你怎能宽恕死刑？”

我向教士眨眨眼。我不是才告诉他，要避免任何挑衅言语吗？

“我只是做好我的工作，”弗林说，“我个人不一定同意很多事情，但却必须如此去完成工作。”

“就算即将被杀的男人是清白的？”

弗林的目光顿时敏锐起来：“神父，法庭的判决并不是这样。”

“去和他谈谈，”迈可说，“去监狱，开车只要五分钟。去听听他的说法，然后再告诉我，他值不值得被处死。”

“弗林州长，”总算能发声的我立即插嘴，“某次……忏悔时，薛·布尔能坦诚的某些事情，指出当年案子中未被揭发的细节。布尔能先生试图保护伊丽莎白·尼尔森免于继父的性侵害，才意外造成死亡。我们认为，如果能延缓行刑，我们将有足够的时间为布尔能的清白搜集证据。”

州长脸色苍白：“我以为，教士对忏悔内容有守密的义务。”

“如果必须打破一条法律来拯救一条岌岌可危的人命，我们必须这么做。这件事符合以上两点。”

州长双臂抱胸，充满疏离感：“我很感激你们的关注，不管是宗教或是政治层面。我会好好考虑你们的请求。”

我一听到驱逐令下达，立刻明白了他的意思。我点点头起身。迈可神父抬头看我，慌张地站起来。我们再度与州长握手，谦卑地退出办公室。两人一直来到室外一片星辰之下，没人开口说话。

“所以，”迈可神父说，“我猜他的意思是，不行。”

“意思是，我们必须等着。答案也许是不行。”我双手插进夹克口袋，“看来，我整个夜晚都报销了，我要把今夜称为……”

“你不相信他是清白的，对不对？”迈可说。

我叹气：“没错。”

“那你为什么愿意为他出这么多力？”

“我小的时候，十二月二十五日对我而言，只是醒来之后的又一天。复活节的星期天，我家是唯一会去看电影的那种家庭。我之所以为薛那么拼命，”我说道，“是因为我知道那种感觉，当你面对自己相信的事物，却发现自己只能在圈外干瞪眼。”

“我……我不懂……”

“你怎么会懂？”我一边说，一边不好意思地微笑，“图腾顶端的人，看不见有什么被雕刻在了底部。神父，星期一见。”

我走向车子，一路感觉他在我身上的目光，仿佛一件用光芒制成的披肩，就像是我从未真正相信过的天使翅膀。

我的委托人看来就像被卡车辗过似的。不知怎么的，当迈可神父企图让我拯救他性命的同时，他却忘了提及薛已经开始一连串的自残举动。他的脸结痂，到处是瘀青；他的手——经过上星期的意外，手腕被牢牢铐住——伤痕累累。

“你看起来糟透了。”我向薛低语道。

“他们把我吊死之后，看起来会更糟。”他低声回我。

“我们必须谈谈。关于你向迈可神父说的……”不过，在更进一步提问之前，法官叫唤戈登·葛林雷夫开始结辩。

戈登沉重地起身：“法官，这桩案子根本是在浪费法院的时间和州政府的金钱。薛·布尔能是双尸案的杀人犯。他犯下了新罕布什尔州有史以来最令人发指的罪行。”

我飞快地瞥了薛一眼。如果他说的是真相，如果他看见伊丽莎白被性侵，那这桩所谓的谋杀，便是过失杀人和自我防卫。而他被判刑的年代，司法检验尚未流行。现在可不可能找得到一些地毯碎布或沙发垫碎片，用来确证薛的陈述？

“他已经用完每一层级的法律行动，”戈登继续，“州法院、联邦法院、最高法院。今天，他绝望地尝试用一处伪造的法律漏洞，宣称自己信仰某种伪造的宗教，只为了延长性命。他希望新罕布什尔州和所有的纳税人为自己建一座专门的绞刑台，这样，他才能把心脏捐给被害人的家庭，一个他突然满怀情感的家庭。当他谋杀寇克和伊丽莎白·尼尔森的那天，肯定对他们一点感情也没有。”

今天几乎不可能再找到任何证据了。如今，那条在他口袋里发现的内裤可能早已销毁或归还给琼·尼尔森。这桩案子在调查员的心中，已于十一年前结案。所有目击证人也死在当场，除了薛以外。

“没错，有一条用来保障受刑人宗教自由的法律，”葛林雷夫说，“它的确存在，犹太受刑人可以在监狱戴圆顶小帽，穆斯林可以在伊斯兰教历九月进行斋戒。惩治理事会一向顺从联邦法律，许可监狱内的宗教活动。然而，这个引起法庭骚动、无法控制情绪，甚至说不出自己信仰为何的男人，却可以在合乎联邦法律的前提下，以特别的方式受到处决，这一点都不合理，也不是我们司法系统的意图。”

葛林雷夫坐下时，一位法警塞了一张纸条给我。我瞥了一眼，然后深呼吸一口气。

“布鲁女士。”法官提醒我。

“120美元，”我说，“你知道能用120美元做什么吗？在大甩卖时买一双高档的斯图尔特·韦茨曼女鞋；买两张俱乐部级的曲棍球比赛门票；喂饱非洲一个濒临饿死边缘的家庭；签一纸两年期的手机合约。或者，你可以帮一个人得到救赎，并拯救一个垂死的孩子。”

我站起来。“薛·布尔能并未要求自由。他并未要求颠覆判决，只要求能死得符合自己的宗教信念。也许这对于美国没有特别的意义，但至少象征了行使自身宗教的权利，即使必须在州法的监视下死亡，那也一样。”

我走向在场的听众：“为这个国家的宗教自由，人们聚集在此。他们清楚，在美国，不会有人告诉你，上帝应该长什么样，听起来又应该如何。不会有人告诉你，只有一种正确的信仰，你的信仰并不正确。他们希望，能自由谈论宗教并提出问题。这些权利是美国四百年前的建国基础，今天也依然是基石。这正是为什么在这个国家，麦当娜可以在十字架上表演，《达芬奇密码》会是畅销书。也是为什么，即使在九一一事件过后，美国的宗教自由仍旧蓬勃繁荣。”

我再度面向法官，使出浑身解数。“法官，我们并不要求你借着对薛·布尔能有利的判决，移开介于教堂和国家之间的墙。我们只希望法律被高举，即使薛·布尔能身在监狱，除非影响某项政府利益而被强迫限制之外，仍有权行使自身的宗教权。在这里，州政府唯一的利益损失，就是120美元，以及数月的差别。”我走回座位，滑进去坐好，“你如何衡量生命和灵魂，以及两个月和120美元的轻重？”

法官回到小房间思考判决，两位法警前来接薛。“玛吉，”薛边说边起身，“谢谢。”

“嘿，”我向法警说，“你们能让我在拘留室和他谈一下吗？”

“尽量长话短说。”他们其中一位说，我随即点头。

“你觉得呢？”坐在我后方听众席的迈可神父问，“他有一丝胜算吗？”

我手伸进口袋，取出结辩前法警传给我的字条，然后递给迈可。“你最好如此期望，”我说，“州长拒绝了他的缓刑。”

我来到拘留室时，他正躺在金属床上，手臂盖住眼睛。“薛，”

站在栏杆前的我说，“迈可神父来找我谈过，关于谋杀那天的事。”

“那不重要。”

“那很重要，”我紧急地说，“州长拒绝延缓你的行刑，这表示我们前途艰难，以寡敌众。如今，司法检验成了用来推翻重大判决的普遍程序。判决下达之前，法庭提到的性侵害并未有任何证据，不是吗？如果精液样本还在，我们可以先检验，再和寇克的比对。薛，我只需要你一五一十地告诉我事情的经过，这样，我才能动手。”我暗想，距离他被处决的时间只剩两星期了。

薛站起来，走到我前方，手握着两人之间的栏杆：“我不行。”

“为什么，”我盘问，“你告诉迈可神父自己是清白的，难道是在说谎？”

他抬起头，灼热的双眼瞥向我：“不。”

我说不出为什么相信他。也许是身为刑事辩护律师的我过于天真；也许是因为，我觉得一个将死的人已经没什么好损失的了。可是，当薛一和我四目交会，我便知道他说的是事实。处决一个无辜的人，比处决一个罪人更加具有讽刺意味。“那么，”我说，各种可能性在脑海里浮动，“你告诉迈可神父，第一位律师不愿听你的说辞，但现在我正在听。薛，告诉我。随便告诉我一件事，让我去说服法官，你是被误判的。然后，我会申请司法检验，你只需要签名……”

“不。”

“我自己一个人办不到。”我脱口而出，“薛，我们正在谈论推翻你的判决，你懂吗？让你可以自由地走出这里。”

“我知道，玛吉。”

“你连试都不试，就要为自己没犯的罪而死？你能接受吗？”

他凝视我，缓缓点头：“第一天遇见你的时候，我就说过了。我不想让你救我。我只想让你救我的心脏。”

我完全愣在当场：“为什么？”

他吃力地吐出一字一句：“因为那依旧是我的错。我试着救她，却办不到。我抵达得太迟了。我从没有喜欢过寇克·尼尔森。当我工作的时候，总是试着不和他待在同一间房间，这样我就感觉不到他的目光。琼是个好人，闻起来有苹果的香气。午餐时她会准备金枪鱼给我，让我坐在厨房的餐桌旁，让我觉得，自己就和她以及她女儿一样，都身为那个家的一分子。就在伊丽莎白……在那之后……琼不再拥有他们两人，已经够惨了。我不想让她彻底失去过往。家庭不是一样物品，而是一个地方，”薛温柔地说，“是保留所有回忆的地方。”

他拒绝说出寇克·尼尔森的罪，只为让痛心的寡妇能以骄傲的心去回想自己的丈夫，而不是怀抱着怨恨。假设当时司法检验已经存在，对琼而言，肯定惨不忍睹。伊丽莎白有被强暴的嫌疑，结果证实行凶者为寇克？

“玛吉，你现在去找证据的话，只会再把她活活撕裂一回。那么，那将成为真正的终结，一切都完了。”

我喉咙紧缩，眼里强忍着泪水：“如果有一天，琼自己发现了真相呢？发现你虽然清白，却还是被处决了？”

“那么，”薛说着，绽开一抹阳光般的微笑，“她会记得我。”

当我着手办理本案时早已清楚，薛和我要的是不同的结果。我期望说服他推翻判决，让这成为一件值得庆祝的大事，即使活下去意味着器官捐赠得暂时搁置。然而，薛已经准备好死亡。薛想死。他不只给克莱尔·尼尔森未来，也要给她的母亲未来。他不像我试图拯救世界。他只想救一条命，只要努力奋斗，就可能成功。

他触碰我握着栏杆的手："没关系，玛吉。我从来没做过一件重要的事。我不能治愈癌症、阻止全球变暖，或赢得诺贝尔奖。我的生命，除了伤害我爱的人之外，可以说是一事无成。可是死亡——死亡能让一切变得不一样。"

"怎么说？"

"他们将看见，自己值得活下去。"

不管他的处决有没有执行，我知道薛·布尔能将驻留在我心头很长一段时间。"一个这样想的人，"我说，"不值得被处死。薛，拜托，让我帮你。你不用扮演英雄。"

"玛吉，"他说，"你也不用。"

琼

“蓝色警报。”护士说。

川流不息的医生和护士，淹没了克莱尔的房间。其中一位开始心脏按摩。

我感觉不到脉搏。

我们需要一条导气管。

开始心脏按摩。

我们可不可以开一条静脉通路……

频率为何？

我们得电击……贴电击片……

充电两百焦耳。

退开……电击！

持续心脏按摩……

没有脉搏。

注射肾上腺素。利都卡因局部麻醉。碳酸氢钠。

检查脉搏……

吴医生入内。“把她妈妈带走。”他一说完，一位护士就抓住我肩膀。

“你必须跟我来。”我点头，双腿却不听使唤。某人再次把电击板移至克莱尔胸前。我被拉出门槛时，她的身体从床上弹跳起来。

克莱尔发作时，我是唯一在场的人，冲到护士站的人也是我。现在她的情况稳定下来，那位坐在床边的人也是我。此时此刻，那颗被连续打击、残破不堪的心脏再度开始跳动。她躺在连接屏幕的床上，我则瞪着屏幕，瞪着仿佛山脉地形的心跳韵律，天真地想，只要自己专注守护它，就会安全无虞。

啜泣的克莱尔左右摇头。屏幕的光让她的肌肤发绿，有如异形。

“宝贝。”我一边说一边凑近她，“不要讲话。你还在插管。”

她眯着眼睛，以眼神恳求我，模仿拿着一支笔。

我把吴医生给我的白板递给她。直到明天早上克莱尔的管子拿下来前，都得用这种方式沟通。她的笔迹摇晃扭曲。

发生了什么事？

“你的心脏，”我闪着泪光，“运作得不是很好。”

妈妈，帮我个忙。

“任何事，你尽管说，甜心。”

让我走。

我低下头，没有摸她。

克莱尔再度圈起这行字。这一次，我懂了。

突然间，我想起寇克说过的话：你只能去拯救想被拯救的人，否则你只会被拖下水。我看着克莱尔，她已再度睡去，马克笔依然缠在指间。

滑过脸孔的眼泪滴落在毛毯上。“喔，克莱尔……对不起。”我低语。我真的很抱歉。

为了我所做的。

为了我认为自己该做的。

路希尔斯

我一咳嗽，整个人便仿佛内外被翻了个儿。我可以感觉到皮肤表层的肌腱纠结成一团，靠在枕头上的持续高烧的头部正在蒸发。把冰块碎片放在我舌头上，在我还来不及吞下去之前，它们就消失了，这可真好玩，大大小小的人生片段现在回到了脑海里，我肯定，自己早就忘了高中时化学实验的情形。把某样事物变成自己从未料想过的形态，称为升华。

房间好白，白得让我眼球阵阵刺痛。你的双手仿佛蜂鸟或者蝴蝶。"路希尔斯，和我们一起留在这儿。"你这么说，可是，要听见你的声音，却越来越困难。现在，除了你之外，我再也感受不到你蜂鸟飞翔般的双手和宛如白鹇般的手指。

人们总是提到一道白色光线和一条隧道。我确实期待能亲眼看见这些，喔，我就坦白说吧，薛，那都不是真的。取而代之的是他，他伸出手，来到我身边。他和记忆中一模一样，咖啡色肌肤、绿眼睛、五点钟方向的深邃酒窝。我这才发现，自己以前有多傻、多蠢。我怎么会不知道，他会来接我，我怎么会不知道，每回你看见上帝的时候，看见的，正是深爱之人的脸孔。

我多么希望，他告诉我好多好多事情，这对现在的我而言，相当重要。我爱你，我想你。然而，他只是露出洁白的牙齿，露出纯白的牙齿，向我微笑，然后说，我原谅你，路希尔斯，我原谅你。

你的手在我身上连续打击，上下施力，你的电击流经全身，但你无法挽回我的心，因为，它已经属于别人。他摊开掌心，那里有一颗星星、一簇烽火，而我走向他。来了，我来了。

等我。

玛吉

“照理来说，直到星期天，我都不会打电话给你，”科因典狱长说，“但你可能会想知道……”为了隐私，他关上了办公室的门，“路希尔斯·杜弗里斯昨天晚上死了。”

我沉在典狱长办公桌对面的一张椅子上：“怎么会这样？”

“艾滋病并发肺炎。”

“薛知道吗？”

典狱长摇摇头：“我们认为，这事情实在发生得不是时候。”

他的意思是，薛已经因为用头撞墙而移至观察室，他们实在不想再给他另一个更沮丧的理由：“他可能会从其他人那儿听到消息。”

“没错，”科因说，“我无法阻止流言。”

我记得，记者曾大肆宣扬路希尔斯的痊愈。这会不会扭转大众意见，增强反对薛的声浪？如果他不是弥赛亚，那么，他只是个“杀人犯”。我抬头看着典狱长：“所以你请我来这里，是要我通知他这则坏消息？”

“布鲁小姐，是你打电话来的。我请你来，是要交给你这个。”他走到办公桌旁，拿出一只信封，“这和路希尔斯的个人物品摆在一起。”

马尼拉纸信封上，摇晃如蜘蛛爬行般的笔迹，注明了迈可神父和我的名字："这是什么？"

"我没打开。"典狱长说。

我打开信封，把手伸进去。一开始，我还以为自己看见了杂志上的绘画广告，每个细节都十分逼真。然而，仔细一看，我却发现这是一张卡纸，颜料不是油彩，看起来比较接近水彩。

那是一张拉斐尔《主显圣容》的复制画。我会知道这张画，是因为大学时选了一堂艺术史课。当时我曾幻想与那位授课的讲师坠入爱河——一个修长、贫血的男人，脸颊的颧骨仿佛滑雪坡，立体而有形。他总是一身黑衣，抽着印度丁香烟，在手背上抄写尼采的名言。尽管我不是真正在乎十六世纪的艺术，我还是选了这堂课，试图让他对我印象深刻。然后，我才发现他的同居恋人名叫亨利。

《主显圣容》被认为是拉斐尔的最后一幅画作。它起先是未完成的作品，后来由一位学徒执笔完成。画作的上半部，是耶稣、摩西和先知伊莱贾浮在塔波尔山上方。画作的下半部，则是一桩奇迹，一位被附身的男孩等候被耶稣治愈，旁边有使徒和其他门徒。

路希尔斯的版本，和我在漆黑的圆形大教室看见的幻灯片如出一辙。我看得更仔细些，才发现，我的脸取代了摩西的脸，迈可神父则站在伊莱贾的位置。被附身的男孩——路希尔斯画了自己的肖像。穿着白袍的薛，则位于塔波尔山上方，仰望着天空。

我小心翼翼地把画塞回信封，看着典狱长。

"我想见我的委托人。"我开口。

薛走进会议室："你拿到判决了吗？"

"还没，现在是周末。"我深呼吸一口气，"薛，我有坏消息要通知你。路希尔斯昨晚过世了。"

他脸上的光芒瞬间褪去："路希尔斯？"

"我很抱歉。"

"他……身体变好了。"

"我猜，实际上并没有。他只是看起来好转而已。"我说，"我知道你以为自己帮了他。我知道你想帮他。但是，薛，你无能为力。当你遇见他的那一刻，他早已迈向死亡。"

"和我一样。"薛说。

仿佛有一只悲伤的手沉沉地压着他，让他弯曲身体，开始哭泣。这时，我感受到上帝给我的感动。投入其中之时，才会发现薛和世界上其他人之间的不同，并未比我们之间的共同点来得深刻。也许我是卷发，并且能串连单字、结合成句。也许我并未被判杀人罪。但倘若有人告诉我，我在世上唯一真正的朋友撒手人寰，我也会悲伤地跪下来哭泣。

"薛。"我困惑地靠近他。为何找不到任何话语来安慰他？

"不要碰我。"薛咆哮，双眼带着野蛮的眼神。他一拳向我挥来，我于最后一刻闪开，他的拳头打入介于我们和监视警官之间的双层玻璃。"他不应该死。"薛大喊，狱服前方开始滴血，仿佛一股悔恨的痕迹。一小队警官冲进来救我和他，使劲地把他拖往医护室缝合伤口。证据在此——两方都需要的证据——薛并不是天下无敌。

有一年的初中健康课，老师谈到一件痛苦但明显的事实，我们中的某些人，并不像其他同学那样发育得快。这堂课不是用来教我这种腰围比胸围还雄伟的人，或是雪莉·欧坦斯基，她的初潮刚好在六年级生全体集合时来临，那天她刚好穿了一条白裤子。"晚熟的人。"老师笑道。这个词听起来和我的姓氏非常相近，让我整星期都成了众人的笑柄。

我告诉我妈，自己得了腹股沟腺炎，整整三天拒绝下床，绝大部分时间都躲在棉被下，希望奇迹地能让人生往前跳跃十年或十五年，那样人生肯定会更愉快。

见完薛之后，我悲伤得试图做出相同的举动。如果判决下达时，我人在床上，是不是就表示，原告自动认输？

不过，我没有直接开车回家，而是朝相反方向驶去，转进了医院的急诊室入口。我觉得自己好像被斧头砍伤了，这肯定是一个需要医生急救的充分理由。但我怀疑，一位天才医生能否治愈一个方才见到光明却被重击的怀疑论者。我并不如自己以为的那样，可以不带一丝情感，与委托人保持距离。正如我告诉自己的，这和美国的死刑无关，也和我身为诉讼人的职业无关。这是一个曾经坐在我旁边的男人，一个我能认出气味的男人。我熟悉他砂纸般粗糙的声音，而他很快就要死了。我并不完全认识薛·布尔能，但并不意味着，在他离开世界之后，我的生活不会留下任何缺口。

“我需要见葛拉弗医生，”我向判断情况轻重与否的护士说，“我是他的……”

什么？

朋友？

女朋友？

仰慕者？

在护士拒绝我之前，我注意到克里斯蒂安和另一位医生正走向大厅。他发现我，然后——就在我犹豫是否该走向他时——走向我。“宝贝，怎么了？”

除了我爸以外，从来没有人这样叫过我。为了这个理由和其他十来项原因，我忍不住哭了出来。

克里斯蒂安把我拥入怀中。“跟我来。”他一说完，便牵着我的手，进入一间没有人的家属等候室。

“州长拒绝薛的缓刑，”我说，“薛最好的朋友过世了，而我是那位必须通知他的人。还有，克里斯蒂安，他就快死了，因为他不让我找出新证据来证明他是无辜的。”我推开他，用袖子擦眼睛，“我怎么办得到？我怎么让事情过去？”

“第一个死在我手术台上的病人，”克里斯蒂安说，“是一位七十六岁的老妇人。她在伦敦一家一流餐馆用完餐后，开始肚子痛。进手术室半个小时后，她的心脏停止跳动，最后回天乏术。”他抬头看我，“当我前往家属等候室去通知她先生时，他只是盯着我。我问他是否有问题，他说，自己带太太去晚餐，是为了庆祝两人的五十周年结婚纪念日。”克里斯蒂安摇摇头，“那天我在停尸间，坐在她遗体旁边一个晚上。很傻，我知道。但我认为，每个人的五十周年结婚纪念日夜晚，都不该独自度过。”

如果我先前没有被克里斯蒂安的魅力、俊俏的外表，或他称呼汽车后备箱为“行李放置处”、称呼车盖为“一顶帽子”的地方吸引，现在的我只会觉得感动不已。

“事情就是这样，”克里斯蒂安补充道，“不论你经历多少次，下一次也不会变得容易。我怀疑，你正在失去内在的某些相当重要的东西。”他牵起我的手，“让我担任处决时的出席医生。”

“你不行。”我脱口而出。杀人违反医生的宣誓。惩治机关通常会私底下联络医生，整个流程都列入机密。那些在薛一案开庭之前，和我一起研究行刑的医生的名字从未被提及，死亡证明书上也没有。

“这是我的决定。”克里斯蒂安说。

我感觉泪水即将决堤："你愿意为薛这么做？"

他向前倾身，轻轻吻了我。"我愿意为你这么做。"他说。

如果这是一场审判，下面是我想向陪审团提出的事实：

①克里斯蒂安提议值完班后，顺道来我家，确认我没有因为失魂落魄而伤心过度。

②他带来了一瓶澳大利亚奔富酒园的红酒。

③小酌一杯都拒绝，也实在太没礼貌了。或者三杯。

④两人如何从沙发亲吻一直到躺上地毯，我还无法建立这条发展的因果关系线，只记得他的手在我上衣内游移，而我只担心自己是不是穿了一条老太太才会穿的内裤。

⑤其他女人——那些与男人发生性行为的频率高于参与过参议院完整议程的女人——为了这种场合，恐怕会准备一整套内衣。像我妈，就有一套专门在安息日穿的内衣。

⑥如果同时想到性爱和我妈，那真的会很扫兴。

或许细节不如结论来得重要。有一个男人在床上等我。全身赤裸的他，甚至比穿着衣服的他更加俊美性感。可是我人在哪儿？

我把浴室反锁，一想到自己恶心、苍白、病态且布满橘皮组织的身体即将被他目睹，我就吓得无法动弹，开不了门。

我一直很低调。我拔下假睫毛，轻轻向他低喃，说我要更衣。我确信，克里斯蒂安以为我想去换上性感内衣。而我只想突然变形成海蒂·克鲁姆。

我鼓起勇气，解开上衣，脱掉牛仔裤。站在镜前的我就像穿着比基尼，只有胸罩和内裤。克里斯蒂安一天得看一百多个人的身体，我告诉自己。你不可能比那些人还糟。

然而，这里有吃太多乡村奶酪造成的游泳圈，我总以暗色系衣服来掩饰。我可以用手指捏出一英寸的肥肉，尽管它们通常穿上束腰就会消失。这是我的屁股，大到适合殖民，不过只要一穿上黑裤子，就能巧妙掩盖。克里斯蒂安若是瞧一眼最原始的我，肯定会尖叫并逃之夭夭。

浴室门口传来低沉的嗓音。“玛吉，”克里斯蒂安说，“你还好吗？”

“我很好！”我很胖。

“你要出来了吗？”

没回答。我看着裤腰。这件是十二号，但根本不算数。这个品牌放宽过尺码，让我这种十四号的人能挤进所有衣服，并感到内心舒畅。但玛丽莲·梦露不也穿过十四号吗？难道以前的十四号是今天的八号？我和那些1940年代的女星相比，俨然是个庞然大物？

呃，该死。我和2008年的女星比起来，仍旧是庞然大物。

突然间，我听见门外传来刮擦声。不可能是奥利佛。刚才我们在客厅地毯翻滚，享受两人的《乱世忠魂》时，它不停嗅闻我们的头，所以我早就把它关进笼子了。惊吓之余，上锁的门把砰然打开，被外力折断。

我紧急扯下浴室门后的那件破烂红浴袍，在门完全打开前，刚好套在身上。克里斯蒂安站在门口，手握着一只脖子被弄直的铁衣架。

“你会开锁？”我说。

克里斯蒂安咧嘴笑。“我用金属扣状物进行了剖腹手术。”他解释，“这没有多大的不同。”

他用手臂环抱我，与镜中的我四目交会。“我不能说回床上来。你根本还没上床。”他的下巴搁在我肩膀的凹陷处，“玛吉。”他喃喃低语，这时，他发现我穿着一件浴袍。

克里斯蒂安双眼往上一瞥，双手却往下滑至我的腰带。我立即把他推开：“拜托，不要。”

他收回双手，往后退一步。室温肯定顿时下降了二十度。“对不起，”克里斯蒂安用公事般的口吻说，“我一定误解了……”

“不！”我向他喊道，“你没有误解。我想要。我想要你。我只是怕……怕……你不会想要我。”

“你开玩笑？在我尚未检查你的盲肠以前，我就想要你了。”

“为什么？”

“因为你聪明、厉害、风趣。而且，那么美丽。”

我苦涩地微笑：“你几乎让我相信你，除了最后一点。”

克里斯蒂安的眼睛闪闪发光。“你真的认为自己不美吗？”在我还来不及阻止前，他已轻快地把浴袍连带我的上衣，从肩膀拉到手肘。双臂被他抱住动弹不得的我，只穿着内衣站在他面前。“玛吉，看看你，”他带着敬畏的口吻说，“我的老天。”

我无法正视镜中的自己，只好看着克里斯蒂安。他并未凝视松弛的胸部或太粗的腰围，或是当气温超过八十华氏度时，就会互相磨破皮的大腿。他只是一直凝视我，抚摸我的双手开始微微颤抖。

“让我给你看看，自己看着你时，看到了什么。”克里斯蒂安安静地说。那些在我身上轻弹的手指如此温暖，劝说我回到卧房，躺进棉被，仿佛坐上一列云霄飞车、开始一场刺激的旅行，如奇迹般行经我身体的曲线。然后不知何时，我停止担心自己用腹部呼吸。也许，如果他能在朦胧的月光下看见我的话，就会发现，两人如此天衣无缝。就在我放开自己之后，便沉浸在了两人世界中。

哇。

我醒来的时候，太阳就像解剖刀，把床切成两半。身上的每块肌肉都像刚刚参加过三项全能训练。昨天晚上的一切的确可以被列为健身，而且老实说，这是第一种我强烈期待自己每天都能做的运动。

我的手滑向克里斯蒂安那边。我听见浴室的水刚被关上。门一打开，克里斯蒂安探出头。他用毛巾包着身体。“嘿，”他说，“希望没把你吵醒。”

“呃。我，呃，也，也希望……”克里斯蒂安困惑地皱起眉头。我立刻明白，两人现在说的不是相同的语言。“让我猜猜，”我说，“这句话在你的国家，应该不表示让女人怀孕吧？”

“老天，不是！这是，你知道的，用来唤起一位刚睡醒的人。”

我滚回床上，开始大笑，他躺在我身边，毛巾下滑到危险的位置。“不过，既然已经把你吵醒了，”他一边说，一边弯下身来亲我，“也许，我可以试着用手把你弄醒……”

我早晨的口气和头发，闻起来就像老鼠刚在此筑巢，更别提还在等候法院判决的我。不过，我还是用双臂搂住克里斯蒂安的脖子回吻他。就在同一时刻，电话声响起。

“该死。”克里斯蒂安埋怨道，迅速跨过床脚，来到一片折叠整齐的衣物前方，他的手机和传呼器就放在最上面。“不是我的。”他说。这时候，我扯掉他的毛巾包在自己身上，走到放在客厅的皮包前，挖出手机。

“布鲁小姐？”一个女人说，“我是琼·尼尔森。”

“琼，”我立刻清醒，“一切都还好吗？”

“是的，”她说，然后，“不。喔，老天。我无法回答这个问题。”她沉寂了片刻，“我不能接受。”琼低语。

“我无法想象，等待这些对你来说有多辛苦，”我完全发自内心，“不过中午的时候，我们就可以知道事情将会如何发展了。”

“我不能接受，”琼重复说道，“把它给别人吧！”

然后，她挂断电话，把薛的心脏留给了我。

迈可

星期一的早晨弥撒只有七个人参加，我是其中之一。今天我休假，主祭人不是我，是华尔特神父，还有一个名叫保罗·欧贺雷的副主祭。我参加了上帝祷告会，而这正是薛缺乏的时刻，大家一起前来赞美主。人们可以通过自身的精神旅程找到他，但那会是一趟寂寞的旅程。前来教堂聚会的感觉仿佛带着法律效力。那就像家中的每个人都知道你的缺点，也依然十分乐意邀请你回家。

在华尔特神父结束弥撒，向会众说再见好久后，我依然坐在长椅上。我朝祈祷人的烛台漫步而去，凝视晃动不已的火舌。“我还以为，因为今天判决的影响，大概不会见到你。”华尔特神父一边说，一边走向我。

“是啊，”我说，“也许，这正是我需要来一趟的理由。”

华尔特神父迟疑片刻：“你知道，迈可，你没有欺骗任何人。”

我觉得脖子背后毛发直竖：“没有吗？”

“有信仰危机，并没有什么好尴尬的。”华尔特神父说，“这正是我们身为人类的原因。”

我点点头，无法回应。我并没有信仰危机，只是我再也不确定，华尔特神父的信念是否比薛来得正确。

华尔特神父靠近我，点燃一根蜡烛，喃喃祷告：“你知道我是怎么看待这一切的吗？永远有坏人横行霸道，然而奇妙的是，光明每次都会胜过黑暗。我们可以在黑暗中点燃蜡烛，却永远无法将黑暗添进光明里。”我们看着往上升高，企图吸取氧气并慢慢稳定的火焰，“我猜，我们可以选择身在黑暗中，或点燃一根蜡烛。对我来说，基督正是那一根蜡烛。”

我面对他：“但不一定只有蜡烛，对吧？还有手电筒、荧光灯管以及营火。”

“基督说，其他人奉他的名来行使奇迹。”华尔特神父同意，“我从来没说过，不可能有千百万光点的存在。我只是认为，耶稣是那个擦火柴的人。”他无力地微笑，“我不明白，迈可，每当你想到上帝曾经现身，为什么如此惊讶。他什么时候不存在过？”

华尔特神父开始走回教堂侧廊，我跟在旁边：“接下来几星期，中午有时间吗？”他问。

“没有，”我咧嘴笑，“我得准备葬礼。”这是一则教士之间的笑话。你无法事先排定行程，因为计划很可能因为教友的生死大事而必须更动。

除了这一次，当我这么说时，方才明白，这并不是一则笑话。再过几天，我将主持薛的葬礼。

华尔特神父与我四目交会：“迈可，祝你今天好运。我会替你祝祷。”

突然，我想起那两个连接起来，创造出“宗教”这个词的拉丁文单词：“re”和“ligere”。我一直以为，它们翻译过来是“再联结”的意思，直到我在神学院学到，正确的翻译是“约束”。

不过现在，我看不出两者之间的差异。

刚进入圣凯瑟琳教堂时，我被赋予一项安置心脏的任务。那是圣人尚·玛莉·巴布提斯特·维阿内的心脏——一位死于一八五九年的七十三岁法国教士。四十五年后，当他的遗体出土时，心脏竟完全没有腐烂。在美国，我们的教堂被选为膜拜这颗心脏的地点。美国东部地带的数千名天主教徒，都相当企盼能亲眼目睹这颗心脏。

我记得那时候压力很大，自己为了能更亲近上帝而转向神职，也纳闷自己为何总是设置各种阻碍。我看着天主教卷宗，在小教堂内归档，中断了弥撒与忏悔的行程。然而，就在大门关起，群众离去之后，我目不转睛地瞪着那玻璃盒内的器官。对我而言，真正的奇迹在于整个事件的过程，这古老的遗物漂洋过海来到这里被人们崇拜。时机是一切的关键。毕竟，如果没有挖掘出圣人遗体，就永远也不会知道心脏的事，也不可能告诉他人。奇迹，只有在某人的见证下，并向他人传述之后，才算奇迹。

玛吉和薛坐在我前方，她的背挺得跟扑克牌一样直，一头狂野浓密的头发乖乖地束在脖子下方。薛则是一脸压抑又烦燥的模样。我看着大腿，上面摆了一只玛吉刚刚给我的马尼拉纸信封，那是周末过世的路希尔斯·杜弗里斯留下的艺术作品。里面有一张字条：

琼拒绝心脏。还没告诉薛。

我大胆假设我们赢了这桩案子。但我们该如何通知薛，我们依然无法实现他心中所盼呢？

“全体起立。”一位美国法警大喊。

玛吉转过来瞥我一眼，露出紧张的微笑。海格法官一入内，整个法庭肃然起立。

法庭安静至极，当法官开口说话时，我甚至可以听得到录音设备的轻微电子爆裂声。“这是新罕布什尔州历史上独一无二的案件。”

海格说，“恐怕也是联邦法庭系统中独一无二的案件。宗教用地和收容人员法，的确保障了像布尔能先生这样受限于某机关的人员的个人宗教自由，但这并不代表此人能轻易宣称，他的信念能建立真正的宗教。假设一位死刑犯宣称，根据他的宗教教义，他必须活到高寿才能死去，那该怎么办？然而，当受刑人的宗教权益和州政府强制机关的利益摆在一起衡量时，本法庭关注的，要比金钱损失或其他囚犯的安全来得完备且广泛。”

法官两手交叉：“尽管如此……我们的国家并不习惯让政府定义教堂，反之亦然。这让我们身陷停滞，除非人们能发明一种试纸，来测验宗教究竟为何。所以，我们该怎么做？我们必须研究历史。弗莱彻博士提出了灵知主义和布尔能先生宗教信念之间的相似点。然而，灵知主义在今日，并不是一支繁盛的宗教，它甚至不复存在。我并不认为自己是弗莱彻博士那样的基督教历史专家，可在我看来，把新罕布什尔州州立监狱的一位囚犯的信仰理念，和一支消失将近二千年的宗教支派连接起来，实在过于牵强。”

玛吉的手穿过把听众席第一排和原告桌分开的木栏杆。我取下她夹在手指之间的纸条。*我们搞砸了*。她这么写道。

“不过，”法官继续说，“布尔能先生某些关于精神和神性的观点，让人非常熟悉。布尔能先生相信唯一真神，相信救赎和宗教实践有关。他觉得介于人和神之间的合约牵涉到个人牺牲。对于今日实践主流信仰的一般美国人而言，这种想法相当熟悉。”

他清清嗓子。“宗教不属于法庭，有一个原因是，它是一种个人的深刻追寻。具讽刺意味的是，布尔能先生提到的某件事打动了本法庭。”海格法官转向薛，“我并不是宗教信徒，已经多年没参加弥撒，但我确实相信上帝。我个人实践宗教的方式，就是不实践。我觉得，周末帮一个上年纪的邻居除草或爬山，或者惊叹我们居住的土地如此美丽，就和唱诗歌或参加弥撒一样值得。我认为，每个人都能找到自己的教堂，而它们并非都有四堵墙。不过，就算我选择如此造就信仰，也不会对正式宗教一无所知。我年轻时在成人礼上学到的某些事物，直到今天依然在我内心回响。”

我下巴掉了下来。海格法官是犹太人？

“犹太教的神秘主义中，有一条原则称为‘修复世界’，”他说，“上帝创造世界，将神圣的光芒收在器皿内，某些器皿粉碎后，散落在世界各地。人类的工作就是通过善行善举，帮助上帝寻找并释放那些粉碎的光芒。每次当我们这么做时，上帝会变得更完美，而我们将变得更像上帝。

“据我了解，耶稣承诺他的信徒得以进入永生天堂，催促他们通过爱和宽厚来预备自己。佛教的菩萨承诺所有受苦的人终能得到解脱。就算那些久远的灵知派信徒也认为，我们每个人体内都有些微神性的火花。在我看来，不管今天你赞同哪一种宗教，仁慈的行为都是让世界更好的踏脚石，因为身在其中的我们将成为更好的人。这有点类似布尔能先生希望捐赠心脏的原因。”

相信耶稣的话出自《圣经》或出自《多马福音》，真有那么重要吗？是在教堂、监狱，还是在自己体内找到神，真有那么重要吗？也许没有。重要的是，不去批判另一位以不同方式寻找生命意义的人。

“我认为，根据宗教用地和收容人员法，薛·布尔能拥有正当的、强制性的宗教权利，得以在死亡时捐赠器官，”海格法官宣布，“新罕布什尔州计划以毒药注射处决布尔能先生的做法，将切实影响他履行自身宗教权利，所以必须用另一种方式替换，例如绞刑，让器官捐赠在医学层面上得以实行。法庭散会，我要在办公室会见双方律师。”

法庭顿时陷入一片骚动，记者试图在律师前往会见法官之前拦截他们。在场有女人啜泣，有学生兴奋地在空中挥拳，某人在房间尽头唱起圣歌。玛吉走到栏杆前拥抱我，然后飞快地拥抱薛。“我得走了。”她说，薛和我面面相觑。

“好，”他说，“太好了。”

我点点头，来到他身边。我从未拥抱过薛，这对我可以说是一大冲击。我的胸口感受到他强壮跳动的心脏，以及温热的皮肤。“你必须打电话给她，”他说，“必须告诉那个小女孩。”

我该如何向他解释，克莱尔·尼尔森不要他的心脏？

“我会。”我扯谎。谎言宛如犹大的亲吻，玷污了他的脸颊。

玛吉

我跟我妈说，海格法官不是天主教徒，而是和亚历山大一样的犹太人。这一点毫无疑问赋予了她灵感，她再度口沫横飞地告诉我，只需要时间和毅力，我也能成为一位法官。我必须坦承自己的确赞赏他的裁决，但不全是因为结论对我的委托人有益。他的遣词造句经过深思熟虑，他的判决如此大公无私，完全出乎我意料之外。

“好了，”海格法官说，“现在摄影机没有对着我们，我们直接切入重点。布鲁小姐，我们都心知肚明，尽管你找到一根迷人又合法的衣帽架来悬挂你的控诉案，但这场审判其实和宗教无关。”

我的嘴巴张开又闭合，气急败坏地想表达意见。那么深思熟虑且大公无私的海格法官，其高尚的灵性只有在正确的人在场时，才会表露无遗。

“法官，我坚定相信我委托人的宗教自由……”

“我相信你。”法官打断我，“放下你的姿态，这样我们才能好好安排这档事。”他转向戈登·葛林雷夫，“州政府真的会因为这样去请求一笔120美元的预算吗？”

“也许不会，法官，但我得确认一下。”

“那你去打电话。”海格法官说，“有一个家庭有权知道即将发生的事情和时间。都没异议吧？”

“是的，法官。”我们两人重复道。

我把弯着身子打电话的戈登留在走廊，朝楼下可能还监禁着薛的拘留室走去。我每一步都越走越缓慢。该向那位死亡过程刚被自己启动的人说些什么？

他面对墙壁，躺在房内的金属床上。

“薛，”我说，“你还好吗？”

他转向我，露出微笑：“你办到了。”

我吞吞口水。“是啊。我想我办到了。”我的确为我的委托人赢得了他想要的判决，但为什么会觉得自己好像输了？

“你通知她了吗？”

他讲的是琼·尼尔森或克莱尔·尼尔森，这表示迈可神父仍然没有胆量告诉薛事情的真相。我拉来一张椅子，坐在牢房外。

“今天早上我和琼讲过电话，”我说，“她说克莱尔不会用你的心脏。”

“可是医生说我的心脏很适合她。”

“薛，她并不是不能用它。”我安静地说，“而是她不想要。”

“你要我做的每件事我都做了！”薛大喊，“你的要求我都办到了！”

“我知道，”我说，“让我再说一次，这个结果并不一定会成为结局。我们可以看看，犯罪现场是不是还留有证据，然后……”

“我不是在跟你说话，”薛说，“而且，我不想要你为我做任何事。我不希望证据被重新调查。我得告诉你几遍才行？”

我点点头：“对不起。只是……要我稳妥地成全你想死的心愿，实在是一件很难的事。”

薛瞥了我一眼。“没人请你帮忙。”他坦白地说。

他说得没错，不是吗？薛并没有要求我接他的案子。我就像一个复仇天使突然降临说服他，我想做的事恰好是可以帮他达成他心愿。而且，我成功地向众人展示了死刑的真实原貌，确保他能被改以绞刑的权益。只是我没有意会到，胜利可以感觉像输了一样。

“法官……让后续的器官捐赠变得可行。就算克莱尔·尼尔森不接受，这个国家还是有数千人非常需要。”

薛躺回床上。“全部捐出去吧，”他低语道，“现在已经无所谓了。”

“对不起，薛。我也希望知道她为何会改变心意。”

他闭上眼睛：“我希望你知道如何能让她回心转意。”

迈可

教士对死亡早就习以为常，但这并不表示，事情会比较容易。即使今天，法官裁定赞成绞刑，那依然意味着有遗愿得执行，有具身体待处理。

在监狱等候室的我坐立不安，身上挂着准许探望薛的吊牌，聆听外部的骚动。这不是什么新鲜事。随着薛处决日期的逼近，群众的数目急速增长。

“你不懂，”一位女人哀求道，“我必须见他一面。”

“拿张号码牌吧，小姐。”警官说。

我望向敞开的窗户，试图看清楚那女人的脸。她的脸披着一块黑色面纱，衣服从脚踝紧紧地包到手腕。我冲出前门，站在一排监管人员后方：“葛瑞丝？”

她双眼噙着泪并抬头：“他们不让我进去。我必须见他。”

我穿过警卫人墙，把她拉过来：“她是和我一起的。”

“她不在布尔能的访客名单上。”

“那是因为，”我说，“我们现在要去见典狱长。”

我完全不知道，该如何把一位没有事先被调查身家背景的人带入监狱，但如今，我认为这些规则用在一个死刑犯身上，理应更有弹性才对。而且如果他们不肯，我很乐意去说服典狱长。

科因典狱长比我想象中更有人情味。他看看葛瑞丝的驾照，打电话到州政府律师办公室，然后向我提出一则建议。我不能把葛瑞丝带入I层，但只要薛被铐起来，他愿意把薛带去律师–委托人会议室。“我不会再让你重演相同的戏码。”他警告，这样的话毫无分量可言。因为我们都知道，薛来日不多了。

葛瑞丝双手颤抖着清空口袋，脱掉鞋子，走过金属探测门。我们安静地跟随警官来到会议室。当门一关上，只剩下我们时，她开始说话。“我曾经想过去法庭，”葛瑞丝说，“也真的开车过去了。只是下不了车。”她面对我，“如果他不想见我，怎么办？”

“我不知道他现在心情如何。”我老实说，“他赢了官司，可是心脏受赠者的母亲却不想接受他的心脏。我不确定他的律师告诉他了没。如果他拒绝见你，原因可能在此。跟你本身完全无关。”

不到几分钟，两位警官带着薛进入房间。他看起来充满希望，双手拳头紧握。他看看我，然后转过头去，像是在等玛吉。想必是因为有人通知他有两位访客，以为我们其中一人已成功让琼回心转意。

他一看见自己的妹妹，便当场动弹不得：“葛瑞丝，是你吗？”

她往前走一步：“薛。对不起。真的非常……非常对不起。”

“别哭。”他一边低语，一边向前走，举起手想摸她，但是双手被铐住，只能不停地摇摆自己的手，“你长大了。”

“上一次见到你的时候才十五岁。”

他悲伤地微笑：“是啊。那时候，我刚从少年监狱出狱，而你最不想和窝囊哥哥有所牵扯。我记得你说：‘滚开，离我远点。’”

“那是因为我不……我不曾……”她哭得很厉害，“我不要你死。”

“我必须，葛瑞丝，让事情恢复常态……我无所谓。”

“呃，我有所谓啊！”她抬头看他，“薛，我想告诉别人。”

他凝视她好久。“好吧，”薛说，“只能告诉一个我选出来的人。而且，”他紧接着说，“我必须这么做。”说完，他来到葛瑞丝包着面纱的脸孔旁，面纱的高度正好与被捆绑的手齐平。他挣扎着掀开面纱，面纱缓缓飘落在两人之间的地板上。

葛瑞丝举起手遮住脸。薛把系着铁链的手尽可能地伸直，直到葛瑞丝的手指与他的手指紧紧交缠。她的肌肤布满凹陷和皱褶，某些地方状如漩涡，某些地方则过于紧绷，仿佛地质学书籍里一片凹凸不平的地图。

薛用手指划过原本长有眉毛的斑块和扭曲的嘴唇，仿佛自己能重新为她雕塑脸形。他看起来如此坦率，如此真挚，我觉得自己好像强行介入的第三者。曾经看过这样的场面，只是想不起来在何地。

然后，我瞬间想起来，是圣母。薛看着自己妹妹的眼神，与所有绘画雕塑中玛丽亚看耶稣的神情一模一样。曾经拥有的事物，注定终将失去。

琼

我从没见过这个来到克莱尔病房的女人，但我永远不会忘记她。她那毁容的脸看起来十分骇人。你会在杂货店里叫小孩不要盯着看这样的脸。然而恍惚间，我却一直盯着她不放。

“对不起，”我从克莱尔身旁的椅子上站起来轻声说，“我想，你一定走错房间了。”我已经答应克莱尔放弃心脏，如今她正慢慢地死去。我一周七天、一天二十四小时守护着她，我不吃不睡。这么多年过去了，我很清楚自己很可能会错失最后的几分钟。

“你是琼·尼尔森？”女人问，就在我点头的当下，她向前走了一步，“我叫葛瑞丝。薛·布尔能的妹妹。”

你知道开车时在冰上打滑或躲廾一只小鹿时心跳急促、双手发抖、血液仿佛结冰的感觉吗？葛瑞丝的话，就在我身上起了这种作用。

“出去。”我下巴紧绷，说道。

“拜托，听我说。我想告诉你，为什么……为什么我成了这副模样。”

我看了克莱尔一眼。开什么玩笑？我大可以扯破喉咙放声大喊，都不会惊醒她，因为她正处于药物带来的意识模糊状态。“你凭什么认为我会想听？”

她继续说下去，仿佛我从未开口。“我十三岁的时候，身陷一场火灾。我寄养的家庭被毁，养父死于这场火灾。”她再往前走一步，“我跑进去，试图救出养父，而薛是那个跑进来救我的人。”

“抱歉，我并不认为你哥哥是英雄。”

“当警察抵达时，薛告诉他们，是他放的火。”葛瑞丝说。

我交叉双臂。她并未提到任何让我惊讶的事实。我知道薛·布尔能在寄养家庭体系中来来去去。我知道他曾被送进少年监狱。你可以把超过一万种不幸的理由加在他身上，但是在我看来，这依然无法抹杀我的丈夫和女儿被杀的事实。

“实际上，”葛瑞丝说，“薛说了谎。”她用手拨拨头发，“放火的人是我。”

“我女儿就快死了，”我坚定地说，“很抱歉你有这么一段痛苦难忘的过去。不过现在，我还有其他的事得关注。”

葛瑞丝毫不畏惧，继续说道：“只要我养母一去拜访她的姐姐，就会出事。她丈夫会来我房间。以前晚上睡觉前，我总会哀求不要关灯。一开始是因为我怕黑，后来则是希望别人能看见发生的事。”她的声音变弱了，“有一天我计划好了。养母在外头过夜，而薛不知道在哪儿，反正不在家。直到点燃火柴前，我都不知道事情的严重性。我跑进去，尝试叫醒养父，但薛把我拖了出来。警铃声越来越近，我把所有的事告诉他，他答应我会处理一切。而我从未想过他指的是顶罪。他想这么做的原因是，他遗憾自己没能更早援救我。”葛瑞丝抬头看我，“我不知道那天，你丈夫、女儿和我哥哥之间，发生了什么事。但我打赌，一定是哪里有问题。薛肯定是以他没能救我的方式，来试着救她。”

“不一样，”我生涩地说，“我丈夫不可能伤害伊丽莎白。”

“我养母也这么说。”她与我四目交会，“我不希望我哥哥死。

如果伊丽莎白死的时候，某人告诉你，你无法让她复生，但一部分的她可以继续存在于世界某处，你会怎么想？你可能不知道是哪部分，也可能根本不会接触到它，但你确实清楚，它在某处活得好好的。你会希望如此吗？”

我们两人站在克莱尔床铺的同一边。葛瑞丝·布尔能几乎和我一样高，体型也和我相近。除了伤疤，我几乎觉得是在看自己镜中的反射。“琼，心脏还在那儿，”她说，“而且是一颗完好的心脏。”

我们假装了解自己的孩子，因为这比承认事实来得容易。从脐带被剪断的那一刻起，他们就已经是陌生人了。告诉自己女儿还小，比看着她穿比基尼，发现她已经有了年轻女孩的曲线，要容易得多。告诉自己，你是一位好母亲，任何关于毒品和性的言论都很正确，比起承认她有千百件事不会对自己说，要来得安全许多。

多久之前，克莱尔就已经决定不再奋斗下去？我没有听她说过，而她有没有告诉朋友、唐德力或是写日记，都不得而知。我是否曾经忽略了我的另一个女儿，因为太害怕听见她想对我说的？

葛瑞丝·布尔能的话不停地在我内心里徘徊。

我养母也这么说。

不，寇克绝对不可能。

然而，一些影像仿佛扔在草坪的旗帜，在心头起了涟漪：我曾在沙发靠垫的内衬里发现一条伊丽莎白的内裤，那时候她还小，不会拉拉链。寇克常常去浴室找止痛药或弹性绷带等物品，那些时候，伊丽莎白都恰好在洗澡。

我每天晚上替伊丽莎白盖被子准备睡觉的时候，她都会这么说。“不要关灯。”就像葛瑞丝·布尔能一样的哀求。

我一直以为那是过渡期，长大就好了，但寇克却说，我们不应该让她对恐惧让步。他提议的折中办法便是关灯，他躺在旁边，直到她睡着为止。

我睡着之后会发生什么？

有一次，她这么问我。

所有的事情是不是都会停止？

如果这不是一个年仅七岁、仍在探索世界的女孩提出来的梦幻问题，而是一个只想从噩梦中逃脱的孩子的恳求呢？

我想起藏在头巾后方的葛瑞丝·布尔能。我想，你为何能直视某人，却不去真正地看清楚。或许你通过之前发生的事，认为我一定以为这只是纯粹的妄想。事情可以随着你的立场或身边的人而有所改变，而当你的视线一清晰，一切也可能因此消失无踪。

我这才明白，自己恐怕永远都不曾了解他们之间发生的事，无论寇克还是伊丽莎白，都说不出口。而薛·布尔能，呃，不管他看见了什么，他的指纹依然在那把枪上。而且经过上次的会面，我不知道自己能否继续忍受再次与他面对面。

她死了比较好。他说。而我试图从他告诉我的话中逃走。

我想象一起躺在棺材里的寇克和伊丽莎白，他的手臂紧紧环绕着她，突然间，我觉得自己快吐了。

“妈，”克莱尔气若游丝地说，“你还好吗？”

我用手抚摸她那因药物而略微红润的脸颊。她的心脏无法强到让脸变得红润。

“我不好，”我坦承道，“我正在死去。”

她稍稍地微笑：“真巧。”

这一点都不好玩。我正在逐渐凋零。“我必须告诉你一件事，”

我说，“而你会因此恨我。”我紧紧握住她的手，“我知道这不公平。但你是孩子，我是母亲，就算心脏在你的胸口跳动，我也必须做这个决定。”

她泪水盈眶：“但你答应了，不勉强我做不愿意做的事……”

“克莱尔，我没办法坐在这儿看你死，尤其是知道外面有一颗心脏在等你。”

“但那不是一颗普通的心脏。”她转向另一边哭泣，“你有没有想过，以后会怎样？”

我拨开她额前的头发：“宝贝，我想的正是这个。”

“说谎，”克莱尔回辩道，“你只想到你自己、你想要的和你已经失去的。你知道吗，你并不是唯一失去真实生活的人。”

“这正是我不能让你舍弃这颗心脏的原因。”

克莱尔慢慢转向我：“我不想因为他的恩赐而苟活。”

“那么，为我活下去。”我深吸一口气，吐出内心深处的秘密，“克莱尔，听着，我不如你坚强。我不认为，自己能忍受再度失去的痛苦。”

她闭上眼睛，我以为她又飘回了睡梦中，直到她紧紧握住我的手。“好，”她说，“但我希望你明白，我可能因此恨你一辈子。”

一辈子。有没有其他的句子像这句话一样充满韵律。

“喔，克莱尔，”我坚定地说，“那将是好长、好长的一段时间。”

第七章

迈可

受刑人尝试自杀，会使用排气孔。他们会用电视机的电线穿过天窗，缠在脖子周围，再从铁床上跳下来。因此，薛在行刑前一星期被移往观察室。房内监视器注意着他的一举一动，警官随时在门外驻守。这叫防自杀监视，可以让受刑人在州法下手前无法自行了断。

薛对这点痛恨至极。我一天八小时和他坐在一起，他讲的全都是这个。我则阅读《圣经》《多马福音》和《图解运动》。我向他叙述自己打算让青少年团体在七月四日举办一场派饼拍卖会的计划，那是一个他无法参与的庆祝节日。他看起来像在听我说话，却又会突然朝着站在外面的警官说话。“你不认为我应该拥有隐私吗？”他这么喊，“如果你只剩一星期可活，你会希望每次哭泣、吃东西或如厕的时候，都有人盯着你看吗？”

有时候，他看起来似乎对即将死去的事实全然顺服，他会问我，是不是真的相信有天堂，那里能不能抓银花鲈鱼、彩虹鱼或是鲑鱼，那是不是鱼也会去天堂，鱼的灵魂是不是和真实的鱼一样好吃。另外一些时候，他哭得太厉害，搞得自己呕吐出来，他会用连身衣的袖子擦嘴，躺在床上并瞪着天花板。唯一帮助他度过黯淡时光的事，就是谈到克莱尔·尼尔森，她的母亲已经同意接受薛的心脏。他有一张从报纸上得来的克莱尔的相片，常常用手抚摸它，结果让女孩苍白的脸孔变成一片完全空白的蛋形，留待想象力去填补。

绞刑台已经盖好了，整座监狱都闻得到新鲜松树树液和锯屑的味道。尽管礼拜堂的牧师办公室有一扇活门，然而，拆掉位于下方的餐厅作为坠落空间，花费实在过于庞大。于是，他们在建好的毒药注射室旁边另外盖起一座坚固的木质建筑。但是当《康城明镜》和《工会领导》的社论批评这是一场公众处决的野蛮行径时，典狱长绞尽脑汁地想把绞刑台藏起来。短期内最好的解决方式，就是从一个停止营业的马戏团手中购买一顶老旧帐篷。充满了节庆气氛的红紫条纹占据了监狱庭院的绝大部分。你可以从九十三号公路直接看到帐篷尖顶：**一人来，全家都来。地球上最壮观的演出。**

知道自己将看着薛死去，是一件极不可思议的事。尽管我早已见证过十来个囚犯的死亡，他们咽下最后一口气时，我都伫立在他们的床边，但这次不一样。切断这条生命线的不是上帝，而是一条法院的命令。我不再戴手表，改用薛的生命作为时间的依据。还剩下七十二小时、四十八小时、二十四小时。我像薛一样不再睡觉，而是选择在他身旁，一起看着时钟运转。

葛瑞丝持续地来看望薛。她只肯向我透露，从前拆散他们两人的，是一桩她一直替薛保守的秘密。这是一件在她见过琼·尼尔森之后便已解决的事。此刻，她正在弥补过去与哥哥失去的时光。两人头靠头，回忆过往。薛坚决不让葛瑞丝出席行刑，他不想让这种场面成为她对自己的最后回忆。薛指派的证人是我、玛吉以及玛吉的老板。葛瑞丝一来，我就让他们两人独处。我则前往员工餐厅，喝一罐汽水或坐下来看报纸。有时候，我会看新闻报道即将举行的处决。美国医药协会开始在监狱外抗议，举着巨大的标语牌，上面写着：**不能对身体造成伤害**。那些依旧相信薛的身份不仅仅是个杀人犯的人们，开始在夜晚点燃祈愿蜡烛，数千人拼出一则炽烈燃烧的信息，连从曼彻斯特起飞的飞机驾驶员，都能于天空中清楚地辨识出：*怜悯*。

我大部分的时间都在祷告，向上帝、向薛，向任何一位愿意聆听的人。而且我希望上帝会在最后一分钟饶恕薛。当我相信一位死刑犯有罪时，就很难对他有所帮助，而帮助一位顺服自己并即将死亡的无辜之人，更是难上加难。晚上，我梦见火车事故，不管我向人们喊得多大声说赶快转换铁轨，都没有一个人听得懂我在说什么。

薛行刑的前一天，葛瑞丝一来，我便离开了，沿着能看见巨大马戏团帐篷的路线，在建筑物与建筑物之间的庭院漫步。然而这一次，在主要入口站岗的警官不在，平日被绑得紧紧的遮蔽物大大地敞开。我听见内部传来的声音：

……不要靠边缘太近……

……从后方入口来到阶梯三十秒……

……你们两人在前面，另外三人在后面。

我朝内探头，等警官把我拉出去，但里面的小团队忙到根本没有注意到我。科因典狱长和六位警官站在木质平台上。其中一位比其他人稍矮小，身戴手铐、脚镣和腰链，站在所有人当中。他放松的身体往后一倒，成为其他警官手中的死人。

绞刑台是一座壮观的铁台，上方有一根横梁安置在一片有双重活门装置的平台上。活门下方是一块开放的空间，从那里可以看见向下坠落的身体。绞刑台左右两边各有一个小房间，前方安装了单向镜，你可以从房间内往外看，但外面的人看不见房间内部。绞刑台后方有一具活动梯，以及两片和帐篷同样宽度的白布帘，一片遮住绞刑台上方，一片遮住绞刑台下方。我看着两位警官拖着体型较小的男人，在敞开的布帘前方上了绞刑台。

科因典狱长按下秒表按钮。“然后……停止，”他说，“一共7分58秒，干得好。”

典狱长指着墙壁：“那些红色电话直接和州长、检察总长办公室联机。理事长会打电话来确认没有任何缓刑的决定。如果事情就此发展，他便会走到平台通知大家。他一离开，我会上台宣读行刑委任状，然后我会问受刑人，是否有任何遗言。等他一说完，我就会离开平台。等我走过这条黄线，上半部的布帘会被拉起来，也就是你们两人看守受刑人的时候。现在，我不会立刻把布帘拉起来，不过，大家试试看。”

他们用一块白布罩住小警官的头，把套索套在他的脖子上。套索由粗糙的绳索制成，并以皮料包裹外层，并穿过一个小巧的黄铜圈。

“坠落路径7英尺7英寸，”完成动作之后，科因典狱长开始解释，“这是用在一个约120磅重的人身上的标准距离。你们可以看见，上面有一个可调整的托架，金黄色的标记就是绳索穿过的地方。行刑过程中，你们三人——休斯、哈金斯和格林瓦德——将待在右边的房间。你们在行刑开始前的几个钟头就站在里面，看不见帐篷外发生的事。而你们每人前方都会有一个按钮。我一进入控制室，关上门，你们就按下按钮。三个按钮当中，只有一个能遥控打开绞刑台的活门，另外两个只是幌子。至于是三个按钮当中的哪一个，则由计算机随机决定。”

其中一位警官插嘴：“如果受刑人站不起来呢？”

“他的牢房外有一块折叠木板，如果他走不动，就会被皮带绑在上面，用轮床一路推过来。”

他们一直使用“受刑人”这个字眼，好像不知道自己在二十四小时之内要处决的人是谁似的。然而，我了解他们不愿提及薛这个名字的原因，因为他们当中没有人够勇敢。那会让他们觉得，自己对这桩谋杀有责任。

科因典狱长转向另一间房：“你那边情形如何？”

一扇门打开，另一个男人走出来，把手放在冒牌犯人的肩膀上。“不好意思。”他一开口说话，我立刻认出了这个人。我闯进玛吉家，告诉她薛是无辜的那天，就是这个英国人在玛吉家，葛拉弗是他的名字。他拿起套索，重新在小个子男人的脖子上调整，不过这一次，他直接把套索在左耳下方束紧：“你们有没有看见束紧绳索的位置？请确认是在这个位置，而不是头颅下方。坠落的力量和绳结的位置结合，理应折断颈部脊椎，并分离脊骨。”

科因典狱长再度向全体人员喊话。“法院命令我们，绞刑要经过慎重测量，让受刑人处于脑死亡及停止呼吸的状态。等到医生一给我们手势，下方的布帘将立刻拉起来，绳子也会立刻切断，并取下遗体。我们要记得，不是在坠落之后就没事了，这一点相当重要。”他转向医生，“然后呢？”

“我们会替他插管，保护心脏和其他器官。然后，我会进行脑部血流扫描，确认完全脑死亡，并在此前提之下，搬走遗体。”

“等到犯罪检查单位前来清理行刑现场，遗体将移交给医护人员团队。帐篷后方将停放一辆无任何标记的白色货运车，”典狱长说，“特殊任务单位会跟他们一起，把遗体送回医院。”

我发现典狱长也完全没有提到医生的名字。

“剩下的见证人将从帐篷前方的出口离开。”科因典狱长一边说，一边指着门口敞开的遮蔽物，这才发现了我。

绞刑台上的每个人都盯着我。我和克里斯蒂安·葛拉弗眼神交会，他略略向我点头。科因典狱长斜眼瞄我，在认出我之后，叹了口气。“神父，你不能进来这里。”他说。不过，在警官护送我出去之前，我已先行溜出帐篷，回到薛此刻正在等死的建筑物内。

那天晚上，薛被移到死亡帐篷。他们盖了一间夜以继日有人看守的单人牢房。乍看之下，这和其他的牢房没什么两样，可是两小时之后，这里的气温开始急剧下降。无论盖几件毛毯，薛依然抖个不停。

“温度计显示六十六华氏度，”警官一边说，一边用手拍拍温度计，“老天哪，现在是五月。”

“那你觉得现在有六十六度吗？”我问。我的脚趾已经冻僵了。凳子下方的横木条居然挂着一根冰柱。“我们可不可以要一个暖炉？或者再来一条毛毯？”

温度持续下降。我穿上外套，拉链拉得紧紧的。薛全身痛苦地颤抖不已，嘴唇变成了紫青色。牢房铁门上歪歪扭扭地结着霜，看起来仿佛一株株白色羽毛状的蕨类植物。

“帐篷外面的气温至少高了十度，”警官说，“我不懂。”他朝手掌心吹气，少许气息在空中徘徊不去，“我要通知维修部……”

“让我进去。”我命令。

警官不理睬我：“不行。”

“为什么？我已经被搜了两次身。况且我也没接触过其他囚犯。而且你人在这里，这和在律师-委托人会议室见面没有什么不同，不是吗？”

“我可能因此被解雇……”

“我会跟典狱长说，是我的主意，而且我一定谨言慎行，”我说，“我是位教士。我会跟你说谎吗？”

他摇摇头，用一把巨大的钥匙开了锁。当他把我锁在里面，当我一踏入薛六平方米的世界之时，我听见制动栓喀嚓地转回原位。薛抬头看我，牙齿不住地格格作响。

“过去一点。”我说完，跟他一起坐在床上。我抓了一条毛毯，盖在两人身上，等着身上的热度传递给他。

“为什么……会这么……冷？”薛低声说道。

我摇摇头：“试着不要去想。”

试着不要去想，这间小牢房的温度将近零度。试着不要去想，它就位于你明天将在上面晃动的绞刑台后方。试着不要去想，当你站在上方面对人海，被询问是否有最后的遗言时，你会说什么。你的心脏因恐惧跳得飞快，甚至连自己说了什么都听不见。试着不要去想，你死去之后的数分钟，这颗心脏将从胸口被切除。

护士艾尔玛稍早曾提议给薛服用镇静剂，当时他拒绝了，现在我倒希望他能为了自己去服用。

几分钟后，薛停止猛烈的颤抖，只是偶尔会间歇性地颤抖。

“我不想在那上面哭，”他坦承，“我不想让自己看起来很软弱。”

我转向他：“你身为死刑犯十一年了。你为了自己的死亡权利而奋斗，而且赢了。就算你明天必须爬上去，也不会有任何人觉得你软弱。”

“他们还在外面吗？”

他指的是外面的群众。他们依旧不断前来，为了进入康城，阻塞了九十三号公路的出口。到最后，薛究竟是不是弥赛亚，或是一个杰出的作秀者，已经不那么重要了。重要的是，这些人有了一个可以相信的人。

薛转向我：“我希望你能帮我一个忙。”

“愿意效劳。”

“我希望你能照顾葛瑞丝。”

我早料到他会这么说。处决比任何其他包含强烈情感的时刻——诞生、抢劫、婚礼、离婚——更能把人紧紧地绑在一起。我将和被牵涉的当事人永远系在一起。

“我会的。”我说。

“我希望你能拥有我所有的东西。”

我无法想象自己将继承什么，也许是他身为木匠时用的工具。“我很荣幸。”我把毛毯稍微往上拉，“薛，关于你的葬礼。”

“那真的无关紧要。”

我曾试图在圣凯瑟琳教堂的墓地，替他争取一小块地，然而，负责的委员会否决了。他们不希望一个杀人犯安息在自己挚爱之人的身旁。私人墓地和埋葬的费用高达数千美金，不论葛瑞丝、玛吉或我，皆无力负担。没有任何替代计划的受刑人家属，通常会选择让受刑人埋葬在监狱后方的一处小小墓园，墓碑上刻的不是受刑人的名字，而是他们的惩戒代号。

“三天。”薛打着哈欠说。

“三天？”

他向我微笑，这也是数小时以来，我第一次觉得暖上心头：“那将是我再来的时候。”

行刑日的早上九点，厨房送来一个托盘。这天夜里的某个时刻，冻结的霜柱裂开，在囚房的水泥上融化了一地。庭院的野草一簇一丛地发芽，葡萄藤沿着牢房的铁门攀延。薛脱掉鞋袜，光着脚丫，走在这片新的草地上，开怀大笑。

我早已回到外面的凳子上，如此一来，看管薛的警官才不会惹上麻烦。带着食物前来的警官，立刻小心警惕了起来："谁把这些植物带来的？"

"没人。"警官说，"昨天夜里冒出来的。"

刚来的警官不悦地皱眉："我去通知典狱长。"

"好啊，"看管薛的警官说，"去。他现在肯定没什么其他事要想，空得很。"

听见他的讽刺，薛和我相视而笑。刚来的警官离开后，他通过活门传递托盘。薛一样一样打开盖子。

蜜饯巧克力饼干。玉米粉油炸热狗。鸡块。

爆米花和棉花糖。烤棉花软糖。

波浪大薯条。淋上一圈野樱桃酒酱的冰淇淋。洒上糖粉的法国吐司。一杯超大杯的蓝色刨冰。

托盘里的食物远超过一个人的份量，全都是在乡村市集能买到的食物，那种普通人从小就会记得的食物。

如果你的童年不同于薛，就一定吃过这些食物。

"有一阵子，我曾在农场工作过，"薛心不在焉地说，"当时，我正在建一间木质谷仓。有一天，我看见一个男人跑进来，把一大袋谷物倒在公牛的牧草当中，不像往常只有一铲的份量。我觉得酷毙了，那就像它们的圣诞节，直到我看见屠夫的卡车驶来。他只是给予所有动物吃得下的份量，因为之后，这就都无关紧要了。"

薛转动指间的薯条，放回盘子。"你想吃一点吗？"他问。

我摇头。

"是啊，"他轻柔地说，"我想，我也不太饿。"

行刑时间排在上午十点。以往的死刑都习惯在午夜执行，但那给人一种阴谋论或间谍案的感觉，所以现在都坚持白天行刑。受刑人的家属在行刑三小时前都能来探访，不过这不是重点，因为薛要求葛瑞丝不要来。律师和精神辅导员可以留到行刑前四十五分钟。

在那之后，薛将只有看守的警官陪伴他。

早餐的托盘一端走，薛马上拉肚子了。警官和我转过身去，给他隐私，然后假装什么事也没发生。没多久，玛吉来了。她双眼通红，不停地用一张皱巴巴的纸巾擦拭眼睛。“我带了一样东西给你，”说着，她看了见牢房里蔓延的草地，“怎么回事？”

“全球变暖？”我说。

“呃，看来我的礼物是多余的。”玛吉掏空装满青草的口袋，有野胡萝卜、拖鞋兰花、印度画笔花和毛茛黄花。

她把植物穿过牢房的铁网递给薛。

“玛吉，谢谢。”

“老天，不要谢我，”玛吉说，“薛，我希望事情不是这样结束的。”她迟疑了一会儿，“如果我……”

“不。”薛摇头，“一切都快结束了，然后，你可以回去拯救那些希望被拯救的人。我很好，真的。我准备好了。”

玛吉张开嘴，想说些什么，却又闭起嘴，摇摇头：“我会站在你看得见我的地方。”

薛吞吞口水：“好。”

“我不能久留。我需要确认科因典狱长已经和院方联络，一切按照计划进行。”

薛点点头。“玛吉，”他说，“答应我一件事。”

“当然，薛。”

他把头靠在铁门上："别忘了我。"

"想都别想。"玛吉说完亲吻一下铁门，仿佛正在和薛吻别。

突然间，只剩下我们两人，还有接下来的半小时。

"你怎么样？"我问。

"呃，"薛说，"再好不过了？"

"是啊，蠢问题。"我摇摇头，"你想谈谈？祷告？做自己？"

"不用了，"薛很快地说，"不需要。"

"我能为你做什么？"

"嗯，"他说，"再和我谈谈她。"

我迟疑了一下。"她在游乐场，"我说，"双腿随着秋千上下摆动，荡到最顶端时，觉得自己的运动鞋踢到了一片云。她纵身一跳，因为她以为自己可以飞翔。"

"她有一头长发，看起来就像背后有一面旗帜。"薛接着说。

"一头美得仿佛来自童话故事的秀发，耀眼的金黄色几乎贴近银色。"

"童话故事，"薛重复，"快乐的结局。"

"对她而言，的确。薛，你给了她全新的生命。"

"我又救了她一次。我总共救了她两次。这一次，是用我的心，上一次，她甚至还没出生。"他直视我，"他不只伤害伊丽莎白。枪响的时候，她突然跑过来……但另一次……我必须这么做。"

我往后瞥了一眼站岗的警官，他早移往偏远的一角，用对讲机说话。我的语句混浊不清，叫人听不清楚："你确实犯下了杀人罪。"

薛耸耸肩。"有些人，"他简单地说，"该死。"

警官走过来时，我目瞪口呆地站在原地。"神父，我很抱歉，"他说，"不过，现在你得离开了。"

就在这时候，帐篷外传来苏格兰风笛声，伴随高低起伏的人声。外面持续守夜的人开始歌唱：

奇异恩典，何等甘甜……

我罪已得赦免。

前我失丧，今被寻回。

瞎眼今得复明。

我不知道，薛是否因杀人而有罪，还是清白却被误解。我不知道他是不是弥赛亚，还是一位引用自己从未读过的经典的学者。我不知道我们是在创造历史，或只是再经历一次曾有的历史。但我知道该做什么。我向薛比手势，要他过来，闭上我的眼睛，在他的额头画上十字。“伟大的上帝，”我低语，“请看顾你倒在软弱中的仆人，请用永生的承诺安慰他，那是你的儿子，我们的主耶稣基督复活的盼望。阿门。”

我张开眼睛，看见薛在微笑。“神父，一会儿见。”他说。

玛吉

我一离开薛的牢房，便在马戏团帐篷外失足绊倒——事实就是如此，马戏团——在庭院的草地呕吐起来。

“嘿，”一个声音问，“你还好吗？”我感觉一只手臂沉稳地放在我肩头，我朝着令人眼花缭乱的阳光一瞥，发现科因典狱长看起来，就像我看他的眼神一样，不怎么高兴。

“来吧，”他说，“找杯水给你喝。”

他领我穿过阴森凄凉的回廊。我心想，比起外面蓝天白云的美好春景，这种回廊更适合作为行刑地点。他在空荡荡的自助餐厅推了一张椅子给我，然后走到饮品冷藏柜，拿点东西给我喝。我一口气喝完整杯水，却依然能感受到喉咙的苦味。

“抱歉，”我说，“我不是故意要吐在你的游行广场。”

他在我身旁的椅子上坐下：“你知道的，布鲁小姐，你对于我的一大堆事情，并不了解。”

“我也不想了解。”我一边说，一边起身。

“例如，”科因典狱长愉快地说，“我并不全然相信死刑。”

我闭上嘴巴盯着他瞧，乖乖坐回椅子上。

“别误会，我以前曾经相信过。而且必须的话，我就会执行死刑，因为那是我工作的一部分，但并不表示我宽恕这样的行为。”他说，“我看过很多囚犯，对他们而言，监狱生活可谓舒适安好。我也见过一些我希望他们被杀死的犯人，你在这些人身上找不出任何优点。但我算哪根葱，能够决定某人应该为了杀害孩子而被处决……而不去处决那个在某次出差错的毒品交易里杀死毒贩的人……我甚至想，我们是否应该让受刑人自行了断？我没有聪明到能说出，哪一条生命比另一条生命更有价值。我不知道有没有人能办得到。”

“如果你知道不公平，却依然这么做，你晚上怎么睡得着？”

科因典狱长悲伤地微笑。“布鲁小姐，我睡得并不好。你和我之间的差别在于，你期望我睡得好。”他站起来，“你知道怎么走出去吧？”

我理应和迈可神父一起，在公共关系室等候，这样，我们就会和州政府以及被害人一方的见证人，被分别带去帐篷。然而，不知道为什么，我知道这不是科因典狱长的本意。

更惊讶的是……我想，他知道我懂他的意思。

马戏团帐篷内绘制了一片蓝天。人工云朵向上浮，升至帐篷顶，恰巧就在刚完工的黑铁绞刑台上方。我心想，薛会不会看着这片布景，想象自己身在户外。

一排监管人员将帐篷内部分隔成两半，仿佛一堵人墙，把双方见证人分开。惩治机关的信函警告我们该有合宜的举止。辱骂或不适当的举动，都会让我们被逐出帐篷。我身旁的迈可神父正在念诵《玫瑰经》。另外一边，是我的老板陆夫斯·厄夸特。

当我看见安静地坐在另外一边第一排的琼·尼尔森时，心脏差点跳到嗓子眼。

我认为她会和克莱尔一起在医院，毕竟克莱尔即将准备接受心脏移植。当她打电话通知我愿意接受薛的心脏时，我并未提出任何问题。我不想搞砸这件事。现在，我却希望自己可以走到她身边，问她克莱尔好不好，每件事是否都按照计划进行。然而这么做，会让警官以为我在骚扰她，而且老实说，我也怕听见她的答案。

克里斯蒂安在布帘后方的某处，确认绳索和套结是否处于正确位置，确保这场绞刑将尽可能人性化。我知道这一点理应让自己感到安慰，然而坦白说，我这一辈子从未感到如此孤单。

成为一名杀人凶手的朋友，对我而言非常困难。律师对于最好不要和委托人有情感或私交上的牵连，可以说比谁都清楚。不过这并不表示，事情绝不可能发生。

十点整，布帘打开了。

站在绞刑台上的薛看起来非常渺小。他穿着白色T恤、橘色监狱服长裤和网球鞋，两边各站着一名我从未见过的警官。他的手臂被绑在身后，双腿用看起来像皮带的绳子紧紧扣住。

他就像一片树叶般颤抖不已。

林奇理事长走上平台。“我们并未收到任何延缓行刑的通知。”他宣布。

我想着克里斯蒂安的双手正在检查薛脖子上的套结。我熟知他触摸之下的怜悯，对于薛的身体最后接触到的是一个温柔的人，我满怀感激。

等到林奇一离开，典狱长站上平台，宣读整篇许可状。字句在我心里进进出出：

……1997年3月6日，以赛亚·马太·布尔能依法以两项杀人罪名被判死刑……法庭根据上述判决宣布，以萨亚·马太·布尔能的行刑日期定于2008年5月23日星期五早上10

点……

……命令将前述判决改为绞刑，让以萨亚·马太·布尔能脑死亡……

典狱长说完，转向薛："布尔能受刑人，你有没有什么遗言？"

薛眯着眼睛，直到在第一排找到我为止。他定睛注视我良久，然后转向迈可神父。但那之后，他转向帐篷另一边被害人一方见证人聚集之处，朝着琼·尼尔森微笑。"我原谅你。"他说。

在那之后，一片布帘被放下来。布帘的长度只盖到绞刑台地板，还是半透明的白布帘。我不知道典狱长是不是故意要让我们看见后方的动静，但我们确实看得见令人毛骨悚然的轮廓。薛的头被套上布兜，脖子上的套结被拴紧，两位看守他的警官往后退。

"再见。"我低语。

有一扇门不知从何处砰然紧闭，活门突然打开，身体笔直落下，当重量抵达绳索末端时，迅速传出一声爆裂声响。薛仿佛那不甚优美的芭蕾舞女主角、一片十月的落叶、一片飘落的雪花，缓慢地逆时针摆荡。

我感觉迈可神父的手落在我的手上，传递不需言语表达的信息。"结束了。"他轻声说道。

我不知道，是什么让我转向琼·尼尔森，但我的确这么做了。那女人背挺得有如一颗杉树，大腿上的双手合得那么紧，我可以看见半月形的指甲刺进了她的肌肤。她的双眼牢牢紧闭。

经过这一切，她甚至没有看着他死。

薛被处以绞刑之后，下半部的布帘拉上了三分十秒。这片布帘完全不透明，尽管它因后方的动作而晃动不已，我们依然无法看见任何动静。帐篷内的警官没让我们过多逗留，匆忙地领着我们经由不同的出口来到庭院。被带出监狱大门外的我们立即被大批媒体淹没。“正好，”陆夫斯因肾上腺素而激动不已，“这是我们的光荣时刻。”我点点头，注意力却放在了琼身上。我只是飞快地看了她一眼，一个女人招呼她进入一辆等候的车子。

“厄夸特先生，”二十支麦克风宛如一束黑玫瑰，顿时凑近陆夫斯脸孔下方，一位记者发问，“你有什么话想说？”

我往后退，看着聚光灯下的陆夫斯。我只希望自己当场人间蒸发。我知道陆夫斯并不是故意在这里把薛当做一枚棋子，他只是在执行自己身为美国民权自由联盟老板的工作。然而这么一看，他和科因典狱长之间有什么不同吗？

“薛·布尔能死了，”陆夫斯冷静地说，“六十九年来，本州第一次死刑……我们是唯一的，法律文书内依旧有死刑的发达国家。”

他环视群众：“某些人说，我们国家依旧有死刑的原因，是我们需要惩罚某些犯人。死刑被说成一种遏止犯罪的方法，但实际上，我们的凶杀案发生率却比那些没有死刑的国家更高。又有人说，处决一个人比关他一辈子来得便宜，但实际上，当你分析十一年来以公共经费支付的上诉费用，处决一个犯人的费用比无期徒刑多出三分之一。某些人说，死刑的存在是为了被害人家庭，他们能依此完全和自己的悲伤作个了结。但丧钟在他们家庭成员的一分子头上响起时，正义和公平真的会到来吗？我们又该如何去解释，为何一桩在乡村犯下的谋杀案，要比城市中的谋杀案更轻易地得到死刑判决？为何被害人为白人的谋杀案，相较被害人为黑人的谋杀案，判死刑的几率高出三倍半？为何被判死刑的女人只是被判死刑的男人数量的三分之二？”

在尚未意识到自己在做什么之前，我已经踏入媒体给予陆夫斯的小圈子内。“玛吉，”他盖住麦克风低语，“事情在我掌控之下。”

一位记者递给我名片：“嘿，你不是他的律师吗？”

“是的。”我说，“我希望这足以证明，我有资格告诉你们我即将说的话。我为美国民权自由联盟工作。我可以不假思索地说出厄夸特先生方才发表的统计数字。但这些言论意味着什么？经过这些日子，我对琼·尼尔森失去的一切，发自肺腑地感到抱歉。今天，我失去了一个自己真正关心的人，某个曾经犯下大错的人。他的内心有如坚果，难以打破，但我会在内心替他保留一个位置。”

“玛吉，”陆夫斯拉拉我的袖子说，“把真正的忏悔留给你的日记。”

我不理他，说：“我认为今天依然要处决罪犯的理由是，对于令人发指的犯罪，我们能有令人发指的惩罚。事情就是这么简单，尽管我们不会义正言辞地说出来。我们想让大众紧密地结合在一起，摆脱那些我们认为永远学不乖的人。我认为问题在于，由谁去认定这些人？是谁来决定，这桩罪行足够骇人，而唯一的解决之道是死刑？如果上帝要阻止这样的事发生，而他们错了呢？”

群众窃窃私语，摄影机依然在拍摄。“我没有孩子。我没办法说，如果今天我的孩子被杀，我也能感同身受。我没有答案，如果我有，今天的我将会更富有。但我开始觉得，这样也没关系。我们在寻找答案的时候，应该先提出问题。今天我们在这里学到的教训是什么？如果每次都不一样呢？如果正义并不等同于正当途径，该怎么办？因为在终结来临之际，我们身边剩下的只会是一位被害人、一件待处理的案子，而不再是一个小女孩或一个丈夫。犯人不想知道监管人员的孩子的名字，毕竟这将让他们的关系过于私人化；执行处决的典狱长并不认为死刑应当存在。这里还有一位理应回到办公室结案，然后继续过日子的美国民权自由联盟的律师。我们剩下的只是死亡，毫无人性的死亡。”我迟疑了一会儿，“所以，你们告诉我……这场处决真的让你们觉得安全了吗？它让我们大家变得更紧密相连吗？或者，它使我们离得更远了呢？”

我一边推，一边走过摄影机，沉重的机头有如公牛，随着我的步伐转动，旁观的群众切开一条深纵的峡谷，让我穿越其中。然后，我哭了。

老天啊，我哭了。

虽然没有下雨，在开车回家的路上，我依然启动了挡风玻璃的雨刷。我整个人早已裂为碎片，啜泣着看不清前方。不知为何，我认为雨刷可能帮得上忙。今天，毋庸置疑是见证新罕布什尔州美国民权自由联盟五十年来最重要案件的结果的日子，而我抢了老板的镜头。更糟的是，我根本不在乎。

我很想和克里斯蒂安说说话，但此刻的他正在医院监督薛的心脏和其他器官的摘除。他说，只要一获得许可，只要其他人一通知他，移植手术圆满成功后，他立刻就会过来一趟。

这也代表，我将回到一间只有一只兔子、没有其他东西的家。

我转进我家所在的街道，马上看见汽车专用道上的车。我妈正在前门等我。我想问，她怎么会在这里，怎么没去上班。我想问她，她怎么知道我需要她。

就在她一言不发地拿出我以前习惯放在沙发上，内里缝着羊绒毛的毛毯时，我踏向前方，裹上它，忘却自己所有的问题。我把脸埋在她脖子上。“喔，玛吉，”她温柔地说，“没事了。”

我摇摇头。“恐怖极了。我一眨眼就会看见，仿佛事情仍然在发生。”我双眼再度涌上泪水，“很傻，对不对？直到最后一分钟，我仍然期待奇迹能发生，就像在法庭一样。他会钻出绳索，或是——我不知道——飞走之类的。”

“来，坐下来，”我妈一边说，一边带我进厨房，“真实生活不是这样的，就像你和记者说的……”

“你有看到我？”我抬头。

“电视上。玛吉，每一台都有。”她的脸洋溢着光辉，“已经有四个人打电话来跟我说，你实在太杰出了。”

我突然想起大学时，坐在爸妈的厨房里，无法决定将来的志向。那时候，我妈坐下来，手肘撑在桌上。

“你喜欢做什么？”她问。

“阅读。”我告诉她，“还有，辩论。”

她露出微笑。“玛吉，我的爱，你说的是成为律师。”

我用双手埋住脸：“我是个笨蛋，陆夫斯肯定会开除我。”

“为什么？因为你说了没人敢说的话？世界上最难的一件事，就是相信人可以改变。顺着事情本来的样子去做，要比承认自己一开始可能错了来得容易。”

她转向我，端着一碗热气腾腾、芳香美味的汤。我可以闻出迷迭香、胡椒和芹菜的味道。

“我替你做了点汤。真材实料。”

“你为我用新鲜材料煮汤？”

我妈眼睛骨碌碌地转一转：“好啦，我买了一些某人用真材实料做好的汤。”

我面露微笑，她摸摸我的脸颊。

“玛吉，”她说，“快吃。”

那天下午稍晚，当我妈在洗碗收拾厨房，奥利佛蜷缩在一旁时，我在客厅的沙发上睡着了。我梦见自己穿着最喜欢的高跟鞋，走在一片漆黑之中，鞋子弄得我好痛。一低头，才发现自己不是走在草地上，而是一片看起来如沙漠一般的碎玻璃。我的高跟鞋不停地被裂缝卡住，最后我被迫停下来，拔出其中一只鞋。

就在我这么做的时候，一块泥土翻了过来，发出光芒。那是最纯净、最清澈的熔岩。我用高跟鞋敲另一块泥土，更多光芒向外流泻。我刺了好几个洞，熔岩闪闪发光。我开始跳舞，世界变得光明耀眼，亮到我必须遮住自己的眼睛，亮到我不自觉地泪水决堤。

琼

手术前一晚，关于他们将如何移植心脏一事，我这么告诉克莱尔：你会被推进手术室，施以全身麻醉。

葡萄，她说。我喜欢葡萄远胜于泡泡糖，尽管沙士口味也不赖。

我告诉她，她将准备好接受手术，前方将覆盖一块布。你的胸骨将被锯子锯开。

那会不会痛？

当然不会，我说。你很快就会睡着。

我像任何一位心脏科医生那样熟悉手术流程，毕竟我仔细研究了这么久。

接下来呢？克莱尔问。

缝合，固定，把心脏缝上大动脉、上方大静脉和下方大静脉，更换导管。然后，你会被接上一台人工心肺机。

那是什么？

它会为你工作，排出两条蓝色大静脉的血液，再把红色的血液经由插管导回大动脉。

“插管”这个词好酷。我喜欢它念起来的感觉。

我跳过心脏如何被取出的细节。先把下方和上方的大静脉切开，然后是大动脉。

继续说。

他的心脏会被注入心脏麻痹的药剂。

听起来好像你用来替汽车打蜡的产品。

你最好祈祷不是这样。它饱含营养素和氧气，让心脏回温时不会跳动。

之后呢？

之后，新的心脏会来到它的新家。我轻敲她的胸口。首先缝合左心室，然后是下方大静脉、上方大静脉、肺部动脉，最后是大动脉。当全部的血管重新串联起来，大动脉的夹钳拿掉后，温热的血液便会开始流经冠状动脉，然后……

等等，让我猜。心脏开始跳动？

数小时过后，躺在轮床上的克莱尔向我微笑。身为未成年子女的父母，我得以陪同她进入手术室。在她被全身麻醉时，我穿着合身的长袍，站在一旁。我坐在一张护士提供的凳子上，身在发亮的工具和闪亮的灯光之间。我试图捕捉熟悉的外科医生口罩之上的亲切双眸。

“妈。”克莱尔握着我的手说。

“我在这儿。”

“我不恨你。”

“宝贝，我知道。”

麻醉师调整一下克莱尔脸上的口罩：“嗯，我要你替我读秒。从十倒数。”

“十，”克莱尔直视我的双眼说，“九，八。”她的眼皮下垂，半开半闭。“七。”她说，嘴唇在最后一个音节上开始松弛。

“这位母亲，如果你想的话，可以亲她一下。”一位护士说。

我的纸口罩轻触克莱尔柔软的脸颊。“回到我身边。”我低语。

迈可

薛过世三天后，也就是葬礼两天后，我回到监狱墓地。墓碑围成一片小小的场地，每一块各刻着一组号码。薛的墓碑上什么都没有，只是一小块尚未完工的土地。然而，它却是唯一拥有访客的墓碑。交叉双腿席地而坐的，是葛瑞丝・布尔能。

她站起来时，我朝她挥手。“神父，”她说，“见到你真好。”

“我也是。”我面带笑容走近她。

“那天你主持的弥撒真棒。”她看着地面，“我知道自己看起来不像在听，但我确实听进去了。”

薛的葬礼上，我完全没有引用《圣经》，也没有引用《多马福音》。我创造了自己的福音，关于薛・布尔能的好消息，我真心诚意向在场的几位出席者分享。葛瑞丝、玛吉和护士艾尔玛。

琼・尼尔森没有来，她在医院里，和刚接受心脏移植正慢慢恢复的女儿在一起。她送了一小枝百合花放在薛的墓地。如今，依然放在原地的花朵正在枯萎。

玛吉告诉我，克莱尔的医生对于手术结果相当震惊。据说心脏仿佛一只长腿的野兔，立刻开始自行跳动。这星期结束前，克莱尔就可以出院回家了。

“你听说移植的事了吗？”我问。

葛瑞丝点点头。“我知道无论他在哪儿，一定会为此高兴。”她拍拍裙上的尘土，“我要离开了。我得回缅因，轮七点的班。”

“我过几天再打电话给你。”我认真地说。我答应薛，要照顾葛瑞丝，不过老实说，我相信薛也希望她照顾我。不知怎么的，薛早就知道，如果没有教堂，我也会需要一个家。

我在葛瑞丝方才坐的地方，坐了下来。我叹口气，身体前倾，等待着。

我不太确定自己在等什么。薛已经过世三天了。他告诉我，他会再回来。但他也告诉我，自己确实有意杀害寇克·尼尔森。要我把这两种想法并列在一起，实在办不到。

我是不是应该寻找一位天使，就像抹大拉的玛利亚看见的一样，让天使告诉我薛已经离开坟墓。我不知道他是否寄了一封信给我，自己又该不该期待于当天稍晚时收到。我在等，等待一种预兆。

我听见脚步声，看见葛瑞丝匆忙地走向我：“我差点忘了！我得把这个交给你。”

那是一个用橡皮筋缠好的大鞋盒。四角的绿色卡纸已开始剥落，上面还有几块水渍：“这是什么？”

“我哥哥的遗物。典狱长把它交给我。里面有一张薛的字条，他希望你收下这些遗物。我应该在葬礼那天交给你，但字条上说，我应该在今天交给你。”

“你应该保留它。”我说，“你是他的家人。”

她抬头看我：“神父，你也是。”

等她一离开，我坐回薛的墓地旁。

“是这个吗？”我大声地说，“这是我应该等的东西吗？”

鞋盒里有一捆用帆布包起来的工具，还有三包泡泡糖。

他只有一块泡泡糖。我仿佛听见路希尔斯的声音。而那却够我们大家吃。

盒内剩下的最后一样物品，是一块又小又平、用报纸包起来的包裹。捆绑的绳带早已剥落，报纸陈旧发黄。包在中间的，是一张破烂的却让我瞬间屏息的照片。我手上的是大学时在宿舍被偷的照片，照片上，爷爷和我互相展示当日钓鱼的成果。

为什么他会拿走一样对自己毫无价值的东西？我用手指触摸爷爷的脸，突然想起薛某次讲到他从未拥有过的爷爷，那位他靠着这张照片想象出来的爷爷。他之所以偷走这张照片，是因为它正好能证明自己生命中遗失的部分？他是否曾盯着这张照片，希望自己就是我？

我想起另外一件事。在我被选为薛的陪审团成员之前，这张照片已经被偷了。我难以置信地摇摇头。当薛看见我坐在法庭上时，很可能已经知道那是我。当我第一次去监狱看他时，他很有可能再度认出我。从很久之前开始，我就被他开了这个玩笑。

我摊平包裹相框的报纸，才发现那根本不是报纸。这张纸太厚，尺寸也不对。这是从书上撕下来的纸，顶端印着一行字：奈格汉马帝城图书馆，《多马福音》，1977年首印。我用指尖指着熟悉的话语。

耶稣说，任何人发现了这些话的意义，将不会尝到死亡的滋味。

耶稣说，死的不会活，活的不会死。

耶稣说，不要说谎。

耶稣说。

薛也这么说。

挫败的我把纸撕成碎片，丢在地上。我生薛的气，也生自己的气。我用双手埋住脸，感觉一阵风吹来，片片碎纸开始到处飘散。

我追在它们后面跑，当它们被墓碑挡住时，我赶紧捡回来，把它们塞进口袋。我揭开长在墓地边缘的野草丛，为了其中一片碎纸，我甚至一路追到停车场。

有时候，我们只看见自己想看见的，而不是摆在眼前的事实。有时候，我们看得一点都不清楚。我把所有捡回来的碎纸集中在一起，在百合花枝条下方挖了一个碗那么大的洞，最后用薄薄一层泥土把纸片埋起来。我想象发黄的纸张被雨水溶解，被土壤吸收，在冬天的白雪下休眠。我想知道，明年春天会长出什么来。

尾　声

克莱尔

三个星期以来，我可以说成了一个崭新的、截然不同的人。这不是一件你看到我就会发现的事实。我照镜子的时候，也看不出什么所以然来。我唯一能形容的感觉非常诡异，你最好先做心理准备。那仿佛打在我身上的波浪，就算突然被十几个人包围着，我依然感到孤独；就算开始做每一件以前想做的事，我都会忍不住开始啜泣。

我妈说，情绪不会随着心脏一起被移植，而我最好停止把这些反应归咎于他，并开始称其为我自己的情绪。这实在不简单，你算一算我总共得吞下多少东西，才能让细胞不认得位于我胸口的外来物，就像以前的恐怖电影里，俯身在女人身体上的异形。软便剂、舒肠缓泻、强的松、善胃得、依那普利、麦考酚酸酯、普乐可复、羟考酮止痛药、抗生素、氧化镁、抗霉菌剂、克毒愈。这是一种用来愚弄我身体的鸡尾酒。这样的策略能持续多久，就留给看官们去猜测了。

我的看法则是，我身体赢，心脏被排斥；要不，就是我赢。

然后成为他以前的样子。

我妈说，我得努力熬过这一切，所以我必须服用抗抑郁药物，每星期和心理医生对话两次。我点头，假装相信她。她现在好快乐，但这种快乐就像糖霜做的装饰品，如果拿的方式不对，就会化为碎屑。

我更想告诉你的是，回到家真好。而且再也不会有闪电发射器从身体里面一天电我三到四次。我再也不会突然晕倒，醒来的时候完全不知道怎么一回事。可以上楼梯，下楼梯！再也不会中途停步，或是被人抱着走。

“克莱尔，”我妈喊道，“你醒了吗？”

今天，我们有一位访客。这是一个我从来没见过的女人，尽管很显然，她已经见过我了。她是那个给我心脏的男人的妹妹，在我整个人有气无力的时候来过医院。我并不期待这次会面。她很可能崩溃哭泣，用老鹰锐利般的眼睛盯着我，直到她找到我的很小一部分，让她想起自己的哥哥，或至少成功地说服了她自己。

“来了。”我说。上半身赤裸的我站在镜子前已经二十分钟了。那条复元中的伤疤，就像一张鲜红而愤怒的嘴。每次一看见它，我就开始想象，这样玩意也许会开口大吼。

我重新包好不该拆掉的绷带。只要我妈不在，我就忍不住拆开看。我套上一件上衣，朝地上的唐德力瞥一眼。“嘿，懒骨头，”我说，“该起来开心玩玩啰。”

我的狗一动也不动。

我知道发生了什么，却只是呆站在原地盯着它。有一次，我妈告诉我——她有一卡车关于心脏病人的奇闻轶事——心脏移植之后，连接大脑和心脏的神经会被切断。意思是说，像我这样的人，在面对一般会立刻把人吓坏的情况时，反应会来得比较慢。首先需要的是肾上腺素的分泌。

你可以这么想：喔，保持冷静真好。

或者你也可以想，拥有一颗崭新的心脏，反应却那么慢，不知道这是什么感觉。

然后，砰，仿佛肾上腺素已经分泌好似的，我在小狗的面前跪了下来。我害怕碰触它。我曾经离死亡那么近，不想再经历一次。

眼泪流了出来，划过我的脸庞，流进嘴里。失去的味道总是咸咸的。我弯向年老却不失美丽的狗。“唐德力，”我说，“来吧。”可我把它翻过来，把耳朵贴在它的肋骨前，发现它早已冰冷僵硬，并停止了呼吸。

“不。”我低语，然后扯开喉咙大叫。

我妈如一阵旋风般冲上楼，瞪大眼睛，站在门槛边：“克莱尔，怎么了？”

我摇摇头，说不出话来。因为双掌之间的狗正在痉挛，它的心脏就在我双手之下，再度开始跳动。

图书在版编目（CIP）数据

换心 / (美) 皮考特著；谢蕙心译. -- 北京：北京联合出版公司, 2015.7

ISBN 978-7-5502-5346-9

Ⅰ.①换… Ⅱ.①皮… ②谢… Ⅲ.①长篇小说—美国—现代 Ⅳ.①I712.45

中国版本图书馆CIP数据核字(2015)第105826号

著作版权合同登记号：01-2015-3194

换心
作者：[美]朱迪・皮考特
译者：谢蕙心
责任编辑：徐秀琴
选题策划：读客图书 021-33608311
特约编辑：杨菊蓉 张晓莹 梁余丰
封面设计：陈艳丽
版式设计：陈宇婕
责任校对：曹振民 姜瑞清

北京联合出版公司出版
（北京市西城区德外大街83号楼9层 100088）
北京正合鼎业印刷技术有限公司印刷 新华书店经销
2015年11月第1版 2015年11月第1次印刷
字数 341千字 890毫米×1270毫米 1/32 14.5印张
ISBN 978-7-5502-5346-9
定价：48.00元

如有印刷、装订质量问题，
请致电 010-85866447（免费更换，邮寄到府）